科學天地 163

微積分之倚天寶劍

How to Ace
the Rest of Calculus
The Streetwise Guide, Including MultiVariable Calculus

by Colin Adams, Joel Hass,
Abigail Thompson

亞當斯、哈斯、湯普森／著　　師明睿／譯

作者簡介

亞當斯（Colin Adams）

美國威廉斯學院（Williams College）數學教授，曾榮獲 1998 年美國數學協會傑出教學獎（MAA Distinguished Teaching Award）；另著有《微積分之屠龍寶刀》、《The Knot Book》。

哈斯（Joel Hass）

美國加州大學（戴維斯分校）數學教授，曾獲美國國家科學基金會（NSF）及史隆基金會（Sloan Foundation）研究獎，與亞當斯合著有《微積分之屠龍寶刀》。

湯普森（Abigail Thompson）

美國加州大學（戴維斯分校）數學教授，曾獲美國國家科學基金會（NSF）及史隆基金會（Sloan Foundation）研究獎，與亞當斯合著有《微積分之屠龍寶刀》。

譯者簡介

師明睿

　　1940 年生於四川成都，九歲時隨父母來台。省立新竹
中學及國立台灣大學化學系畢業，服兵役後曾回台大任助
教研究生一年，旋赴美進修，獲得美國印地安納州立普渡
大學生物化學博士學位。畢業後去加拿大定居，一度擔任
加拿大卑詩省賽門佛瑞哲大學（Simon Fraser University）生
物系講師。隨後棄筆務農，曾出任卑詩省政府洋菇市場統
銷監察委員，卑詩省佛瑞哲河谷洋菇菇農合作社之理事兼
副社長、理事長兼社長、執行理事，及加拿大全國菇農協
會理事。

　　1992 年回國之後，先後在衛生署預防醫學研究所、中
研院生醫所及生農所籌備處從事研究，參與台灣疫苗政策
評估規劃、日本腦炎新款疫苗研發，以及中草藥金線蓮藥
理之動物研究。

　　同時也從事自由翻譯工作。譯作有《觀念物理 3：物
質三態・熱學》、《萬物簡史》、《微積分之屠龍寶刀》等十
數本（皆為天下文化出版）。

微積分之倚天寶劍

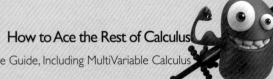

How to Ace the Rest of Calculus

The Streetwise Guide, Including MultiVariable Calculus

謹以此書

獻給

所有買了我們第一本書的學生們，

衷心希望你們第一學期

拿到了90分

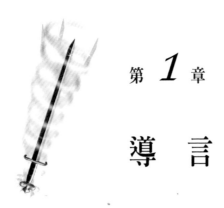

第 *1* 章

導　言

　　本書是《微積分之屠龍寶刀》的續篇，讀者是已經修過至少一學期微積分的學生，書裡的內容包含了微積分剩下的部分中，所有你需要知道的素材，諸如多變數微積分，以及序列與級數。為什麼我們要寫這第二本書呢？主要原因是，在《微積分之屠龍寶刀》出版之後，我們收到了無數正面回響的信件，得到廣大讀者的鼓舞。以下是其中一封來信：

親愛的三位數學怪胎：

　　誰想得到你們三個滿腦子數學的鴨蛋頭，居然會寫出一本讓我欣賞的書？你們的《微積分之屠龍寶刀》真是寫得很棒，完全轉變

了我對數學的觀感。為了讓自己有更多時間做數學習題，我已經毅然決然辭去了兄弟會的「整人組」組長一職，我甚至正在認真考量，是否也應該一併戒掉啤酒。之所以遲遲未做決定，原因是一旦戒了酒，我這兄弟會自然就待不下去啦。不過現在想想，即使離開兄弟會，也沒啥大不了！自從你們的書讓我開了眼界，看到數學真實、美好的一面之後，我對人類的各種創新努力，重新產生了敬意，也不再貿然輕視我們這個多元社會裡的每一個人。換言之，我不再以貌取人；以前我認為，怪胎不可能有啥能耐跟內涵，現在我終於了解到，外形上的特質不足以反映出內在的巨大創新潛力。為此，我要謝謝你們改變了我的一生。

　　我現在已下定決心，今後要貢獻棉薄之力，掃除社會上跟昨日之我相同的無知偏見。不過我也知道，無論我如何努力，成效遠不如你們透過著書立說，匡正社會陋習的偉大貢獻。你們真了不起，我將永遠感謝你們。如果你們認為我有任何幫得上忙的地方，不管是人事上還是財務上，千萬別客氣，儘管吩咐。

莊孝維　謹上

P.S.：我只是在希望跟祈禱，你們能考慮為《微積分之屠龍寶刀》寫一本續集，寫完該書尚未提到的部分，包括序列、級數及多變數微積分等等。

　　好啦好啦！算你厲害，居然給你猜中了，這封信不是真的，而是我們杜撰出來的。不過，信中流露的感情卻是千真萬確的。在一個又一個郵包的來信裡，雖說每位讀者的表達方式不盡相同，但對《微積分之屠龍寶刀》的讚譽，卻是異口同聲，讓我們大大感動。

如果你現在正在書店裡翻閱這本書，你大概是：

1. 剛修過初等微積分，使用過我們的《微積分之屠龍寶刀》，而且順利拿到高分。那麼你還在猶疑什麼？已經證明有幫助了，不是嗎？

2. 剛修過初等微積分，但沒有讀到我們的前一本書，結果成績很差。顯然，你應該即刻買下這本書，以便亡羊補牢。順便把第一本也一併買下，保證有益無害。

3. 並沒有買過我們的第一本書，而你也獲得了高分。恭喜你，你真是不簡單，這證明了你的天資跟努力都具有相當水準。但是你有沒有仔細想一想，你是不是因為運氣好，才拿到高分？奉勸你趕快買下這本書，好大幅提高勝算。

4. 的確買了我們的第一本書，學期結束時卻沒能獲得高分。難道是我們忘了告訴你，即使有了那本書，你還是必須上課聽講，考試時也不能缺席？

　　我們實在不願意想到或看到，你站在書店壅塞的走道上讀這本書，身旁人來人往，而你連個坐下伸個腿的地方都沒有。要是你現在就把書買回家，待會兒你就可以啜著冷飲，舒舒服服的坐下來，仔細閱讀你剛買的新書。這豈不是一大樂事？

　　在這本書中，我們將不再重複告訴你如何選任課老師、如何有效學習微積分等等（不過，我們希望這兩本書能夠並排擺在你的書架上，隨時供你參考），在你使用這《微積分之倚天寶劍》時，那些忠告一樣用得著。

　　這本書的目的，是在向你講解微積分後半部的一些專題，而不

是要取代你現有的教科書。事實上，它也無法取代教科書，原因是份量不夠重。但是，這本書足以讓你明白，微積分這門課究竟在搞些什麼。所以你就放心讀吧，希望你讀得開心！

　　P.S.：不妨上網瀏覽我們的網站 howtoace.com，你會看到許多幫助你拿高分的資訊，包括考古題網頁的連結、數學笑話，以及進一步的講解等等。

第 *2* 章

不定式與瑕積分

2.1 不定式

　　知道自己的能耐與極限，是一項非常重要的技能。這意思就是說，你最好不要因為一時高興，跑到高雄東帝士85大樓的屋頂，只用幾根指頭吊在屋簷邊上，除非你確實知道你有這個本事，絕對不會出事。要練就這個不尋常的本事，不是一蹴可幾，你必須花上許多工夫逐步練習；一開始時也許你得趁著沒課，跑到學校體育館吊吊單槓，接下來試試自家浴室的窗子外沿，然後是關渡大橋的橋身、台北車站前的新光三越大樓，最後才輪得到東帝士大樓。你必須知道自己究竟有多大本事，你的極限在哪兒。

數學也一樣，你希望計算出你的極限值。譬如看到 $\lim_{x \to 3} x^2 + 2$，你希望能算出 11，或者：

$$\lim_{x \to e} \frac{\ln x - 2}{x^2} = \frac{-1}{e^2}$$

不過，就像你可能會高估你的體能，你也很有可能高估了你求極限的本事。比方說，$\lim_{x \to 2} \frac{3x^2 - 12}{x^3 - 8}$ 等於什麼？

答案不是很明顯吧？如果把 $x = 2$ 代進式子裡，我們會得到 0/0。那麼 0/0 又等於多少呢？等於 0、1，還是 ∞？好問題！實際上，這個極限可以等於它們之中的任何一個。那就是為什麼我們把這樣的極限叫做「不定式」。

最頂頂有名的不定式就是

$$\lim_{x \to 0} \frac{\sin x}{x}$$

如果我們把 $x = 0$ 代進上式，得到的是 0/0，這答案能告訴我們的不多，但是我們真的很想知道這個極限，怎麼辦？

會得到 0/0 這種極限的狀況有許多種，特別是當我們要用導數的極限定義，來證明 $\sin x$ 的導數是 $\cos x$。好在我們可以用一條現成的法則，來求這類的極限，這條法則是由十七世紀的大數學家伯努利（Johann Bernoulli）首先發現的，但是卻命名為「羅必達法則」。羅必達＊（Guillaume L'Hôpital）是一位有錢的侯爵，他花錢請伯努利教他微積分，結果也搶走了伯努利的功勞！（＊編按：羅必達也是數學家。）

其實，這種事情屢見不鮮，就拿這本書來說吧，雖然作者掛著我們三個人的名字，可是根本就不是我們寫的——而是我們花錢請比爾・蓋茲寫的！附帶一提，L'Hôpital的正確發音是Low-pee-tall（譯按：中文譯成「羅必達」，算是相當傳神，不過作者在此開了個玩笑，Low-pee-tall在英文字面上有「智商低劣者，騎在高智商者頭上撒尿」的意味）。

讓我們言歸正傳，下面就是這個法則：

羅必達法則：如果 $\displaystyle\lim_{x \to a} \frac{f(x)}{g(x)}$ 是不定式，那麼

$$\lim_{x \to a} \frac{f(x)}{g(x)} = \lim_{x \to a} \frac{f'(x)}{g'(x)}$$

這條法則到底要告訴我們什麼？它其實是說：「如果在你取極限時，你被卡在 $\dfrac{f(x)}{g(x)}$ 這一步上，求不出答案，那麼只要改看 $\dfrac{f'(x)}{g'(x)}$ 就可以啦！」

範例1　試求 $\displaystyle\lim_{x \to 0} \frac{\sin x}{x}$ 。

解：首先我們得瞧瞧題目是否為不定式。把 $x = 0$ 代入 $\dfrac{\sin x}{x}$ 之後，我們得到 $\dfrac{0}{0}$，因此用得上羅必達法則：

$$\lim_{x \to 0} \frac{\sin x}{x} = \lim_{x \to 0} \frac{(\sin x)'}{x'} = \lim_{x \to 0} \frac{\cos x}{1} = \frac{1}{1} = 1$$

哇塞！真是簡單！看樣子沒有人不會愛上這條法則。我們再試一個問題看看！

範例2　試求 $\lim\limits_{x \to 1} \dfrac{x^2 - 1}{x - 1}$ 。

　　解：這也是一個 $\dfrac{0}{0}$ 不定式，可以套用羅必達法則：

$$\lim_{x \to 1} \frac{x^2 - 1}{x - 1} = \lim_{x \to 1} \frac{(x^2 - 1)'}{(x - 1)'} = \lim_{x \to 1} \frac{2x}{1} = 2$$

　　對於這一題，其實我們無須用上羅必達法則；我們僅僅用一些代數，把式子化簡一下就可以了，就像這樣：

$$\lim_{x \to 1} \frac{x^2 - 1}{x - 1} = \lim_{x \to 1} \frac{(x - 1)(x + 1)}{x - 1} = \lim_{x \to 1} (x + 1) = 2$$

　　瞧，答案一樣，用哪一個方法全看你的喜好。

範例3　試求 $\lim\limits_{x \to 0} \dfrac{e^x - x - 1}{x^2}$ 。

　　解：這又是一個 $\dfrac{0}{0}$ 不定式！它們簡直是無所不在。於是，羅必達告訴我們：

$$\lim_{x \to 0} \frac{e^x - x - 1}{x^2} = \lim_{x \to 0} \frac{e^x - 1}{2x} \quad \text{（然而這仍然還是 } \frac{0}{0} \text{ 的形式，}$$

$$= \lim_{x \to 0} \frac{e^x}{2} = \frac{1}{2} \quad \text{所以再套一次羅必達法則。）}$$

　　注意，在這題中，我們連續用了兩次羅必達法則，但是有個重點別忘了：在第二次套用羅必達法則前，還是必須檢查它仍然是個不定式。

　　常犯的錯誤　把羅必達法則套用到非不定式，是學生常犯的錯誤。這種錯誤會發生在任何一種狀況，但最常出錯的地方，就是套用不只一次的時候。無論何時，請在每一步驟仔細檢查。

牽涉到∞的不定式

　　如果我們遇到$\frac{\infty}{\infty}$這種不定式，羅必達法則一樣可以派上用場。

範例4　試求 $\lim\limits_{x \to \infty} \dfrac{\ln x}{\sqrt{x}}$ 。

　　解：如果我們把 $x = \infty$ 代入分子與分母，會得到 $\frac{\infty}{\infty}$，所以也是一個不定式。套用羅必達法則，就得到：

$$\lim_{x \to \infty} \frac{\ln x}{\sqrt{x}} = \lim_{x \to \infty} \frac{1/x}{1/(2\sqrt{x})} = \lim_{x \to \infty} \frac{2}{\sqrt{x}} = 0$$

　　極限是0。這個答案應該怎麼解釋呢？它的意思就是，當 x 趨近無窮大時，分母的 $\sqrt{x}$ 增加得比分子的 $\ln x$ 要快。

其他的不定式

前面我們看到了，如果一個極限成了 $\frac{0}{0}$ 或 $\frac{\infty}{\infty}$ 的形式，我們都可以用羅必達法則把它擺平；但這也是能夠套用該法則的先決條件。

警告！$\frac{0}{\infty}$ 可不是不定式，它根本就等於 0。還有，$\frac{\infty}{0}$ 也不是不定式，它等於 $\pm\infty$。這兩種情形下，都不能使用羅必達法則。

有的時候，其他一些形式也可以改成 $\frac{0}{0}$ 或 $\frac{\infty}{\infty}$ 的形式。比方說，我們假定 $\lim_{x \to a} f(x) \cdot g(x) = 0 \cdot \infty$，由於這個乘積可以等於任何數，所以也是一種不定式；我們可以把它改成 $\frac{0}{0}$ 或 $\frac{\infty}{\infty}$ 的形式，只要把兩個函數挪動一下就成了：

$$f(x) \cdot g(x) = \frac{f(x)}{1/g(x)} \quad \text{或} \quad f(x) \cdot g(x) = \frac{g(x)}{1/f(x)}$$

如此挪動之後，直接做下去就可以求解了。

範例5 試求 $\lim_{x \to \infty} e^{-x} \ln x$ 。

解：若讓 x 趨近無窮大，我們可以看出它是 $0 \cdot \infty$ 的形式，於是照以上所說，把它重寫為：

$$\lim_{x \to \infty} e^{-x} \ln x = \lim_{x \to \infty} \frac{\ln x}{e^x}$$

如此一來，它就變成的不定式，所以：

$$\lim_{x \to \infty} \frac{\ln x}{e^x} = \lim_{x \to \infty} \frac{1/x}{e^x} = 0$$

這就有點像你想要過河，而唯一的橋建在離你所站的位置有點距離，那麼你就得繞點路，走到橋頭去。這也有點像小嬰兒用奶瓶喝牛奶，喝完後脹了一肚子的空氣，必須把空氣拍出來，小嬰兒才能入睡──把空氣拍出來，相當於把原式重寫成 $\frac{0}{0}$ 或 $\frac{\infty}{\infty}$ 的形式，入睡就是使用羅必達法則。

2.2　瑕積分

在寫《微積分之屠龍寶刀》時，我們一直避免提到這玩意，但是現在就不得不介紹一下了。你一定知道它們的那副德性：來參加「微積分舞會」時，穿著T恤，上面畫著晚禮服；吃飯的時候，根本不理會餐桌禮儀，就只用那把吃甜點的小叉子，從頭吃到尾；當旁人因消化不順暢，不由自主的放了一個響屁時，它們會肆無忌憚的高聲大笑，讓人難堪。沒錯，我們描繪的就是瑕積分，如果它們不是這麼重要，我們壓根兒不會請它們來攪局。

瑕積分又可概分為兩類。第一類是沒有上限或下限的積分；這類的積分不是從 –2 積分到 4 或是從 3 積分到 7 等等，而是從 1 到 ∞，或從 –∞ 到 2，甚至是從 –∞ 到 ∞。例如 $\int_1^\infty \frac{1}{x^2}\, dx$，就是一個像這樣的積分。

瑕積分的第二種類型是，它們有一定的積分區間，不過在積分

過程中，被積函數的值在某處卻跑到 ± ∞ 去了。例如 $\int_{-1}^{2} \frac{1}{x^{2/3}}\, dx$，當 $x = 0$ 的時候，它的被積函數等於 ∞。

　　爲了容易解釋，我們最好把以上兩種類型分開來討論。首先講第一類型。

當積分上下限爲 ± ∞ 時

　　讓我們再瞧瞧上面所舉的例子 $\int_{1}^{\infty} \frac{1}{x^{2}}\, dx$ 。由於它的上限爲無窮大，看起來多少有些怪怪的。我們應該如何著手呢？在《微積分之屠龍寶刀》裡你已經學到，定積分通常代表被積函數圖形下方的面積，那麼我們且利用這個觀點，來看看這個例子。沒錯，從圖 2.1 可看出，它確實是表示從 1 到 ∞ 之間，$\frac{1}{x^{2}}$ 曲線下方的面積，應該沒啥問題。

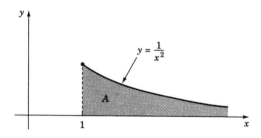

圖 2.1　相當於 $\int_{1}^{\infty} \frac{1}{x^{2}}\, dx$ 的面積

　　我們知道你的腦袋裡在想什麼：圖上那塊灰色色塊，面積會隨著 x 增大而變大，無窮無盡，所以答案必定是 ∞，這還不簡單！慢著！你這想法看似振振有詞，但是卻跟事實不符！為了發掘真相，我們得正確解釋 ∞ 這個積分上限的性質與意義。在這裡，我們應該把 ∞ 想成是一堆愈來愈大的數的極限，也就是 $\lim\limits_{b \to \infty} b$，如此一來，這個瑕積分例子，就要正式解釋成：

$$\int_1^\infty \frac{1}{x^2}\,dx = \lim_{b \to \infty} \int_1^b \frac{1}{x^2}\,dx = \lim_{b \to \infty} \left.\frac{-1}{x}\right|_1^b = \lim_{b \to \infty}\left(\left(\frac{-1}{b}\right)-(-1)\right) = 0-(-1) = 1$$

所以在這個例子裡，函數曲線下方的面積就等於 1。

　　把這個實例一般化之後，就得到以下的公式：

$$\boxed{\int_a^\infty f(x)\,dx = \lim_{b \to \infty} \int_a^b f(x)\,dx}$$

　　有的時候，就像上例一樣，瑕積分的答案是個有限的數，此時我們就說這個瑕積分「收斂」（converge）。但在其他時候，極限是 ∞ 或根本不存在，我們就說它發散（diverge）。

範例　試求 $\displaystyle\int_1^\infty \frac{1}{x}\,dx$ 。

　　解：這一題看起來跟上一題沒多大區別，但是一旦我們取極限來算一算，馬上就不一樣了：

$$\int_1^\infty \frac{1}{x}\,dx = \lim_{b \to \infty} \left.(\ln x)\right|_1^b = \lim_{b \to \infty}((\ln b)-(0)) = \infty$$

這一題的積分發散。

　　以上是從某一定值 a 積分到無窮大的例子。我們可以依樣畫葫蘆，另外定義：

$$\int_{-\infty}^{b} f(x)\, dx \;=\; \lim_{a \to -\infty} \int_{a}^{b} f(x)\, dx$$

以及

$$\int_{-\infty}^{\infty} f(x)\, dx \;=\; \int_{-\infty}^{c} f(x)\, dx + \int_{c}^{\infty} f(x)\, dx$$

其中的 c 為任意實數，可以是某人的生日、你拜樹頭得來的「明牌」，或者0。無論你選用哪一個，答案都會相同，所以我們建議你找一個最容易計算的數，除非你無所事事，閒得發慌。

　　現在我們來看看第二類的瑕積分。

當被積函數變成 ±∞ 時

　　假如有人要我們計算剛才提到的另外一個積分：

$$\int_{-1}^{2} \frac{1}{x^{2/3}}\, dx$$

我們就真的遇上麻煩了——原因是在 $x = 0$ 的地方，被積函數 $\dfrac{1}{x^{2/3}}$ 沒

有定義。它在 $x = 0$ 那一點急遽上升，像一座正在爆發的火山（見圖 2.2）。

但是從圖上看起來，曲線下方的面積並沒有那麼大——高則高矣，但寬度有限。

為了解決這個問題，我們從有問題的那一點（即 $x = 0$），把這題積分切成兩段：

$$\int_{-1}^{2} \frac{1}{x^{2/3}} \, dx = \int_{-1}^{0} \frac{1}{x^{2/3}} \, dx + \int_{0}^{2} \frac{1}{x^{2/3}} \, dx$$

現在，我們得重複前面講過的觀念，那就是：在 $x = 0$，被積函數 $\frac{1}{x^{2/3}}$ 的值不存在，因此我們就用一個極限，來代替第一個積分裡的 0：

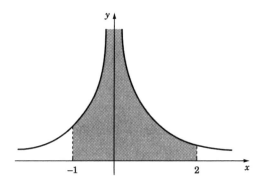

圖 2.2　$\displaystyle\int_{-1}^{2} \frac{1}{x^{2/3}} \, dx$ 曲線下方的面積

$$\int_{-1}^{0} \frac{1}{x^{2/3}} \, dx = \lim_{b \to 0^-} \int_{-1}^{b} \frac{1}{x^{2/3}} \, dx$$

意思就是，我們取 b 從 0 的左邊趨近 0 的極限，因為積分的區間全在0的左邊。於是，我們就可以算出積分，並取極限：

$$\lim_{b \to 0^-} \int_{-1}^{b} \frac{1}{x^{2/3}} \, dx = \lim_{b \to 0^-} 3x^{1/3} \bigg|_{-1}^{b} = \lim_{b \to 0^-} [3b^{1/3}] - [3(-1)^{1/3}] = 3$$

同理：

$$\lim_{b \to 0^+} \int_{b}^{2} \frac{1}{x^{2/3}} \, dx = \lim_{b \to 0^+} 3x^{1/3} \bigg|_{b}^{2} = \lim_{b \to 0^+} [3(2^{1/3})] - [3b^{1/3}] = 3(2)^{1/3}$$

最後我們把左右兩段加起來：

$$\int_{-1}^{2} \frac{1}{x^{2/3}} \, dx = 3 + 3(2)^{1/3} \approx 6.780$$

答案就現身啦！

第 *3* 章

極座標

3.1 何謂極座標？

　　你大概也看過一些冷戰電影，熟悉這樣的情節：美國的潛艇在深海中潛行，而就在 50 英尺外，有艘蘇聯潛艇，所以在場的每一個人都得非常安靜不可，深怕一不小心叫對方發覺，朝自己發射魚雷。這時，銀幕上就出現了一位海軍少尉，坐在雷達顯示器前面，而顯示器上有一條綠色的亮光線，像時鐘指針般不斷掃過。然後，鏡頭帶到了潛艦上的軍官，每一個人都汗流浹背，因為潛艇裡面擁擠得像沙丁魚罐，根本沒有空間讓船員把止汗除臭劑帶上船。

　　接著，艦長壓低了聲音說：「安靜，任何人都不許出聲。」而

描述這些細節的同時，雷達顯示器上的亮線仍一直轉個不停，而且每轉到差不多同一位置，就會出現一個大亮點，指出敵人潛艇的方向跟位置，而且每掃過那一點，雷達顯示器就會「嗶」的發出一聲怪叫，就像三更半夜裡的鬧鐘響。這時候你坐在電視機前，不由得奇怪，那些俄國人怎麼聽不見這個嗶聲？難不成耳朵裡塞了耳塞？還是他們把美國潛艇發出的嗶聲，跟他們自己的搞混了？當然都不是，那嗶聲響亮到可以把死人吵醒，所以艦長叫大家不得出聲，根本是在欺騙沒上過潛艇的老百姓！

　　於是，你坐在自己的家庭電影院裡，對著電視告訴艦長：「你根本不用壓低聲音說話，雷達顯示器不可能傳遞聲音嘛。」而且即使你在這邊敞開喉嚨大唱「天佑美國」，俄國人也只能在那邊說：「同志，你聽到了什麼聲音？」或是「同志，我從他媽的雷達顯示器上啥也聽不到！」

　　當然，這類電影的場景，至少有80％發生在北極冰帽下面，原因是美蘇兩國的潛艇最容易在那兒碰頭。難怪雷達顯示器上所用的座標，要叫做「極」座標了。

　　稍後，顯示器前的少尉也以說悄悄話的樣子，大聲向艦長說（不然就會被顯示器的嗶聲壓得根本聽不見）：「報告艦長，對方似乎是一艘C級核動力突擊艇，上面看起來載有37個男人、12個女人，跟一隻放養雞。它的位置離我們50英尺，現在正在接近中。」

　　然後這位雷達官加上一句：「它在37度方向。」意思是說，對方在50英尺外，方向跟正 x 軸之間的夾角爲正37度。若是用極座標來表示，我們說該點的座標是 $(r, \theta) = (50, 37°)$。

　　當然，我們跟海軍有點不同，我們使用弧度，這是因爲所有數學家都同意，弧度計算起來比較方便。如果你只是爲找到魚雷的位

置，用「度」也還算方便，但是一旦牽涉到積分、微分等運算，你就必須用弧度了。

為了用極座標來表示平面上的一點，我們得先說出該點跟原點之間的距離，此距離稱為r，然後是它與原點的連線，跟正x軸之間在反時鐘方向的夾角θ。如此一來，我們就把一點表示成 (r, θ)，而不是 (x, y)，如圖3.1所示。

在極座標上，同一點有不只一個表示方法。就拿直角座標 (x, y) 上的一點 (1, 0) 為例，它離原點的距離是1，而跟正x軸之間的夾角是0弧度，所以用極座標表示此點時，它是 (r, θ) = (1, 0)。但是我們也可以寫成 (1, 2π)、(1, 4π) 等等。這還不算稀奇，稀奇的是原點本身，除了 (0, 0)，還可以寫成 (0, π)、(0, π/2)、(0, 7.3π) 等等。

如果r是負值，表示從原點走出去時是朝著負x軸的方向走。所以如圖3.2所示，(r, θ) = (− 1, π/4)這一點，跟(1, 5π/4)事實上為同一點。

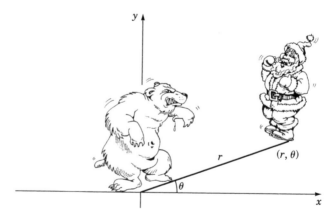

圖3.1　極座標決定了聖誕老人的位置。

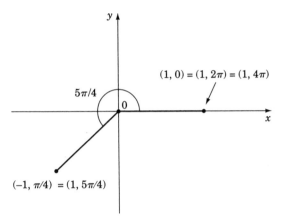

圖3.2　在極座標上，同一點可以有不只一個表示法。

從圖3.3以及畢氏定理，我們可以得到幾個換算直角座標與極座標的基本關係式：

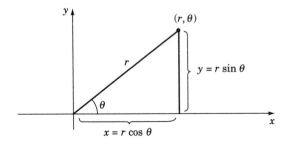

圖3.3　用極座標表示直角座標。

$$x = r \cos \theta$$
$$y = r \sin \theta$$
$$r = \sqrt{x^2 + y^2}$$
$$\tan \theta = y/x, \quad 假定\ x \neq 0.$$

　　框框裡的四條方程式，值得知道，但是不須硬背下來。原因是你只要記得圖 3.3，就能非常容易的從圖上看出了。現在讓我們畫一些極座標方程式的圖。

範例1　試繪出 r = 3。

　　解：你一定會喜歡這題的！題目是要我們把平面上能滿足 r = 3 的所有點(r, θ)找出來。由於方程式裡根本沒有 θ，表示 θ 可以等於任何值；但是 r 不然，它固定在 3 這個距離上。因此，我們得到的圖形就是以原點為圓心、半徑為 3 的圓。圖 3.4 顯示的就是這個圖形。

　　反過來說，這個圓的極座標方程僅僅是 r = 3，比直角座標的圓方程式 $x^2 + y^2 = 9$，簡單得多。這正是數學家喜歡極座標方程的一個原因；這種方程式大幅簡化了某些常用的圖形表示方法，特別是以原點為圓心的圓。

範例2　試繪出 r = 2 sin θ。

　　解：

　　方法1：標出一些點，然後連起來。在繪圖形時，這是一個歷久不衰的傳統辦法。當你不是很確定，或是被五花八門的「捷徑」弄

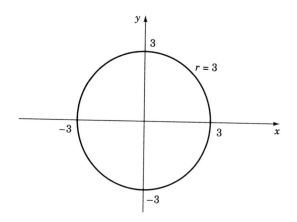

圖3.4　r = 3 的圖形

得迷迷糊糊、不知所從，這時最靠得住的方法就是反璞歸真，把一些點標示出來，然後一個個連起來。

θ	0	$\pi/4$	$\pi/2$	$3\pi/4$	π	等等
$r = 2\sin\theta$	0	$\sqrt{2}$	2	$\sqrt{2}$	0	等等

　　把以上這些點連起來之後，就會得到圖3.5所示的圓。請注意，如果我們讓 θ 從0變化到2π，我們實際上是繞了圖中這個圓兩次。

　　方法2：上述的描點法非常機械化，做多了只會叫你腰痠背痛、心煩氣躁。爲了活動活動你的腦子，我們不妨變化一下，換個解題方式。首先，在等號兩邊各乘以 r，於是得到 $r^2 = 2r\sin\theta$。由剛才學到的關係式：$r^2 = x^2 + y^2$ 以及 $y = r\sin\theta$，我們就可以把這個方程式轉換成直角座標，也就是 $x^2 + y^2 = 2y$。看不出這是什麼嗎？不打

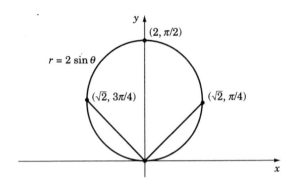

圖 3.5　$r = 2 \sin \theta$ 的圖形

緊，讓咱們乾坤大挪移一下，重新寫成：

$$x^2 + (y^2 - 2y + 1) = 1$$
$$x^2 + (y - 1)^2 = 1$$

這不就是半徑為 1、圓心在 $(0, 1)$ 的圓嗎？（如圖 3.5。）
由此，我們很容易看出：

一個半徑為 a、圓心在 $(0, a)$ 的圓，極座標方程為
$$r = 2a \sin \theta$$

同樣的，

一個半徑為 a、圓心在 $(a, 0)$ 的圓，極座標方程為
$$r = 2a \cos \theta$$

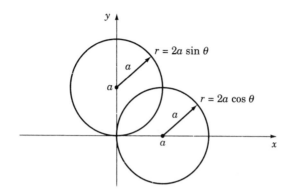

圖 3.6　$r = 2a\sin\theta$ 及 $r = 2a\cos\theta$ 的圖形

圖 3.6 就是這兩個圓的圖形。

範例 3　試繪 $r = 1 + \sin\theta$。

解：這題比較詭詐。如果我們依照上一題的辦法，試圖把原方程式轉換成直角座標，恐怕會一團亂。所以，還是老老實實的描點比較好。

θ	0	$\pi/4$	$\pi/2$	$3\pi/4$	π	$5\pi/4$	$3\pi/2$	$7\pi/4$	2π
$r = 1 + \sin\theta$	1	1.707	2	1.707	1	0.293	0	0.293	1

把這些點連起來之後，就得到次頁圖 3.7 的圖形。這個圖形跟心臟的外形相似，所以命名為「心臟線」。西洋情人節期間滿街可看到的「心形」，跟真的心臟比起來，長相根本就差了一大截。圖 3.7 的

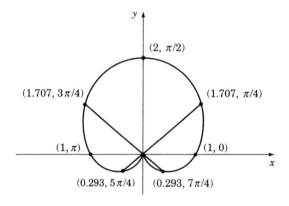

圖 3.7　$r = 1 + \sin\theta$ 的圖形

這個圖形，才是真正的心形——因為它有個拉丁名字！

凡是形式為 $r = a(1 \pm \sin\theta)$ 或 $r = a(1 \pm \cos\theta)$ 的方程式，畫出來的圖形都是心臟線。中國人常說：「某某人胸懷大志。」洋人則說：「She has a heart as big as the great outdoors.（她的心臟很大。）」指的就是 a 的大小：a 愈大，心臟也愈大。方程式用的三角函數是 sin 還是 cos，決定了這個心臟線是豎著的，還是橫著；至於方程式裡的正負號，則決定了凹進去的部位是朝下還是朝上，（對橫著的心臟線而言，則決定是朝左還是朝右）。

以上這幾題，可說是極座標方程裡最著名的方程式，而且經常在考卷上露臉，所以若要得到好成績，最好弄得一清二楚。

3.2 極座標中的面積

如同直角座標中的曲線「圍住」一塊面積，極座標中的曲線也圍住了一塊面積。我們已經學過，如何求直角座標上，兩條曲線之間的面積，所以原則上，我們可以把以極座標表示的曲線，先轉換成直角座標，然後求面積。不過，這有點像是把美國詩人佛洛斯特（Robert Frost）寫的詩，先翻譯成俄文，然後才去決定我們喜不喜歡。因此我們最好還是來瞧瞧，如何在極座標上直接求面積。

假設我們要知道的面積，夾在兩條徑向線 $\theta = \alpha$ 跟 $\theta = \beta$，以及曲線 $r = f(\theta)$ 之間，而 θ 的範圍當然是 $\alpha \le \theta \le \beta$（請見圖3.8）。

一看到這個圖，你可能會想到黎曼和（見《微積分之屠龍寶刀》第22.5節），換一種方式說，就是「分開來各個擊破」的策略。你可以把它當做一塊派或披薩，分切成許多等分，來估算它的總面積。

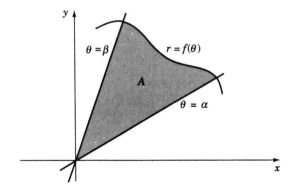

圖3.8　由 $\theta = \alpha$、$\theta = \beta$，以及 $r = f(\theta)$ 圍成的面積。

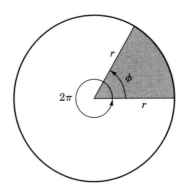

圖3.9　求一小塊派的面積。

　　說到派，數學系聚餐時常有的一道飯後甜點就是檸檬派，每當檸檬派分送到每個人面前，大家所做的第一件事，就是議論應該如何計算面前這塊派的面積（每個人心裡想的，實際上是究竟誰拿到了最大的那一塊）。如果這塊派的半徑爲 r，圓心角爲 ϕ，就像圖3.9 所畫的那樣，那簡單，整個派的面積就是 πr^2，而你面前那一份應該是整個派的 2π 分之 ϕ。也就是說，你的那一塊派面積等於 $\pi r^2 \times$

$$\frac{\phi}{2\pi} = \frac{1}{2}(r)^2 \phi \ \ 。$$

　　如果你搞不淸楚數學系聚餐是怎麼回事，現在你心裡應該有點譜才是，當然好戲還在後頭，等到吃完了飯要付帳的時候，你就會大開眼界啦！閒話少說，言歸正傳，讓咱們回到圖3.8 的面積問題。

　　現在看看圖3.10。我們把介於 α 到 β 的這個角分成n個等分，每一等分的大小爲 $\Delta\theta$，而在每一個等分角中，我們再任選一個角 θ_i^* 來代表它的角度位置，那麼第 i 個楔形小塊派的半徑就是 $r_i = f(\theta_i^*)$，而

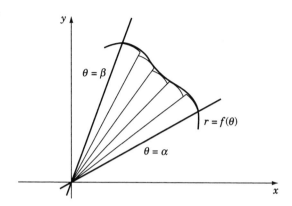

圖3.10　以等分小塊派的面積，來估計整個面積。

面積就等於

$$\Delta A_i \,=\, \tfrac{1}{2}(r_i)^2 \, \Delta\theta \,=\, \tfrac{1}{2}(f(\theta_i^*))^2 \, \Delta\theta$$

所以，整個區域的面積約略等於這些小塊派的面積和，寫成數學式子就是：

$$\sum_{i=1}^{n} \Delta A_i \,=\, \frac{1}{2} \sum_{i=1}^{n} (f(\theta_i^*))^2 \, \Delta\theta$$

如果我們把派餅分得更細，然後取其極限，那麼這個總和就變成從 α 到 β 的積分，我們也求出了整塊派的面積：

$$\boxed{A \,=\, \int_{\alpha}^{\beta} \frac{1}{2}(f(\theta))^2 \, d\theta}$$

現在讓咱們舉個例子。

範例1　（看不透擋風玻璃的問題）　話說你要去球場看少棒賽，正沿著球場旁邊開著車，這時不知哪個鄉巴佬有意無意吐了一口檳榔汁，一灘血似的東西正巧落在你的擋風玻璃上。修養到家的你，一句惡言也不發，馬上啓動雨刷，來回刮了幾下，結果擋風玻璃上的「血漬」就散開來，成了一塊介於 $\theta = 0$、$\theta = \pi/2$，以及 $r = 1 + \cos\theta$ 之間的區域（r 的單位是英尺）。那麼請問，你那片看不透的紅漬印的面積究竟有多大？

　　解：那片血漬的形狀就像圖3.11所畫的那樣，有了這個圖，剩下的就是代代公式了。利用前面方框裡面的公式：

$$
\begin{aligned}
A &= \int_\alpha^\beta \frac{1}{2}(f(\theta))^2\, d\theta \\
&= \int_0^{\pi/2} \frac{1}{2}(1 + \cos\theta)^2\, d\theta \\
&= \int_0^{\pi/2} \frac{1}{2}(1 + 2\cos\theta + (\cos\theta)^2)\, d\theta \\
&= \int_0^{\pi/2} \frac{1}{2}\left(1 + 2\cos\theta + \left(\frac{1 + \cos 2\theta}{2}\right)\right) d\theta \\
&= \frac{1}{2}\left(\theta + 2\sin\theta + \frac{\theta}{2} + \frac{\sin 2\theta}{4}\right)\bigg|_0^{\pi/2} \\
&= \frac{1}{2}\left(\frac{3\pi}{4} + 2\sin\left(\frac{\pi}{2}\right) + \frac{\sin\pi}{4}\right) \\
&= \frac{3\pi}{8} + 1 \approx 2.178
\end{aligned}
$$

看樣子，你只有趕緊去找家洗車店囉！

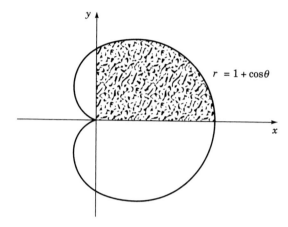

圖3.11　慘不忍睹的擋風玻璃

曲線所圍成的面積

　　也許你也曾注意到，擋風玻璃上的雨刷，並非每一次都會回到雨刷從車體伸出來的地方。從實用觀點來看應是件好事，因為那地方刮了不但沒啥效果，雨刷也比較容易磨損。不管道理在哪兒，結果是咱們得知道，如何求兩條極座標曲線之間的面積。

　　假定我們想求，由兩徑向線 $\theta = \alpha$ 跟 $\theta = \beta$，以及兩曲線 $r = f(\theta)$ 跟 $r = g(\theta)$ 所圍成的面積（其中，對 α 跟 β 之間的所有 θ 來說，$0 \leq f(\theta) \leq g(\theta)$），如次頁的圖3.12所示。

　　由於兩條徑向線跟曲線 $r = f(\theta)$ 所圍的面積等於 $\displaystyle\int_{\alpha}^{\beta} \frac{1}{2}(f(\theta))^2\, d\theta$，

而兩徑向線跟另一條曲線 $r = g(\theta)$ 所圍的面積，等於 $\displaystyle\int_{\alpha}^{\beta} \frac{1}{2}(g(\theta))^2\, d\theta$，

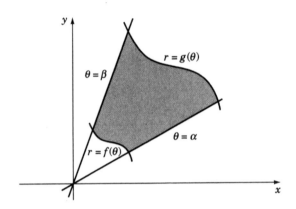

圖3.12　由 $\theta = \alpha$、$\theta = \beta$、$r = f(\theta)$ 跟 $r = g(\theta)$ 所圍成的面積。

所以這兩條曲線之間所夾的面積，就等於後者減去前者：

$$A = \int_{\alpha}^{\beta} \frac{1}{2}(g(\theta))^2\, d\theta - \int_{\alpha}^{\beta} \frac{1}{2}(f(\theta))^2\, d\theta = \frac{1}{2}\int_{\alpha}^{\beta}(g(\theta))^2 - (f(\theta))^2\, d\theta$$

範例2　試求在圓 $r = 2\cos\theta$ 之內卻在圓 $r = 1$ 之外的區域的面積。

解：

第1步：　把題目做個圖解。圓 $r = 1$ 很簡單，但是 $r = 2\cos\theta$ 是啥玩
　　　　　意？這個圓就不容易畫了。不過，我們在前一節碰過類似
　　　　　的例題，在此可以依樣畫葫蘆，把它改成直角座標：
　　　　　　　　先把等號兩邊都乘以 r，得到 $r^2 = 2r\cos\theta$。由於 $r^2 = x^2$
　　　　　$+ y^2$，且 $x = r\cos\theta$，這個方程式就轉換成直角座標中的 x^2

$+ y^2 = 2x$。接著，再做一點移項的工作，把它變成一個圓的標準公式：

$$(x^2 - 2x + 1) + y^2 = 1$$
$$(x - 1)^2 + y^2 = 1$$

如此一來，我們便知道 $r = 2 \cos \theta$ 這個圓的圓心為 $(1, 0)$，半徑為1，如圖3.13所示。

所以，這個題目就是要我們求圖中那塊弦月的面積。

第2步： 我們需要找出兩個圓的交點。由於在交點上，r的值相等，所以

$$1 = 2 \cos \theta$$
$$\frac{1}{2} = \cos \theta$$
$$\theta = -\frac{\pi}{3} \ 或 \ \frac{\pi}{3}$$

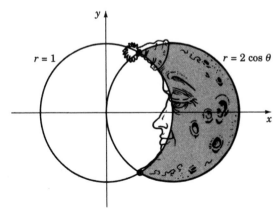

圖3.13 在 $r = 2 \cos \theta$ 之內、而在 $r = 1$ 之外的面積。

第3步： 現在一切就緒，我們可以寫下積分過程，求出面積了：

$$A = \frac{1}{2}\int_{\alpha}^{\beta} (g(\theta))^2 - (f(\theta))^2 \, d\theta$$

$$= \frac{1}{2}\int_{-\pi/3}^{\pi/3} (2\cos\theta)^2 - (1)^2 \, d\theta$$

$$= \frac{1}{2}\int_{-\pi/3}^{\pi/3} (4\cos^2\theta) - 1 \, d\theta$$

$$= \frac{1}{2}\int_{-\pi/3}^{\pi/3} \left[4\left(\frac{1+\cos(2\theta)}{2}\right)\right] - 1 \, d\theta$$

$$= \frac{1}{2}\int_{-\pi/3}^{\pi/3} 1 + 2\cos(2\theta) \, d\theta$$

$$= \frac{1}{2}\left(\theta + \sin(2\theta)\right)\Big|_{-\pi/3}^{\pi/3}$$

$$= \frac{1}{2}\left(\left[\frac{\pi}{3} + \sin\left(\frac{2\pi}{3}\right)\right] - \left[-\left(\frac{\pi}{3}\right) + \sin\left(\frac{-2\pi}{3}\right)\right]\right)$$

$$= \frac{\pi}{3} + \frac{\sqrt{3}}{2}$$

$$\approx 1.913$$

嘿，怎麼半天都沒聽到你吭聲？

第 *4* 章

無窮級數

4.1 序列

什麼是無窮序列？

$$1, 2, 3, 4, \ldots$$

就是一個無窮序列。

1, 1/2, 1/3, ...以及 π, π^2, π^3, ...也都是無窮序列。所謂序列，就是一組無窮無盡的實數，而且以下面這樣的順序排列：

$$a_1, a_2, a_3, \ldots$$

序列中的每一個數，我們稱為「項」，所以首項就是a_1，第二項就是a_2，而第 n 項就是a_n。

心情很好的時候，我們可能用$\{a_n\}$或是$\{a_n\}_{n=1}^{\infty}$這兩種速記記號來代表序列。譬如$\{1/n\}$，就代表序列1, 1/2, 1/3, ...，而$\{1 + (-1)^n\}$，即是序列0, 2, 0, 2, ...。

序列的種類繁多，在「序列名人堂」裡，你可以看見歷代最偉大的序列，雖然不見得個個都像1, 2, 3, 4, ...或2, 4, 6, 8, ...那般人盡皆知，但是全世界的序列迷都對它們敬愛有加。

較少人知道的其中一個，就是費布納西序列。

範例1 費布納西序列（寫成F_n）就是：

$$1, 1, 2, 3, 5, 8, 13, 21, ...$$

這個序列的規則真是相當難看出：從第三項開始的每一項，皆為其前兩項的和。我們可以把上面的規則，寫成所謂的遞迴公式，來定義或代表這個序列：

$$F_1 = 1$$
$$F_2 = 1$$
$$F_{n+1} = F_n + F_{n-1}，其中 n \geq 2$$

這些數經常出現在跟生物學有關的許多地方，最有名的就是活蹦亂跳的兔子的兔口成長問題，當然，也可以適用於活蹦亂跳的老鼠、活蹦亂跳的鳥兒，甚至看起來不太可能活蹦亂跳的豪豬身上。

範例2　兔子出生之後只需要一個月就成熟，可以開始繁殖下一代，而牠的懷孕期也是一個月。我們假定雌兔每次都生下雌雄各一隻兔寶寶，而這些兔寶寶「滿月後」開始懷孕，然後生下一隻雌兔一隻雄兔。那麼，從一對剛出生的兔寶寶開始算起，到第 n 個月後，一共有多少對兔子？

解：既然是從一對剛出生的兔寶寶開始起算，那麼第一個月裡只有這一對兔子，亦即 $F_1 = 1$，而在這第一個月裡，這對兔寶寶漸漸成熟並開始戀愛，月底就締結了連理，由於還沒有生產，第二個月裡仍然維持是原來這一對兔子，亦即 $F_2 = 1$。第二個月開始不久，母兔子開始喜歡吃口味非常怪異的冰淇淋，而後就在第三個月月初，她產下一對兔寶寶。

因此，

$$F_1 = 1$$
$$F_2 = 1$$
$$F_3 = 2$$

到了第四個月開始，兔媽媽絲毫沒耽擱，生下第二胎兔寶寶，至於她的第一對子女，還在長大跟考慮結婚的問題。（這個兔子家庭裡允許兄妹亂倫。）所以，第四個月裡有三對兔子，即 $F_4 = 3$。等到第五個月一開始，兔媽媽跟她的大女兒各生下一對兔寶寶，這個兔子家庭又增加了兩對新的成員，也就是 $F_5 = 5$。像這樣的快速繁殖，兔子們當然大肆慶祝一番，少不了要喝掉許多胡蘿蔔汁，興奮的跳來跳去。養兔人家看在眼裡，當然也是喜上心頭，得趕緊擴建

兔籠。這樣下去，你應該看得出來，在第 $n + 1$ 個月的月初，兔子對的總數 F_{n+1}，就等於第 n 個月裡的總數（F_n）加上第 $n - 1$ 個月出生、而到了可生育兔齡的總數（F_{n-1}）。

嘿！你的鼻孔為什麼在抽搐？

4.2　序列的極限

你有沒有想過，如果你隨著一個序列一路走到底，會發生什麼事？我們現在就來看看序列的極限，譬如 $\lim\limits_{n \to \infty} \dfrac{1}{n} = 0$ 或 $\lim\limits_{n \to \infty} n = \infty$。我們的目標在取函數 $f(n)$ 的極限，這就好像先前取函數 $f(x)$ 在 x 趨近 ∞ 時的極限，都應用同樣的一般法則。

範例　*試求序列* $\left\{ \dfrac{\ln n}{n} \right\}$ *的極限。*

解：解這個問題的過程，就跟求函數 $\dfrac{\ln x}{x}$ 在 x 趨近 ∞ 的極限完全相同。讓 n 趨近 ∞ 之後，你會發現題目中的式子變成不定式 $\dfrac{\infty}{\infty}$，所以馬上就知道該用羅必達法則：

$$\lim_{n \to \infty} \frac{\ln n}{n} = \lim_{n \to \infty} \frac{1/n}{1} = 0$$

這簡直就像喝蛋花湯一樣輕鬆。

4.3 級數：基本觀念

你大概常聽人評論說，某某影集很好看，某某影集不怎麼樣，兩者的差別究竟在哪兒？一般說來，好的電視影集，在每一集的結尾，裡面所有分別發展的情節都會匯聚到一起，讓觀眾覺得完整而圓滿。這一類的影集包括「歡樂單身派對」、「急診室的春天」、「慾望城市」……。

反之，在不怎麼樣的電視影集裡，雖然一樣是有許多情節在同一時間發展，卻從不交集，叫觀眾在看完一集時，不是一腦袋漿糊，就是頭殼空空。實際範例真是族繁不及備載，耳光打來打去，口水淚水噴來噴去的濫情單元劇，都屬之。

所以，電視影集（series，在數學上是指級數）若要成功，它就必須具有匯聚情節的特質（convergence，在數學上是指收斂性），這就是本章要談的重點。當然，這裡講的series是指級數，不是電視影集，因而牽涉到的不是什麼精采的劇情，而是談一大堆數加起來的總和，請注意，是「一大堆」。多大一堆呢？就是要把一個無窮序列中的數全部加在一塊。

所謂無窮級數，就是指下述形式的和：

$$a_1 + a_2 + a_3 + \cdots + a_n + \cdots$$

若嫌上面的寫法太長、太囉唆，也可以加以簡化，記成 $\sum\limits_{n=1}^{\infty} a_n$。有時我們也可以讓序列從 $n = 0$ 開始：

$$b_0 + b_1 + b_2 + \cdots + b_n + \cdots = \sum\limits_{n=0}^{\infty} b_n$$

　　但是你必須小心，像這樣的無窮和究竟是什麼。把無窮多個數加在一起，一般人該如何理解這麼玄的概念呢？搞數學的人碰到與無窮有關的問題時，通常會用極限來給它下個定義。不過，在此讓我們先來瞧瞧與無窮和相對應的有限和。

定義　一個級數到第 n 項的部分和是

$$S_n = a_1 + a_2 + \cdots + a_n$$

　　換言之，它就是該級數前 n 項的和。比方說：

$$S_1 = a_1$$
$$S_2 = a_1 + a_2$$
$$S_3 = a_1 + a_2 + a_3$$

　　當我們繼續寫下去，S_n 就愈來愈接近無窮級數，所以我們應該可以說：

一個級數的和 S　如果 $S = \lim\limits_{n \to \infty} S_n$，則

$$\sum_{n=1}^{\infty} a_n = S$$

　　此時，我們說該級數收斂到（converge to）S。若 $\lim\limits_{n \to \infty} S_n$ 不存在，我們則說該級數發散（diverge）。

範例1 $1 + 1 + 1 + \cdots$

我們注意到，$S_1 = 1$，$S_2 = 2$，以及 $S_n = n$。那麼，

$$\lim_{n \to \infty} S_n = \lim_{n \to \infty} n = \infty$$

表示該極限不存在，因此這個級數發散。

範例2 $1/2 + 1/4 + 1/8 + \cdots$

於是 $S_1 = 1/2$，$S_2 = 3/4$，$S_2 = 7/8$，而 $S_n = \dfrac{2^n - 1}{2^n}$。由於

$$S = \lim_{n \to \infty} S_n = \lim_{n \to \infty} \frac{2^n - 1}{2^n} = \lim_{n \to \infty} \frac{1 - 1/2^n}{1} = 1$$

我們得知該級數收斂到 1。

　　以上兩個範例，分別說明了級數的兩種基本行為：一種是在你眼前爆炸開來，另一種則乖乖收斂到一個有限的數。這樣說相當抽象，不太容易懂，不過我們可以用浴缸作比喻，來解釋兩者之間的差別。

浴缸比喻

　　且讓我們把一個無窮級數，想成是注水到浴缸裡面。假設浴缸一開始是空的，然後我們用一個量杯，把相當於級數第一項的水量

圖4.1　求級數的和，猶如加洗澡水。

倒進浴缸，接著又把相當於第二項的水量，也倒進了浴缸，如是繼續同一個動作，依序把級數的各項一一倒進去，如圖4.1所示。

　　現在，我們用這個比喻來看上面的兩個範例。範例1相當於第一次加一杯水，第二次也加一杯水，事實上是每次都加一杯水。雖然一量杯的水不多，但一直加下去，浴缸裡的水終將會滿出來。不管浴缸的容量多大，即使跟太平洋一樣浩瀚，或是跟某些無恥政客的野心一樣大，水遲早都會滿出來的。這就是發散的本意！

　　相反的，如果我們來看第二個級數，情況就有些不一樣了。咱們第一次加進浴缸的是半杯水，第二次加進去的是四分之一量杯，第三次只有八分之一量杯，也就是每次所加的水量，只有前一次的一半。照這種方法加水無數次，你指望浴缸會加滿嗎？壓根兒不可

能！事實上，如此這般的加了無數次水之後，浴缸裡累積的總水量不過剛好一量杯而已，別說一個人洗澡不夠用，就連替一隻大倉鼠洗澡，都還嫌少。

你可注意到，這個加洗澡水的比喻還告訴了我們另一件事？這件事就是：一個級數是收斂還是發散，跟級數的前幾項完全沒有關係。如果該級數就是會發散，浴缸有多大都不管用，而第一杯水是一滿杯還是半杯，也不重要。什麼？難道前一百萬項（前一百萬次加水）都不重要嗎？沒錯，無關痛癢。事實上，真正決定級數是收斂還是發散的，不是前面幾項（或幾百萬、幾十億項），而是後面的項。所以，像下面這樣的級數：

$$1 + 1 + 1 + 1 + 1 + 1 + 1 + 1 + 1/2 + 1/4 + 1/8 + 1/16 + \cdots$$

是收斂的，原因是後面的這個級數

$$1/2 + 1/4 + 1/8 + 1/16 + \cdots$$

是收斂的。即使前面的級數有一兆個1，整個級數依然收斂。

嘿，你想通了沒？

4.4 個性外向的幾何級數

每當我們碰到一個級數，第一個目標就是要判定它是否收斂，如果它收斂，接著我們就得試著找出它收斂到什麼數。但是級數並不樂意把這些訊息寫在臉上，許多級數還很不願意分享。

幸好不是每個級數都這麼「閉俗」，還是有不少級數非常樂意告訴你它們是否收斂，以及收斂到哪個數（若收斂的話）。只要有機

會，它們會在你耳邊嘮叨不絕。總之，它們可能是你見過最最友善的級數，它們都是超級外向的傢伙。

說到個性外向的人，問你一個問題：當你面對一位數學家，你可知道如何分辨她（他）是內向還是外向？

答案是：外向的人會一個勁的瞧著「你的」鞋子。

言歸正傳，繼續談外向的級數。這兒有兩個範例：

$$1 + 1/2 + 1/4 + 1/8 + \cdots$$
$$1 + 1/3 + 1/9 + 1/27 + \cdots$$

這兩個就是所謂的幾何級數，因為構成它們的各項，組成了所謂的幾何數列（又稱等比數列）。意思是說，級數中的每一項，皆等於它的前一項乘上某一個固定數（公比）。上面的第一個級數，公比是 1/2，而第二個級數的公比則是 1/3。這一類的級數的通式就是：

$$a + ar + ar^2 + ar^3 + \cdots$$

幾何級數的每一項（除了第一項），都等於它的前一項乘上公比 r。當你不期而遇，碰上了幾何級數，那算是你運氣好，可喜可賀，因為幾何級數已經給研究得一清二楚，毫無祕密可言。所以你可以高枕無憂，放心玩樂去吧！

幾何級數檢驗　如果 $|r| < 1$，則幾何級數 $a + ar + ar^2 + ar^3 + \cdots$ 收斂到 $\dfrac{a}{1-r}$；如果 $|r| \geq 1$，則該級數發散。

我們在這兒不準備討論這項檢驗法，要證明不難，你應該去問問你的教授，看他（她）是否希望你們知道怎麼證明。

讓咱們實際應用一下。

範例1 $1/3 + 1/9 + 1/27 + \cdots$

解：此級數為幾何級數，首項 $a = 1/3$，而 $r = 1/3 < 1$，所以收斂，且收斂到 $\dfrac{a}{1-r} = \dfrac{1/3}{1 - 1/3} = \dfrac{1}{2}$。

範例2 有個橡皮球，被人從6英尺高處放手讓它掉下來。它每次著地之後彈跳起來的高度，永遠是前一次高度的三分之二。請問這皮球上下彈跳，一共會行經多少垂直的距離？（見次頁的圖4.2。）

解：從圖上看來，這個橡皮球首先在撞地之前行經了6英尺，然後第一次彈跳起來到達的高度為 $(2/3) 6 = 4$ 英尺，接著也往下掉了 4 英尺。然後第二次撞地跟彈跳，這次彈跳的高度為 $(2/3)^2 6$ 英尺，而且又往下掉了 $(2/3)^2 6$ 英尺……所以這顆球前後行經的垂直總距離為

$$S = 6 + 2(4) + 2(4)(2/3) + 2(4)(2/3)^2 + \cdots$$
$$= 6 + 8 + 8(2/3) + 8(2/3)^2 + \cdots$$

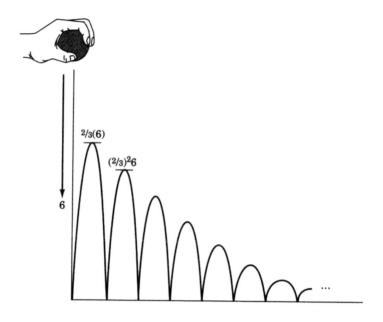

圖4.2　橡皮球一上一下彈跳歷經的垂直總距離為多少？

　　我們先暫時不管第一項，因此其餘部分顯然是一個幾何級數，它的 a = 8 而 r = 2/3 < 1。所以說，

$$S = 6 + \frac{8}{1 - \frac{2}{3}} = 6 + 24 = 30 \text{ 英尺}$$

　　嘿！不要把嘴張得那麼大！

4.5 第n項檢驗

這是用來判定級數是否收斂的最基本檢驗法，如果受檢驗的級數沒有通過檢驗，它就玩完了——發散，沒啥可說！這個檢驗說的是：如果後來每一次加進去的水量並沒有非常少的話，那麼浴缸裡的水遲早會滿出來。翻譯成數學語言就是：

第n項檢驗 如果 $\lim\limits_{n \to \infty} a_n \neq 0$，則無窮級數 $\sum\limits_{n=1}^{\infty} a_n$ 發散。

範例1 $1/2 + 2/3 + 3/4 + \cdots + \dfrac{n}{n+1} + \cdots$

解： 因為 $\lim\limits_{n \to \infty} \dfrac{n}{n+1} = 1 \neq 0$ ，所以這個級數發散。

要另外找一個這麼簡單的檢驗方法，還真困難。但是你得特別注意一點：**這個檢驗法倒過來不一定成立**。譬如說，對於有些級數，雖然 $\lim\limits_{n \to \infty} a_n = 0$，但是仍然不收斂。典型的例子就是所謂的調和級數，亦即 $1 + 1/2 + 1/3 + \cdots$。我們待會再來討論它的發散性。

常犯的錯誤 只因為看到 a_n 往 0 的方向縮小，就誤以為級數 $\sum a_n$ 一定收斂。

4.6　更多朋友：積分檢驗與 p 級數

　　每見到一個級數，我們就想知道它是否收斂，想知道它的和究竟是個有限的數還是無窮大？我們蒐集了一些檢驗方法，可瞧出它的行為。這些檢驗方法中，有一些會讓我們知道，我們所檢驗的級數有一個共犯，意思就是，如果其中一個級數收斂，另一個級數也收斂。譬如下面這個檢驗方法就告訴我們，在某些情況下，級數跟一個瑕積分就有著這種共犯關係。

　　這個檢驗法，以及接下來的幾個檢驗法，都能應用到正項級數上；所謂正項級數，是指所有項皆為正數的級數。

積分檢驗　如果 $a_n = f(n)$，其中 f 是連續的正值函數，且對 $x \geq 1$ 時為遞減，那麼在這些條件下，$\displaystyle\int_1^\infty f(x)\,dx$ 跟 $\displaystyle\sum_{n=1}^\infty a_n$ 是共犯；要嘛同為收斂，或是同為發散。

　　為什麼？　我們先來證明，如果 $\displaystyle\int_1^\infty f(x)\,dx$ 收斂，則 $\displaystyle\sum_{n=1}^\infty a_n$ 也會跟著收斂。從圖 4.3 我們看得出來，當 x 從 1 趨向 ∞ 時，曲線 $y = f(x)$ 下方的面積，要比那些灰色長方形的面積和大些。但是要注意，第一個長方形的高是 $f(2) = a_2$，寬為 1，所以面積是 a_2；而第二個長方形的高是 $f(3) = a_3$，寬同樣為 1，故面積是 a_3。如此一個個長方形繼續看下去，第 n 個長方形的面積就是 a_{n+1}。

　　所以，圖上所有長方形的面積和就是 $a_2 + a_3 + a_4 + \cdots$。由於這個

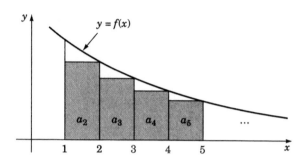

圖 4.3　$\displaystyle\int_1^\infty f(x)\,dx > a_2 + a_3 + a_4 + \cdots$

面積和比曲線下的面積 $\displaystyle\int_1^\infty f(x)\,dx$ 小些，所以

$$\int_1^\infty f(x)\,dx > a_2 + a_3 + a_4 + \cdots$$

但是我們剛才假設面積比較大的 $\displaystyle\int_1^\infty f(x)\,dx$ 爲有限，所以比較

小的面積當然也是有限的。（此處的說明實際上還嫌不足，因爲光有上界，尚不能保證收斂性，不過在這兒我們就不去仔細討論了。）

所以，$a_2 + a_3 + a_4 + \cdots$ 收斂，既然它收斂，另外加上一項 a_1 並不會改變該事實，所以 $a_1 + a_2 + a_3 + a_4 + \cdots$ 也收斂。

好了，接著我們要證明，如果 $\displaystyle\int_1^\infty f(x)\,dx$ 發散，那麼這個級數

也發散。現在我們換一個圖，看圖 4.4（次頁）；與圖 4.3 不同的是，這次那些灰色長方形的面積和，顯然要比曲線下方的面積大了一些。第一個長方形的面積等於 a_1，第二個長方形的面積等於 a_2，

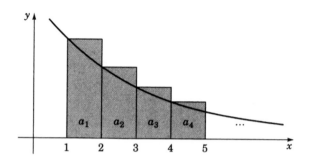

圖 4.4 $\displaystyle\int_{1}^{\infty} f(x)\,dx < a_1 + a_2 + a_3 + \cdots$

以此類推。所以我們知道：

$$a_1 + a_2 + a_3 + \cdots > \int_{1}^{\infty} f(x)\,dx$$

但是我們已經假定 $\displaystyle\int_{1}^{\infty} f(x)\,dx$ 發散，所以面積比它更大的級數也跟著發散。

調和級數

現在讓我們把積分檢驗，應用到下面這個調和級數：

$$1 + 1/2 + 1/3 + 1/4 + \cdots = \sum_{n=1}^{\infty} \frac{1}{n}$$

這個級數可能是現存的所有級數當中，最最著名的一個。你一聽我們這麼說，一定會問為什麼。為什麼一個小小的級數會如此有名？為什麼有的人能那麼出名？首先，你必須已經小有名望，然後

你必須牽涉到一件醜聞，這幾乎是出名的不二法門。照這樣說來，1
+ 1/2 + 1/3 + ⋯ 這個級數的確小有名氣，因為我們只不過是取 1, 2, 3,
4, ...的倒數，然後相加。我們很難想像出，還有哪個更簡單的級數，
看似滿足第 n 項檢驗的反面，卻仍有可能發散？

　　那它又鬧了什麼醜聞呢？這麼說好了，因為這個級數的第 n 項 a_n
= $1/n$ = $f(n)$，其中 $f(x)$ = $1/x$。又由於 $1/x$ 是正值、連續，且對 $x \geq 1$ 為
遞減，所以合乎積分檢驗的條件。

　　換言之，$\sum_{n=1}^{\infty} \dfrac{1}{n}$ 跟 $\displaystyle\int_1^{\infty} \dfrac{1}{x}\, dx$ 成了共犯，要嘛都是收斂，或者都
是發散。但是

$$\int_1^{\infty} \frac{1}{x}\, dx = \lim_{b \to \infty} \ln x \Big|_1^b = \infty$$

　　這表示這個積分跟級數都發散！也就是說，這個級數裡面不起
眼的小小項 1、 1/2、 1/3、⋯，居然會加成無窮大！

　　若是用浴缸比喻，第一次倒進一量杯的水，第二次倒進半杯的
水，第三次倒進三分之一杯，這樣一直倒下去，浴缸裡的水終究會
滿出來。甚至我們不是把水倒進浴缸，而是倒進乾涸的太平洋，用
同樣的加水方法，到時候整個太平洋還是會氾濫成災。這不是醜聞
是什麼？

　　當然，在程序上，這得花上非常長的時間。比方說，光是要讓
洗澡水累積到 5 杯的量（加到 5），一共得加 83 次水（加到第 83
項）。如果要加到 10，就必須加到第 12,667 項；要加到 20，則必須
加到第 272,400,000 項。要是想累積到 1000，那更不得了，一共得加
1.1 × 10^434 項。這到底是多少項？實在很難想像，我們再舉一個數

字，或許你就能對這個數字之大有些概念：據科學家估計，我們這整個可觀測的宇宙內，原子的總數大約是 10^{80}。

　　總之，這個級數發散，但是發散速度之慢，真教人嘆為觀止。別的不說，你千萬別用它來加洗澡水，除非你的壽命長達好幾千兆年，而且沒別的事兒可幹！

p級數

　　上面所說的調和級數倒非獨行俠，它屬於一個級數家族，常跟級數在外頭鬼混的人，都知道這麼一個家族。這個家族就是頂頂大名的p級數。

定義　形式為 $\displaystyle\sum_{n=1}^{\infty}\frac{1}{n^p}$ （其中 p > 0）的級數，即是 p 級數。

　　請注意，如果 p ≤ 0，則由第 n 項檢驗就知道該級數會發散。

　　我們真的很喜歡 p 級數，因為它們一點也不故弄玄虛，很樂意告訴你它們是發散還是收斂——而且是在第一次約會時。

---

p級數檢驗　對 p > 1，p 級數 $\displaystyle\sum_{n=1}^{\infty}\frac{1}{n^p}$ 收斂；對 p ≤ 1，則發散。

　　為什麼？　對 p = 1，這個檢驗成立，因為它就是調和級數，我們已經驗證過了。至於 p ≠ 1 的部分，我們可以直接假設 p > 0，因為要是 p < 0，級數的每一個項不會變小。接下來我們要套用積分檢驗，其中 $a_n = 1/n^p = f(n)$，而 $f(x) = 1/x^p$。

由於 $1/x^p$ 爲正值連續函數，且對 $x \geq 1$ 爲遞減，所以我們可以用積分檢驗，用此積分「共犯」來判定它是否收斂：

$$\int_1^\infty \frac{1}{x^p}\, dx = \left. \frac{x^{-p+1}}{-p+1} \right|_1^\infty$$

當 $p > 1$，指數$(-p+1)$爲負值，所以分子的 x^{-p+1} 可以移到分母，指數變個號，變成 x^{p-1}，所以當我們求 $\dfrac{1}{x^{p-1}(1-p)}$ 在 $x \to \infty$ 時的極限，我們會得到 0。當 $p < 1$ 時，指數$(-p+1)$爲正值，因而在取 $x \to \infty$ 時的極限時，我們得到 ∞。

所以，對 $p > 1$，積分與級數均收斂，而對 $p \leq 1$ 爲發散。

範例

1. $\displaystyle\sum_{n=1}^\infty \frac{1}{n^3}$ 收斂，因爲 $p = 3 > 1$。

2. $\displaystyle\sum_{n=1}^\infty \frac{1}{\sqrt{n}}$ 發散，因爲 $p = 1/2 \leq 1$。

嘿，還有比這更簡單的嗎？

4.7 比較檢驗

敝姓摩利，小名菲力普。旁邊這位是我的同事，也是我的堂弟巴布，沒錯，他的全名就叫巴布·摩利。我們兩個都是調查員，你沒聽錯，我們是「英維加健康保養保險公司」的調查員。英維加公司你大概聽過，我們免費招待那些專門替我們節省大筆醫療保險給

付的醫生，到加勒比海的阿盧巴島旅遊，爲此我們最近常上報紙宣傳。哪種醫生？就是喜歡跟病人說：「你那條腿沒有斷，它本來就是那樣。」這類屁話的醫務人員。

　　我知道你這時在想啥，肯在那種公司上班的人會是什麼正人君子？當然不是！所以我猜你應該大概知道了我們兄弟倆的人品。那麼，在這樣不事生產、寄生於社會的公司裡，又是哪些人最下濫、是誰在決定你是否能夠拿到免費的威而鋼？沒錯，就是巴布跟我，摩利兄弟。公司派我們出來調查各式各樣的給付申請。

　　這回，我們遇上了特別狡詐的情況，啊！你也聽說了？不過耳聞此事的人，大多數也就只知道這麼多。沒錯，我在說支配，一個級數對另一個級數的支配。當我們比較兩個不同級數時，如果發現第一個級數的每一項，都大於或等於第二個級數相對應的項，那麼我們就說，第一個級數支配了第二個。用數學的說法就是：如果 $\sum a_i$ 跟 $\sum b_i$ 是兩個級數，而對每一個可能的 i 來說，$a_i \geq b_i$，則我們說，$\sum a_i$ 支配了 $\sum b_i$。

　　如果你的腦筋還沒轉過來，看看 $\sum \dfrac{1}{n}$ 跟 $\sum \dfrac{1}{n^2}$ 的例子。你應該不難看出：

$$對\ n = 1, 2, 3, \dots，\quad \frac{1}{n} \geq \frac{1}{n^2}$$

所以 $\sum \dfrac{1}{n}$ 支配了 $\sum \dfrac{1}{n^2}$。懂了吧？這個觀念不太容易理解吧？不過，有些級數卻很喜歡受人控制，熱中此道，你又能怎麼辦？

　　那麼爲什麼有人該關心此事？兩個級數要私下對決，我的鼻子不會少掉一塊皮，巴布的鼻子也不會。況且「各人自掃門前雪，休

管他人瓦上霜」，古有明訓，人嘛，儘量少管閒事，但是級數之間一對一的較量，非同小可，不是你死就是我亡。

　　這就是我們來此的原因，公司需要知道這種級數支配權之戰所造成的醫療費用、風險，及可能的危害。如果需要6年的物理復健治療，公司是否給付？經過一番調查研究，一些基本的比較檢驗法出籠了，用來顯示跡象。

基本比較檢驗　如果 $\displaystyle\sum_{n=1}^{\infty} a_n$ 跟 $\displaystyle\sum_{n=1}^{\infty} b_n$ 都是正項級數，而且對所有的 n，$b_n \geq a_n$，則

1. $\displaystyle\sum_{n=1}^{\infty} b_n$ 若收斂，$\displaystyle\sum_{n=1}^{\infty} a_n$ 也收斂。

2. 若 $\displaystyle\sum_{n=1}^{\infty} a_n$ 發散，$\displaystyle\sum_{n=1}^{\infty} b_n$ 也發散。

　　這個檢驗法唯有在兩級數的各項都為正數時才成立。用一種比較通俗的說法就是：

　　「如果較大的那個級數收斂，那麼較小的級數也跟著收斂。」
　　「如果較小的那個級數發散，那麼較大的級數也跟著發散。」

　　這個說法還是很容易弄混，一不小心就弄顛倒了，所以巴布跟我想出了一個最不容易出岔的「吹氣球」記憶法。

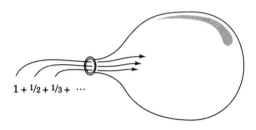

圖4.5　級數的每一項，都如同吹進氣球內的空氣。

氣球比喻

　　我們可以把無窮級數的各項相加過程，想成是在吹氣球，如圖4.5所示。每加一項，就是多吹一點空氣進去，如果空氣累積得太多，氣球遲早會爆掉，級數就發散。如果氣球不爆炸，就表示級數收斂到一個有限的數，這個數就相當於氣球內的空氣體積。

　　然後，我們可以把基本比較檢驗法想成套在一起的兩個氣球，如圖4.6所示。另外再假設，套在裡面的氣球的體積代表$\sum a_n$，而外面的氣球體積代表$\sum b_n$，所以我們知道，$\sum b_n$支配了$\sum a_n$，意思是相對應的每一項都是$b_n \geq a_n$。

　　現在，我們想像一下這兩個氣球。如果外面的氣球永不爆炸，表示級數$\sum b_n$收斂，氣球的體積有限，而裡面的氣球也不會爆炸，因為體積較小。所以，較小的級數$\sum a_n$也收斂。

　　反之，如果裡面那個氣球爆炸了，意思是較小的級數$\sum a_n$發散，那麼外面那個較大的氣球，一定早就爆炸了，因為它的體積更大；意思是說，較大的級數$\sum b_n$必然已經發散了。簡單明瞭之至。

　　但是你有沒有注意到，另外還有兩種可能，是哪兩種呢？那就

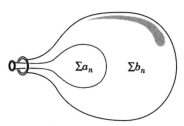

圖4.6　$\displaystyle\sum_{n=1}^{\infty} b_n$ 支配了 $\displaystyle\sum_{n=1}^{\infty} a_n$ 。

是：如果裡面那個較小的氣球沒有爆炸，並不保證外面那個較大的氣球會或不會爆炸；兩者沒有任何必然的因果關係，咱們不能武斷的說，因為前者不爆炸，後者就一定會如何如何。同樣的，如果外面的氣球爆炸開來，也完全影響不了裡面那個氣球的爆炸與否。總之，這個氣球比喻要我們注意四種可能，其中兩種能告訴我們必然的結果，另外兩種不能。

範例1　試判定以下各個級數收斂或發散。

a.　$\displaystyle\sum_{n=1}^{\infty} \frac{1}{2+3^n}$

由於 $\dfrac{1}{2+3^n}$ 的分母較大，故 $\dfrac{1}{2+3^n} \leq \dfrac{1}{3^n}$ ，所以

$$\sum_{n=1}^{\infty} \frac{1}{3^n} \text{ 支配了 } \sum_{n=1}^{\infty} \frac{1}{2+3^n}$$

較大的級數 $\displaystyle\sum_{n=1}^{\infty} \frac{1}{3^n}$ 是一個幾何級數，公比 r = 1/3 < 1，所以我

們知道它收斂。根據基本比較檢驗，我們得知，比它小的級數

$\sum_{n=1}^{\infty} \dfrac{1}{2+3^n}$ 也收斂（較大的氣球不爆炸 $\Rightarrow$ 較小的氣球也不會爆

炸）。

b. $\sum_{n=1}^{\infty} \dfrac{1}{\sqrt{n}-1}$

由於 $\sqrt{n}-1$ 小於 $\sqrt{n}$，因此 $\dfrac{1}{\sqrt{n}-1} > \dfrac{1}{\sqrt{n}}$。

又因為比較小的級數 $\sum_{n=1}^{\infty} \dfrac{1}{\sqrt{n}}$ 是個p級數，其 p = 1/2 < 1，因而

發散。由基本比較檢驗，較大的級數也必然發散（較小的氣球
爆炸，意謂著較大的氣球也會爆炸）。

c. $\sum_{n=1}^{\infty} \dfrac{1}{n+1}$

一看到這個題目，你的第一個想法九成九是拿 $\dfrac{1}{n}$ 來跟它比較，

但是 $\dfrac{1}{n+1} < \dfrac{1}{n}$，而 $\sum_{n=1}^{\infty} \dfrac{1}{n}$ 是我們前面討論過的調和級數，所

以發散（得非常非常慢，記得吧？）。然而，較大的級數發散
（較大的氣球爆炸），並不能告訴我們較小的級數究竟會怎樣
（較小的氣球爆炸與否）。

所以拿 $\dfrac{1}{n}$ 跟它比較，顯然是白花力氣，浪費時間。那麼該怎麼

辦？試試別的呀！下面這個如何？

$n + 1 \leq n + n = 2n$，所以 $\dfrac{1}{n+1} \geq \dfrac{1}{2n}$ ，然而比較小的級數是

$$\sum_{n=1}^{\infty} \frac{1}{2n} = \frac{1}{2} \sum_{n=1}^{\infty} \frac{1}{n}$$

剛好是調和級數的一半，所以是發散，因為無窮大的一半仍然是無窮大！如此一來，較小的級數發散，就證明了較大的級數必定發散，解決了！

其實有一個更簡單的方法，也能獲致同樣的結果，那就是讓我們把題目中的級數展開：

$$\sum_{n=1}^{\infty} \frac{1}{n+1} = 1/2 + 1/3 + 1/4 + \cdots$$

這不就是少了第一項的調和級數嗎？咱們前面講過，不管是少掉一項或者多一項，都不會改變級數的性質，所以上面這個級數鐵定發散。

d.　$\displaystyle\sum_{n=1}^{\infty} \frac{1}{\sqrt{n}+1}$

這題是個麻煩，怎麼說呢？如果我們不假思索，用直覺去套基本比較檢驗，會得到 $\dfrac{1}{\sqrt{n}+1} < \dfrac{1}{\sqrt{n}}$ 。

不幸的是，較大的級數是一個 p 級數，其 $p = \dfrac{1}{2} < 1$，所以是發散，但這結果無法告訴我們，比它小的級數是收斂還是發散。此路不通，我們得另想辦法！幸運的是，現成就有一個法子：

極限比較檢驗　如果 $\displaystyle\sum_{n=1}^{\infty} a_n$ 跟 $\displaystyle\sum_{n=1}^{\infty} b_n$ 都是正項級數，且對某個

正數k，

$$\lim_{n \to \infty} \frac{a_n}{b_n} = k$$

則此兩個級數同為收斂，抑或同為發散。

　　它們是共犯，是級數中的雌雄大盜。這其中的重點是，當n變得很大時，它們的行為變得非常相似：若k = 1，兩級數的各項會愈來愈接近，變得相同；若k等於任何其他的數時，其中一個級數的項會愈來愈接近另一個的k倍。因而，我們預期這兩個級數行為一致。唯有在上述的極限等於0或∞時，兩個級數的行為才可能有所不同。

範例2　$\displaystyle\sum_{n=1}^{\infty} \frac{1}{\sqrt{n}+1}$ 收斂嗎？

　　解：我們讓 $a_n = \dfrac{1}{\sqrt{n}+1}$。剛才我們已經試過基本比較檢驗，結果行不通。

　　現在我們改用極限比較檢驗。跟誰比較呢？一事不煩二主，咱們再把它跟級數 $b_n = \dfrac{1}{\sqrt{n}}$ 比較好了：

$$\lim_{n \to \infty} \frac{a_n}{b_n} = \lim_{n \to \infty} \frac{\dfrac{1}{\sqrt{n}+1}}{\dfrac{1}{\sqrt{n}}} = \lim_{n \to \infty} \frac{\sqrt{n}}{\sqrt{n}+1} = \lim_{n \to \infty} \frac{1}{1+\dfrac{1}{\sqrt{n}}} = 1$$

所以這個結果告訴我們：這兩個級數互為共犯，其中一個幹了什麼，另一個也一定幹了同樣的事。由於 $\sum_{n=1}^{\infty} \dfrac{1}{\sqrt{n}}$ 是一個p級數，其p = 1/2 < 1，所以發散，因此題目中的級數也發散。

4.8 交錯級數與絕對收斂

一個級數若具有以下形式：

$$a_1 - a_2 + a_3 - a_4 + \cdots + (-1)^{n+1}a_n + \cdots$$

或是以下形式：

$$-a_1 + a_2 - a_3 + a_4 + \cdots + (-1)^n a_n + \cdots$$

就稱為交錯級數，其中我們假設每一個a_n都是正數。如果我們拿一個正項級數來，把每隔一項的正號改為負號，結果就是一個交錯級數。比方說，我們可能有

$$1 - \tfrac{1}{2} + \tfrac{1}{3} - \tfrac{1}{4} + \tfrac{1}{5} - \cdots$$

判斷這類級數是否收斂，通常不是很難。

交錯級數檢驗 如果每一項a_n都是正數，且對所有的 n，$a_{n+1} \leq a_n$，而 $\lim_{n \to \infty} a_n = 0$，則對應的交錯級數收斂。

讓我們瞧瞧如何應用這個檢驗法。

範例1 $\displaystyle\sum_{n=1}^{\infty}(-1)^{n+1}\frac{1}{n}$ 是否收斂？

解：首先讓我們查核一下，看看第一個條件是否滿足。為此我們把該級數的正項序列一一寫出來：$a_1 = 1$、$a_2 = 1/2$、…、$a_n = 1/n$。然後看看是否：

$$a_{n+1} \leq a_n?$$

$$\frac{1}{n+1} \leq \frac{1}{n}?$$

不錯，因為$\dfrac{1}{n+1}$ 的分母比較大。

接下來查核第二個條件：

$$\lim_{n\to\infty}\frac{1}{n} = 0$$

也合乎要求。所以，滿足了交錯級數檢驗，該級數收斂。請注意，此級數不過就是調和級數的交錯版本，然而調和級數發散，交錯調和級數卻收斂。這讓人聯想到一對親兄弟，其中一個是溫文謙恭的君子，另一個卻是惡魔的化身。

範例2 $\displaystyle\sum_{n=1}^{\infty}(-1)^{n+1}\frac{n}{n^2+1}$ 是否收斂？

解：這回我們取 $a_n = \dfrac{n}{n^2+1}$。首先檢查交錯級數檢驗的第一個條件，看它是否：

$$a_{n+1} \le a_n?$$

$$\frac{n+1}{(n+1)^2+1} \le \frac{n}{n^2+1}?$$

$$(n^2+1)(n+1) \le ((n+1)^2+1)n?$$

$$n^3+n^2+n+1 \le n^3+2n^2+2n?$$

$$0 \le n^2+n-1?$$

我們發現，對所有的 $n \ge 1$，這條件成立。

繼續檢查第二個條件之前，讓我們再看一個方法，可以證明本題中的 $a_{n+1} \le a_n$：如果我們能證明函數 $f(x) = \dfrac{x}{x^2+1}$ 遞減，那就表示 $f(n+1) \le f(n)$，此結果其實跟 $a_{n+1} \le a_n$ 相同。要證明 $f(x) = \dfrac{x}{x^2+1}$ 遞減，只需證明它的導數為負：

$$f'(x) = \frac{1(x^2+1)-2x(x)}{(x^2+1)^2} = \frac{1-x^2}{(x^2+1)^2} < 0$$

對所有的 $x > 1$，上式均成立。

當然，接下來我們還有第二個條件得檢查：

$$\lim_{n\to\infty}\frac{n}{n^2+1} = \lim_{n\to\infty}\frac{1}{2n} = 0$$

以上結果根據了羅必達法則。

由此觀之，這個題目裡的級數也是收斂。你還沒搞糊塗吧？

絕對收斂

行為異常的人，我們叫他怪胎，但是當他的怪異行為表現，超過牙醫吸了一氧化二氮（笑氣）後的程度時，我們叫他絕對怪胎。

同樣的，若一個級數的級數和等於一個有限的數，我們說它收斂，但是當各項的絕對值相加後，等於一個有限的數時，我們就說它是絕對收斂。絕對收斂性，是一種性質更強的收斂性。

定義 如果級數 $\displaystyle\sum_{n=1}^{\infty} |a_n|$ 收斂，則級數 $\displaystyle\sum_{n=1}^{\infty} a_n$ 為絕對收斂。

譬如說，$\displaystyle\sum_{n=1}^{\infty} \frac{1}{n^2}$ 既為收斂，亦為絕對收斂。原因是 $\displaystyle\sum_{n=1}^{\infty} \frac{1}{n^2}$ 是一個 $p > 1$ 的 p 級數，而 $\dfrac{1}{n^2}$ 就是它本身的絕對值。

另一方面，$\displaystyle\sum_{n=1}^{\infty} \frac{(-1)^n}{n}$ 收斂，卻不是絕對收斂，因為取絕對值之後，整個級數就變成了調和級數。我們把這類級數叫做條件收斂。

注意！如果某人是絕對怪胎，那麼他橫豎都是怪胎——絕對收斂性的意思也是如此。

絕對收斂定理 如果一個級數絕對收斂，那麼它就是收斂。

對一個正項級數來說，這個定理說了等於沒說，因為當你取絕對值時，級數裡面的各項壓根兒不變。但是有的時候，這個定理還真相當管用。

範例3　級數 $\displaystyle\sum_{n=1}^{\infty}\frac{(-1)^n}{n^2}$ 絕對收斂，原因是該級數取絕對值後，會得

到級數 $\displaystyle\sum_{n=1}^{\infty}\frac{1}{n^2}$ ，一看就知道是一個p = 2 > 1的p級數，根據p級數

檢驗，判定它爲收斂，因此原先的級數爲絕對收斂，而根據絕對收斂定理，此級數爲收斂。注意到沒有？我們原先學到的交錯級數檢驗法，也可以證明本範例的級數收斂，不過那相當麻煩，這樣就簡單多啦！我們還有更好玩的事可做呢。

4.9　更多檢驗法

　　一位仁兄抱著他的愛犬衝進獸醫診所，跟獸醫說：「醫生，快幫幫忙，我的狗生病了。」獸醫把狗接了過來，擺在診斷台上，然後用聽診器在狗的胸部聽了一會兒，嘆了一口氣，對狗主人說：「先生，眞抱歉！這隻狗已經斷氣了。」

　　「怎麼可能！」這位仁兄大概是悲傷過度，情緒完全失控，大聲叫道：「我要聽另一個醫師的診斷！」

　　「沒問題。」獸醫聳了聳肩，走出房間。幾分鐘後他又開門進來，手上捧著一隻虎斑貓。他把貓放在診斷台上的狗身旁，這隻貓還眞體察人意，非常謹愼的從頭到尾把狗嗅了一遍，然後抬起頭來，對著獸醫喵了幾聲。獸醫隨即宣布說：「這隻貓證實，狗已死亡。」

　　「不對！」狗主人仍然不願意面對現實：「你們兩個一定都搞錯了！」

　　「那好吧。」獸醫說完再度離開了房間數分鐘，這次他牽了一隻

黑色的拉不拉多獵犬進來。這隻拉不拉多犬把前腳搭在診斷台上，然後用鼻子在病狗身上各處輕推了幾下，可是後者一點反應都沒有，於是拉不拉多向他的獸醫主人汪汪了幾聲。

「實在抱歉！診斷結果還是一樣。」獸醫悲憫的說道。於是狗主人無可奈何的接受了這個壞消息：「得啦得啦！我現在相信你的話了。我該付你多少錢？」

「一共是美金550元。」獸醫回答道。「什麼？」狗主人嚇了一大跳：「你有沒有搞錯？怎麼會這麼貴？」

「一點也沒跟你多算，你瞧，」獸醫非常誠懇的說道：「我的診斷費要50元，但是剛才的貓掃描費用是250元，拉不拉多檢驗的費用也是250元，加起來不就是550元嗎？」〔作者在這裡玩了幾個文字遊戲：「電腦斷層掃描」的英文是CAT scan；拉不拉多獵犬Labrador retriever 一般人習慣簡稱為lab，而lab test又是醫院化驗的統稱。〕

說到檢驗，下面談到的可能是最常用的一個。

比率檢驗 若 $\displaystyle\sum_{n=1}^{\infty} u_n$ 是一個級數，那麼

1. 如果 $\displaystyle\lim_{n \to \infty} \left| \frac{u_{n+1}}{u_n} \right| < 1$，則該級數絕對收斂。

2. 如果 $\displaystyle\lim_{n \to \infty} \left| \frac{u_{n+1}}{u_n} \right| > 1$，則該級數發散。

3. 如果 $\displaystyle\lim_{n \to \infty} \left| \frac{u_{n+1}}{u_n} \right| = 1$，則不詳；它可能收斂，也可能發散，反正這個檢驗不打算告訴我們。

現在讓我們做個例題，看看這個檢驗要怎麼用。

範例1 試判定 $\displaystyle\sum_{n=1}^{\infty} \frac{(-1)^n n}{3^n}$ 的收斂性。

解：在此例中，$u_n = \dfrac{(-1)^n n}{3^n}$。我們把 u_n 裡的每一個 n 都換成 $n+1$，就會得到 u_{n+1}：

$$u_{n+1} = \frac{(-1)^{n+1}(n+1)}{3^{n+1}}$$

然後

$$\lim_{n \to \infty} \left| \frac{u_{n+1}}{u_n} \right| = \lim_{n \to \infty} \left| \frac{\dfrac{(-1)^{n+1}(n+1)}{3^{n+1}}}{\dfrac{(-1)^n n}{3^n}} \right|$$

$$= \lim_{n \to \infty} \left| \frac{n+1}{3n} \right|$$

$$= \lim_{n \to \infty} \frac{1 + 1/n}{3}$$

$$= \frac{1}{3} < 1$$

比率檢驗告訴我們，該級數為一絕對收斂級數，所以收斂。

這兒另有一個檢驗法，偶爾也可以派上用場：

根式檢驗 若 $\displaystyle\sum_{n=1}^{\infty} u_n$ 是一個級數，那麼

1.　如果 $\displaystyle\lim_{n \to \infty} \left(|u_n| \right)^{1/n} < 1$，則該級數絕對收斂。

2. 如果 $\lim\limits_{n \to \infty} \left(|u_n| \right)^{1/n} > 1$，則該級數發散。

3. 如果 $\lim\limits_{n \to \infty} \left(|u_n| \right)^{1/n} = 1$，則不詳；它可能收斂，也可能發散，反正這個檢驗不打算告訴我們。

範例2 試檢驗 $\sum\limits_{n=1}^{\infty} \dfrac{1}{e^n}$ 的收斂性。

解：

$$\lim_{n \to \infty} \left| \frac{1}{e^n} \right|^{1/n} = \lim_{n \to \infty} \left| \frac{1}{e} \right| = \frac{1}{e}$$
$$= \frac{1}{2.718\ldots} < 1$$

　　根據根式檢驗法，該級數為一絕對收斂級數，所以收斂。如果你對此答案有任何疑慮，不妨用比率檢驗再做一次，你會得到同樣的結果。當然，我們也知道它是一個公比為 r = 1/e < 1 的幾何級數，所以收斂。

　　雞只要煮熟了就能吃，怎麼煮都可以。好吃或不好吃，則是另一個問題，不要跟能不能吃混為一談。

4.10 冪級數

　　冪級數有著如下的形式：

$$\sum_{n=0}^{\infty} a_n x^n = a_0 + a_1 x + a_2 x^2 + \cdots + a_n x^n + \cdots$$

這類級數的行為像極了消防水管；如果有人抓住了水管的噴頭，並且對準了目標的話，用它來救火也好，驅散抗議微積分分數給得太低的示威學生也罷，都能讓你得心應手，效果一級棒。但是你千萬別放開手，你一旦失控，那麼為了安全起見，你最好就近找個地方躲起來，因為它會像一條插上了電插座的鰻魚，到處甩來甩去，非常危險。

冪級數的 x 值是啥，決定了級數是否仍在控制中，有些 x 值會使級數收斂，其他的 x 值則會使級數發散，猶如消防水管失控。那些讓冪級數收斂的 x 值，就稱為冪級數的收斂區間。

讓我們看幾個範例。

範例 1　試決定能讓下列級數收斂的所有 x 值。

$$\sum_{n=0}^{\infty} \frac{x^n}{n!} = 1 + x + \frac{x^2}{2!} + \frac{x^3}{3!} + \cdots$$

　　解：我們把比率檢驗應用上：

$$\lim_{n \to \infty} \left| \frac{u_{n+1}}{u_n} \right| = \lim_{n \to \infty} \left| \frac{\dfrac{x^{n+1}}{(n+1)!}}{\dfrac{x^n}{n!}} \right|$$

$$= \lim_{n \to \infty} \frac{|x|}{n+1} \quad \text{（對任意的固定 x 值，}$$
$$\text{這式子都趨近於 0。）}$$

$$= 0 < 1$$

這時，無論 x 是多少都無所謂；這個級數對所有的 x 值都收斂。

範例2   試決定能讓下列級數收斂的所有 x 值。

$$\sum_{n=1}^{\infty} \frac{nx^n}{3^n} = \frac{x}{3} + \frac{2x^2}{9} + \frac{3x^3}{27} + \cdots$$

解：我們再使用一次比率檢驗：

$$\lim_{n \to \infty} \left| \frac{u_{n+1}}{u_n} \right| = \lim_{n \to \infty} \left| \frac{\frac{(n+1)x^{n+1}}{3^{n+1}}}{\frac{nx^n}{3^n}} \right| = \lim_{n \to \infty} \frac{|x|(n+1)}{3n}$$

$$= \frac{|x|}{3}$$

依據比率檢驗，如果 $\frac{|x|}{3} < 1$，則該級數收斂。所以 $|x| < 3$ 為此級數收斂的必要條件；也就是說，如果 $-3 < x < 3$，則該級數一定收斂，而對 $x < -3$ 跟 $x > 3$ 時，級數一定發散。

接下來我們還得檢查 $x = 3$ 跟 $x = -3$ 時，此級數是否收斂。

* 當 $x = 3$，該級數變成 $\sum_{n=1}^{\infty} \frac{n3^n}{3^n} = \sum_{n=1}^{\infty} n$。由於 $\lim_{n \to \infty} n = \infty \neq 0$，

  級數中的各項並未縮小，則依據第 n 項檢驗，得知這個級數發散。

* 當 $x = -3$，該級數變成 $\sum_{n=1}^{\infty} \frac{n(-3)^n}{3^n} = \sum_{n=1}^{\infty} (-1)^n n$。

  由於 $\lim_{n \to \infty} (-1)^n n \neq 0$，因此由第 n 項檢驗，證明它也是發散。

所以這個級數只在 $-3 < x < 3$ 時收斂，所以我們說它的收斂區間為 $(-3, 3)$。

範例3　試決定能讓下列級數收斂的所有 x 值。

$$\sum_{n=1}^{\infty} n^n x^n$$

解：讓我們用根式檢驗法來試試看：

$$\lim_{n \to \infty} \left| n^n x^n \right|^{1/n} = \lim_{n \to \infty} n|x| = \begin{cases} 0 & 若\ x = 0 \\ \infty & 若\ x \neq 0 \end{cases}$$

　　所以，對非 0 的任何 x，該級數都是發散；而當 $x=0$ 時，該級數收斂，但是這個結論一點也不稀奇，因為 $x=0$ 時，此級數變成了 $0 + 0 + 0 + \cdots$，當然應該收斂。事實上，每一個冪級數在 $x=0$ 時都收斂，而這個例子只是最最罕見的一個罷了：它在必須收斂的 $x=0$ 這一點之外，竟然處處發散。

　　嘿！小心別吃太飽撐著了。

4.11　什麼時候該用什麼檢驗？

　　手上雖有「一拖拉庫」的檢驗法，若是不知道何時該用哪一個，那就跟完全沒有這些方法一樣，於事無補；要是你有香港腳，卻跑去婦科檢查，九成檢驗不出什麼所以然來。所以，我們不但需要知道各種檢驗法，更重要的是能把它們運用得適得其所。本節就要講一些運用祕訣，要告訴你當你拿到一個級數 $\sum_{n=1}^{\infty} a_n$ 時，該怎麼辦。

第1步：應用第 n 項檢驗（見第 55 頁）。如果 $\lim_{n \to \infty} a_n \neq 0$，則該級數

發散。既然判定是發散，這題就做完交差啦！如果 $\lim\limits_{n \to \infty} a_n$ = 0，則該級數有可能收斂，此時就需要進入第2步。

第2步： 看一看它是不是幾何級數（第52頁）或p級數（第60頁）。如果它是幾何級數，亦即具有 $\sum\limits_{n=0}^{\infty} ar^n$ 的形式，而且 |r| < 1，則為收斂；如果它是個p級數 $\sum\limits_{n=1}^{\infty} \dfrac{1}{n^p}$，而且p > 1，那麼它也收斂。若它是幾何級數但 |r| ≥ 1，或它是p級數但p ≤ 1，則為發散。

第3步： 如果它是正項級數，你可以在下列檢驗法中任選一種來應用：

1. 基本比較檢驗（第63頁）

2. 極限比較檢驗（第68頁）

在應用上述兩種檢驗時，用來比較的對象，通常是p級數或幾何級數的其中一種；在較為罕見的情況下，則是跟其他的級數比較，這級數可以是任何一個可用其他檢驗法（諸如積分檢驗）證明為收斂或發散的級數。

3. 比率檢驗（第74頁）：如果待檢驗的級數內有 $n!$ 或 c^n，那麼此種檢驗通常很好用。

4. 根式檢驗（第75頁）：如果級數內有 n^n，或者有某個次方為n的函數，這個檢驗法很可能用得上。有時候此方法也可用在有 c^n 的級數上，不過得看級數裡還有些什麼。

5. 積分檢驗（第56頁）：待檢驗級數的各項 a_n 必須向0遞減，而且可以積分。

第4步：　如果 $\displaystyle\sum_{n=1}^{\infty} a_n$ 是交錯級數，就在下列檢驗法中任選一種應用：

1. 交錯級數檢驗（第69頁）

2. 把第3步中的任一檢驗法應用到 $\displaystyle\sum_{n=1}^{\infty} |a_n|$。若 $\displaystyle\sum_{n=1}^{\infty} |a_n|$ 收斂，$\displaystyle\sum_{n=1}^{\infty} a_n$ 也收斂（第72頁）。

第5步：　對付冪級數 $\displaystyle\sum_{n=1}^{\infty} a_n x^n$，可以用比率檢驗或根式檢驗，找出收斂區間，然後利用上述的任何一種方法，判定此收斂區間的兩端點是否收斂。

現在讓我們舉幾個例題，找出適合的檢驗法（詳細的計算過程就留給你們了）。

範例

1. $\displaystyle\sum_{n=1}^{\infty} \left(\frac{e}{\pi}\right)^n$。這只是一個幾何級數，其公比 $r = e/\pi < 1$，所以收斂。若不嫌麻煩的話，你也可以改用比率檢驗或根式檢驗。

2. $\displaystyle\sum_{n=1}^{\infty} \frac{(-1)^n}{10^n}$。這是一個交錯級數，取絕對值後，會變成一個收斂的幾何級數，所以原交錯級數也收斂。你也可以用交錯級數檢驗。

3. $\displaystyle\sum_{n=1}^{\infty} \frac{n!}{2^{n^2}}$。級數裡有個階乘，表示我們可用比率檢驗。結果此級數收斂。

4. $\displaystyle\sum_{n=1}^{\infty}\frac{\sqrt{n}}{n+1}$。這題不能用基本比較檢驗，而是要利用極限比較檢驗，拿它跟 $\displaystyle\sum_{n=1}^{\infty}\frac{1}{\sqrt{n}}$ 比較，就可證明出它發散。

5. $\displaystyle\sum_{n=2}^{\infty}\frac{\sqrt{n}}{n-1}$。可用基本比較檢驗，拿它跟 $\displaystyle\sum_{n=2}^{\infty}\frac{1}{\sqrt{n}}$ 比較，就可證明出它發散。

6. $\displaystyle\sum_{n=1}^{\infty}\frac{n!}{(2n)!}$。此題無疑要用比率檢驗（光看分子與分母中的階乘，就知道了），而且答案爲收斂。

嘿！你怎麼一副坐立不安的樣子？

4.12 泰勒級數

多項式這種函數，是我們可以親近的一種函數，它們很開放、很坦白，心裡想什麼就說什麼。隨便舉個例子，$f(x) = 2 - 3x + 7x^2$，這個多項式會告訴我們，任何我們所想要知道的消息，甚至更多。譬如我們問：「嘿！f老兄，你在4那一點的值是多少？」這時$f(x)$會毫不遲疑的回答：「這個嘛，你只要把4代進來，就會得到 $2 - 3(4) + 7(4)^2 = 2 - 12 + 112 = 102$。順便告訴你，我前幾天身上長了一種奇怪的疹子，癢得要命，幸好這兩天症狀減輕了一些……」

這就是典型的多項式，毫無心機可言。你只要用一點加減乘除，就可以得到任意一點的函數值。

一般的多項式（通式如下）：

$$f(x) = a_0 + a_1x + a_2x^2 + \cdots + a_nx^n$$

性情也一樣坦白，雖然看起來比前頁的例子複雜許多，也是只要用一點小學生就會的加法與乘法，就可以得到任何一個點的函數值。沒有隱藏什麼祕密，也不要任何手段，一目了然。

即使下面這種更複雜的多項式形式，也不例外：

$$g(x) = b_0 + b_1(x - a) + b_2(x - a)^2 + \cdots + b_n(x - a)^n$$

它看起來好像跟上述的通式不一樣，其實只是換了一套衣服而已。你只要把每一項的$(x - a)^2$、$(x - a)^3$、$\cdots$、$(x - a)^n$乘開，再讓同項合併，就會得到跟$f(x)$相同的形式。

可是，還是有一些不很友善的函數，它們寧願待在地下室，為的是不想跟人說話。不錯！我們說的就是 sin x、ln x、e^x 之類的函數，以及更叫人困擾的 arctan x。

譬如你問 ln x：「嗨！你在3的值是多少呀？」此時你得到的答案很可能是：「你幹嘛問？你的腦子裡打什麼如意算盤？幹嘛打聽別人的私事？你是不是被數學搞昏頭了？你以為憑著你那點加減乘除的三腳貓功夫，就能把我的底細掀出來？如果你真有這樣的念頭，就太幼稚可笑了。況且我在3的值是多少，干你什麼事？你現在給我閃開！免得我按捺不住，踢了你的要害。」

囉囉唆唆講了一大堆，一言以蔽之，就是不友善，而且是一開始就打定主意，不告訴你它在3的值為多少。那麼你該怎麼辦？

這個呢，就是本節要討論的。我們要把這些不懷好意的函數，用友善的多項式取代。用容易計算的多項式，去估計那些難算的函數的近似值，想法不賴吧？現在就來看一個例子。

範例1　用多項式去逼近$f(x) = e^x$在x靠近0的函數值。

　　一般說來，愈是用花俏的高次多項式去逼近，得到的結果就會愈接近實際值。讓我們先從簡單的開始著手。

　　第1階段：以下面這種形式的多項式去逼近$f(x) = e^x$：

$$y = a_0 + a_1 x$$

　　這就是所謂的線性多項式，意指它的圖形是一條直線。假定我們要以一條直線，去逼近$f(x) = e^x$在x靠近0處的函數值，那麼最佳的選擇就是，e^x在點$(x, y) = (0, 1)$的切線，如圖4.7所示。

　　我們注意到，這條切線跟e^x在$x = 0$時，它們的函數值跟一階導數皆相同，而依照導數的定義，該切線的斜率就等於e^x在$x = 0$的導數。又由於$d(e^x)/dx = e^x$，所以

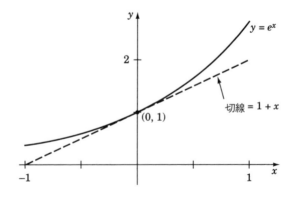

圖4.7　以一條直線逼近$y = e^x$。

$$\frac{d(e^x)}{dx}\bigg|_{x=0} = e^0 = 1$$

所以切線的斜率為 1。又該線的 y 截距為 1，故它的方程式為：

$$y = x + 1$$

總結下來，我們求出了一條直線 $y = x + 1$，它在 $x = 0$ 的附近跟 $y = e^x$ 近似。所以

$$e^x \approx 1 + x$$

這條直線有多近似呢？我們可求出，當 x 等於很小的值時，比方說 $x = 0.1$，e^x 與 $1 + x$ 的值分別是多少。查自然對數表後，左式得到：

$$e^{0.1} \approx 1.105170918$$

而右式為 $1 + x = 1 + 0.1 = 1.1$。所以我們可以看出，這個「線性逼近」準確到小數點第一位，還不差！

第 2 階段：現在我們要進一步，用形式為 $g(x) = a_0 + a_1x + a_2x^2$ 的二次多項式，來逼近 $f(x) = e^x$ 在 $x = 0$ 附近的值。上一階段是用直線，這一回則是用拋物線，好處是會跟 e^x 的曲線靠得更近，而且靠近的時間更久。這一次，我們得求出 a_0、a_1 跟 a_2 這三個值，讓 $f(x)$ 跟 $g(x)$ 在 $x = 0$ 時，有相同的函數值、一階導數，以及二階導數。如此一來，這兩個函數至少在離 $x = 0$ 的附近，會相當近似。

$$f(x) = e^x \qquad \text{所以 } f(0) = e^0 = 1$$
$$f'(x) = e^x \qquad \text{所以 } f'(0) = e^0 = 1$$

$$f''(x) = e^x \qquad \text{所以 } f''(0) = e^0 = 1$$
$$g(x) = a_0 + a_1 x + a_2 x^2 \qquad \text{所以 } g(0) = a_0$$
$$g'(x) = a_1 + 2a_2 x \qquad \text{所以 } g'(0) = a_1$$
$$g''(x) = 2a_2 \qquad \text{所以 } g''(0) = 2a_2$$

由於$f(x)$跟$g(x)$的函數值跟兩次的導數值在$x = 0$都一致，於是：

$$1 = f(0) = g(0) = a_0 \qquad \text{所以 } a_0 = 1$$
$$1 = f'(0) = g'(0) = a_1 \qquad \text{所以 } a_1 = 1$$
$$1 = f''(0) = g''(0) = 2a_2 \qquad \text{所以 } a_2 = \tfrac{1}{2}$$

我們得到$g(x) = 1 + x + x^2/2$，也就是對0附近的x，

$$e^x \approx 1 + x + \frac{x^2}{2}$$

我們看到了這個方程式的頭兩項，跟前面求出的線性逼近相同，只不過是多出了一個x^2項。圖4.8中的虛線，就是這條近似的拋物線。

那麼這次的逼近有多好呢？

我們同樣用$x = 0.1$來試試看。你還記得不？$e^{0.1} \oplus 1.105170918$。現在再把$x = 0.1$代入$1 + x + x^2/2$，得到1.105。哇塞！準確到小數點第三位了。

第3階段：讓我們再進一步，找一個三次多項式$g(x) = a_0 + a_1 x + a_2 x^2 + a_3 x^3$，來逼近$f(x) = e^x$在$x = 0$附近的函數值。

同樣的，$f(0) = e^0 = 1$，$f'(0) = e^0 = 1$，$f''(0) = e^0 = 1$，$f'''(0) = e^0 = 1$。而

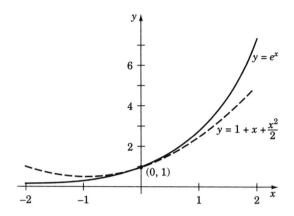

圖4.8 用一條拋物線逼近 $y = e^x$。

$$g(x) = a_0 + a_1x + a_2x^2 + a_3x^3 \quad \text{所以 } g(0) = a_0$$
$$g'(x) = a_1 + 2a_2x + 3a_3x^2 \quad \text{所以 } g'(0) = a_1$$
$$g''(x) = 2a_2 + 3(2)a_3x \quad \text{所以 } g''(0) = 2a_2$$
$$g'''(x) = 3(2)a_3 \quad \text{所以 } g'''(0) = 6a_3$$

為了讓 $f(x)$ 跟 $g(x)$ 在 $x = 0$ 的值跟三次的導數都一致，於是：

$$1 = f(0) = g(0) = a_0 \quad \text{所以 so } a_0 = 1$$
$$1 = f'(0) = g'(0) = a_1 \quad \text{所以 so } a_1 = 1$$
$$1 = f''(0) = g''(0) = 2a_2 \quad \text{所以 so } a_2 = \frac{1}{2}$$
$$1 = f'''(0) = g'''(0) = 3(2)a_3 \quad \text{所以 so } a_3 = \frac{1}{6}$$

把這些係數代入 $g(x)$，我們就得到

$$e^x \approx 1 + x + \frac{x^2}{2} + \frac{x^3}{6}$$

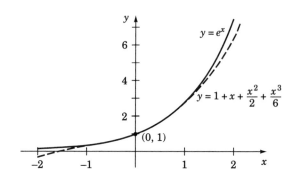

圖4.9 用三次曲線逼近 y = e^x。

　　這就是由我們前面得到的逼近方程式，另外又加上了一個$x^3/6$。這個三次曲線就是我們對e^x在$x = 0$附近的新逼近曲線，如圖4.9所示。

　　這條改良過的近似曲線有多準確呢？我們還是把$x = 0.1$代進去。同樣的，$e^{0.1} \approx 1.105170918$，而$1 + (0.1) + (0.1)^2/2 + (0.1)^3/6$會得到$1.1051666...$。哇！非常非常接近，讓你興奮得想去昭告天下。

　　如果你一階段一階段的做下去，就會發現每一階段所加的新的項，是按照著一個特定模式，也就是：

$$e^x \approx 1 + x + \frac{x^2}{2!} + \frac{x^3}{3!} + \frac{x^4}{4!} + \cdots$$

它看起來非常像一個冪級數！

　　現在你應該有概念了！當我們碰到一個難看又難纏的函數$f(x)$，我們會想求出它在靠近某一固定點a（上例的a = 0）的近似值。

結果，我們求出了一個多項式，它在 a 點附近跟 $f(x)$ 的行為非常相像，而一般來說，這個多項式為下列這種形式：

$$g(x) = b_0 + b_1(x - a) + b_2(x - a)^2 + b_3(x - a)^3 + \cdots + b_n(x - a)^n$$

為了要使得 $g(x)$ 在 x 靠近 a 的時候，跟 $f(x)$ 的行為相像，我們要讓兩個函數的值以及前 n 次的導數值，都兩兩相同。

也就是說，我們要讓：

$$f(a) = g(a)$$
$$f'(a) = g'(a)$$
$$f''(a) = g''(a)$$
$$f'''(a) = g'''(a)$$
$$\cdots\cdots\cdots\cdots\cdots\cdots$$
$$f^{(n)}(a) = g^{(n)}(a)$$

現在，把 $g(x)$ 直接微分，就得到：

$$g(x) = b_0 + b_1(x - a) + b_2(x - a)^2 + b_3(x - a)^3 + \cdots + b_n(x - a)^n$$
$$g'(x) = b_1 + 2b_2(x - a) + 3b_3(x - a)^2 + \cdots + nb_n(x - a)^{n-1}$$
$$g''(x) = 2b_2 + 3(2)b_3(x - a) + \cdots + n(n - 1)b_n(x - a)^{n-2}$$
$$g'''(x) = 3(2)b_3 + \cdots + n(n - 1)(n - 2)b_n(x - a)^{n-3}$$

$$\cdots\cdots\cdots\cdots\cdots\cdots\cdots\cdots\cdots\cdots\cdots\cdots\cdots\cdots\cdots$$

$$g^{(n)}(x) = n(n - 1)(n - 2)\cdots(3)(2)b_n$$

於是：

$$f(a) = g(a) = b_0 \qquad 所以\ b_0 = f(a)$$
$$f'(a) = g'(a) = b_1 \qquad 所以\ b_1 = f'(a)$$
$$f''(a) = g''(a) = 2b_2 \qquad 所以\ b_2 = \frac{f''(a)}{2}$$
$$f'''(a) = g'''(a) = 3!b_3 \qquad 所以\ b_3 = \frac{f'''(a)}{3!}$$

$$\cdots\cdots\cdots\cdots\cdots\cdots\cdots\cdots\cdots\cdots\cdots\cdots\cdots\cdots\cdots$$

$$f^{(n)}(a) = g^{(n)}(a) = n!b_n \qquad 所以\ b_n = \frac{f^{(n)}(a)}{n!}$$

把 b_0、b_1、b_2、$\cdots$、b_n 代回 $g(x)$，就得到了數學中最有名、最有用的公式。

泰勒逼近

$$f(x) \approx f(a) + f'(a)(x - a) + \frac{f''(a)}{2!}(x-a)^2 + \frac{f'''(a)}{3!}(x-a)^3 + \cdots + \frac{f^{(n)}(a)}{n!}(x-a)^n$$

對於靠近 a 的 x 值，這個泰勒多項式逼近得相當準，但是為了省事，我們也常把 a 設為 0，於是泰勒公式大幅簡化且改了名字：

馬克勞林逼近

$$f(x) \approx f(0) + f'(0)x + \frac{f''(0)}{2!}x^2 + \frac{f'''(0)}{3!}x^3 + \cdots + \frac{f^{(n)}(0)}{n!}x^n$$

現在讓我們做個例題。

範例2　試寫出 $f(x) = \sin x$ 在 $x = 0$ 的三階泰勒多項式，並用此結果求 $\sin(0.05)$ 的近似值。

解：由於 $f(x) = \sin x$，所以 $f'(x) = \cos x$，$f''(x) = -\sin x$，而 $f'''(x) = -\cos x$。

因此，$f(0) = \sin 0 = 0$，$f'(0) = \cos 0 = 1$，$f''(x) = -\sin 0 = 0$，而 $f'''(0) = -\cos 0 = -1$。

於是，

$$\sin x \approx f(0) + f'(0)x + \frac{f''(0)}{2!}x^2 + \frac{f'''(0)}{3!}x^3$$
$$\approx 0 + 1x + 0 + \frac{-1}{3!}x^3$$
$$\approx x - \frac{x^3}{6}$$

在 $x = 0.05$ 這點，此近似值夠好嗎？

在 $x = 0.05$：
$$x - \frac{x^3}{6} = 0.049875$$
$$\sin(0.05) = 0.049979169\ldots$$

又是一次驚人的逼近結果！我們只用了三階而已，想想看，如果我們勤快一些，在後面多加上幾項，不知會準確多少！其實，這麼做並不會花你太多時間，我們何不就多加幾項：

$$\sin x = x - \frac{x^3}{3!} + \frac{x^5}{5!} - \frac{x^7}{7!} + \cdots$$

這是一個冪級數，我們稱之為 $\sin x$ 的泰勒級數。當它收斂時，我們可以用它來逼近 $\sin x$ 這個難纏的函數，而且項數愈多，就愈逼近。可是一旦它發散，這個級數就完全沒用了。

嘿！你是否覺得有如醍醐灌頂？

4.13　帶有餘項的泰勒公式

　　泰勒公式的來龍去脈，我們差不多交代清楚了。但是還剩下一個尾巴：泰勒級數的餘項。怎麼說呢？且聽我等道來。

　　我們知道泰勒公式能夠相當逼近$f(x)$在$x = a$附近的值，但是無論多麼逼近，總歸還是近似值，不是正確值，它們中間總存在著一點點誤差。有的時候，這一點點誤差還真是茲事體大，我們不能不搞清楚這誤差究竟有多大。要是不搞清楚，我們設計出來的橋樑，會差一點就負荷不了車子的重量，或是新製造出來的男性避孕丸，差一點就不能防止對方懷孕。幸好我們有一個很簡單的方法，可以抓出誤差的範圍。

帶有餘項的泰勒公式

$$f(x) = \underbrace{f(a) + f'(a)(x-a) + \frac{f''(a)}{2!}(x-a)^2 + \cdots + \frac{f^{(n)}(a)}{n!}(x-a)^n}_{\text{泰勒多項式 } P_n(x)}$$

$$+ \underbrace{\frac{f^{(n+1)}(c)}{(n+1)!}(x-a)^{n+1}}_{\text{餘項 } R_n(x)}$$

其中c為介於a跟x之間的某個數。

　　$R_n(x)$即為餘項或誤差項，它是n階泰勒多項式跟$f(x)$的正確值在$x = a$點的差；由泰勒多項式得到的只是近似值。請注意，這個餘項取決於一個介於x和a之間的未知數c。

我們先是利用泰勒逼近公式求得近似值，然後想知道這個近似值的誤差有多大，但是現在，我們不知道 c 的值，所以也無法算出精確的誤差。因此，我們的做法是對介於 x 和 a 之間的任何 c 值，去界定餘項 $R_n(x)$ 的上下限，如此一來，我們就有把握知道，這個誤差絕不會超過某個範圍。

範例1 （估計 sin (1)） 你曾經想知道 sin (1) 的值等於多少（1 是指 1 弧度）？這種問題，可能會讓你苦思一整夜。當然，你可以拿一個工程用計算機，把 sin (1) 按進去，答案馬上就會顯現出來，但是那樣八成不會滿足你的求知欲，只會讓你更睡不著覺，想知道計算機是怎麼算出來的。現在我們就要來解決這個問題，好讓你一覺到天明。在這兒我們要用一個三階泰勒多項式估計出 sin (1)，然後判定該近似值的準確度。

解： 從上一節的討論得知，sin x 在 a = 0 的三階泰勒逼近是 sin x $\approx x - x^3/3!$。所以

$$\begin{aligned} \sin (1) &\approx 1 - \frac{1^3}{3!} \\ &\approx 1 - 0.1666\ldots \\ &= 0.8333\ldots \end{aligned}$$

但是這個近似值有多準確呢？餘項泰勒公式告訴我們，它的誤差為 $R_3(1)$：

$$R_3(1) = \frac{(\sin x)^{(4)}(c)}{(4)!}(1)^4$$

式中的 c 是多少，我們完全不知道，只知 $0 \le c \le 1$，但是知道這麼多就夠了，因為我們只需判定出 $R_3(1)$ 的範圍。由於 $\sin x$ 的四階導數 $(\sin x)^{(4)}$ 仍然等於 $\sin x$，而不管 x 是多少，$\sin x$ 的值總是落在 -1 跟 1 之間，於是 $|(\sin c)^{(4)}| \le 1$，所以

$$|R_3(1)| \le \frac{1}{4!} = \frac{1}{24}$$
$$\le 0.042$$

這就表示，不管 c 的值是多少，誤差都不會比 0.042 更大；換句話說，餘項泰勒公式告訴我們：$\sin(1)$ 的實際值介於 $(0.8333... - 0.042)$ 跟 $(0.8333... + 0.042)$ 之間。為了檢驗是否真是如此，我們可以按計算機或查三角函數表，$\sin(1) = 0.8414709848079...$，果然在上述範圍之內。

範例 2 試以一個二階泰勒級數，估計 $\sqrt{e}$ 的近似值，並判定該近似值的誤差範圍。之後再用一個十階泰勒多項式，重新估算近似值及準確度。

解：在 $a = 0$ 附近，e^x 的二階泰勒級數逼近為 $e^x \approx 1 + x + x^2/2!$。把 $x = 0.5$ 代入，就得到

$$\sqrt{e} = e^{0.5} \approx 1 + (0.5) + \frac{(0.5)^2}{2!} \approx 1 + 0.5 + 0.125 = 1.625$$

1.625 這個近似值有多準確呢？這得從餘項公式來看：

$$R_2(0.5) = \frac{e^c}{3!}(0.5)^3$$

其中 c 的範圍是 $0 \leq c \leq 0.5$。這個 $R_2(0.5)$ 能有多大？這次不像上一個範例，我們不能鐵定 e^c 永遠比 1 小。不過，由於 e^x 是遞增函數，我們能確定 $e^c \leq e^{0.5}$。問題是，我們也不知道 $e^{0.5}$ 究竟是多少——事實上，它就是本題的題目！

怎麼辦呢？退而求其次。我們知道 $e = 2.71828...$，因而 $e^{0.5} < 4^{0.5} = 2$，所以 $R_2(0.5)$ 滿足

$$R_2(0.5)| \leq \frac{2}{3!}(0.5)^3 = \frac{1}{24} < 0.042$$

意思是誤差小於 0.042，因此我們確定 $e^{0.5}$ 的值介於 $1.625 - 0.042$ 跟 $1.625 + 0.042$ 之間。看起來不怎麼準確，但是別忘了，那是因為我們用的項數太少的關係。

如果我們改用十次多項式，$e^x \approx 1 + x + x^2/2! + \cdots + x^{10}/10!$，那麼把 $x = 0.5$ 代進去後，得到的 $e^{0.5}$ 近似值會是 1.648721271，它的餘項 $R_{10}(0.5)$ 的上界就等於 $(2/11!)(0.5)^{11}$，小於 2.45×10^{-11}，這對近似值來說是小得不得了的誤差。所以，我們只做了一點乘法與加法，就算出了 $e^{0.5}$ 的值 1.648721271，而且準確到小數點後那麼多位，居然跟計算機的一模一樣！這就意謂，我們跟計算機一樣聰明。（根據家用電器智商評鑑，電子計算機的智商等級落在烤麵包機跟咖啡機之間。）

講到餘項，不知你有沒有聽過一個小故事？有兩位參加「數學俱樂部」的女學生，看上了一款紅色 T 恤，上面印滿黃色的微積分方程式，她們認為來年春天，這款 T 恤一定會在校園內流行起來。她們想趁機撈一票，於是當下決定把父母寄來的學費，以及跟朋友

借到的錢，全部拿去買T恤，準備轉賣給其他學生圖利。不料，天不從人願，雖然她們在學校報紙上大登廣告，眼看期末考考完要放寒假了，仍然乏人問津，電話連一次都沒響過。宿舍裡堆滿了賣不掉的T恤（滯銷貨*），而手頭空空，連下學期的學費都沒著落，簡直是偷雞不著蝕把米，眼看不免是場大災難。

就在繳學費的最後期限前一星期，電話鈴響，對方說道：「我是大學書店的巴德，聽說你們有一批紅色T恤，上面的圖案是黃色微積分方程式。我們覺得很適合拿來做春季促銷商品，所以我想出高價向你們買下來。」於是他提出一個非常好的價錢，但也加上一個但書：「由於金額非常龐大，我必須呈報給採購部，由他們決定。所以如果你們在這個星期五下午5點以前，還沒有接到我的取消電話，這筆買賣就成交了。」

這兩位學生原本一籌莫展，放下電話後喜出望外，沒想到竟能時來運轉。星期五一到，她們一直緊張的坐在電話旁邊，祈禱那要命的5點鐘趕快過去。哪知道到了4點55分的時候，電話鈴響起，其中一位緊張兮兮的拿起話筒，只見她默默聽著，臉上漸漸出現了笑容，然後她轉過頭來向她的同伴說：「好消息，是你的車著火燒起來了。」

*編注：「餘項」與「滯銷貨」的英文同是remainder。

4.14　一些著名的泰勒級數

我們已經提過幾個最著名的泰勒級數，諸如：

$$e^x = 1 + x + \frac{x^2}{2!} + \frac{x^3}{3!} + \cdots$$

$$\sin x = x - \frac{x^3}{3!} + \frac{x^5}{5!} - \cdots$$

事實上，我們可以把泰勒級數當成像函數一樣處理，去製造出其他級數。比方說，由於 cos x 是 sin x 的導數，所以我們可以把 sin x 的泰勒級數逐項微分，得到的就是 cos x 的泰勒級數：

$$\cos x = 1 - \frac{x^2}{2!} + \frac{x^4}{4!} - \cdots$$

還有哪些泰勒級數呢？讓我們暫時回到幾何級數。還記得嗎？當 |r| < 1，幾何級數

$$a + ar + ar^2 + \cdots$$

收斂到 a/(1 − r)。我們讓 a = 1，然後以變數 x 取代 r，就可得到：

$$\frac{1}{1-x} = 1 + x + x^2 + \cdots \qquad 對任何 \ |x| < 1$$

這就是 1/(1 − x) 的級數表示法。事實上，如果我們套用泰勒公式，也會得到同樣的結果；不過要特別注意，這個結果唯有對 |x| < 1 才成立。

警告：一個函數的泰勒級數，對一些或全部的 x 值可能為發散。

以上所討論的四個基本級數，頗值得記下來，在有需要時，這些級數可以用來推導出其他的級數。

範例　試求 arctan x 的泰勒級數展開式（對 $|x| < 1$）。

　　解：你可能記得，我們在講解反導函數時曾提到

$$\arctan x = \int_0^x \frac{1}{1 + t^2}\, dt$$

也許你已經不記得了。反正這是我們在前面導出的公式之一。

現在，我們把 $\frac{1}{1 - x} = 1 + x + x^2 + \cdots$ 的每一個 x，都以 $-t^2$ 取代，就得到

$$\frac{1}{1 + t^2} = 1 - t^2 + t^4 - \cdots$$

等號左右兩邊都積分，就得到

$$\arctan x = \int_0^x \frac{1}{1 + t^2}\, dt = \int_0^x 1 - t^2 + t^4 - \cdots\, dt$$

$$= t \Big|_0^x - \frac{t^3}{3} \Big|_0^x + \frac{t^5}{5} \Big|_0^x - \cdots = x - \frac{x^3}{3} + \frac{x^5}{5} - \cdots$$

這就是對 $|x| < 1$ 時，用來表示 arctan x 的泰勒級數。但是此級數只在 $|x| < 1$ 時才成立，雖然 arctan x 對所有實數 x 都有定義。

嘿！你的開襟毛衣鈕扣是啥材質的？

第 5 章

向量：從歐幾里得，到邱比特

在此章，我們要介紹向量，包括平面上及三維空間中的向量。向量就像一枝箭，具有方向跟長度。每當我們想到力或速度的時候，就會扯上向量，因為力或速度都有方向（施力的方向或前進的方向）以及大小（相當於箭的長度）。

5.1 平面上的向量

由於我們生活在三維空間中，因而我們不會在平面上花許多時間。但在本章的頭兩節，不妨暫時把我們自己「壓平」，看一看平面世界，原因是它比較單純，可幫助我們搞清楚三維空間的狀況。現

在我們就從距離說起。

> **最基本的事實**　在xy平面上，兩點$P_1 = (x_1, y_1)$和$P_2 = (x_2, y_2)$之間
> 的距離為
>
> $$d(P_1, P_2) = \sqrt{(x_2 - x_1)^2 + (y_2 - y_1)^2}$$

　　這條法則最早是由古希臘人畢達哥拉斯（Pythagoras）發現的。
我們依照圖5.1所示，把P_1跟P_2兩點畫在xy平面上，然後畫一個直
角三角形，於是，從圖上可看出，其中一股的長度等於$|x_2 - x_1|$，
另一股等於$|y_2 - y_1|$，而斜邊長就等於$\sqrt{(x_2 - x_1)^2 + (y_2 - y_1)^2}$。

　　現在我們來談談向量。你還記得那個叫做「那是啥米」的夏令
營？當時你還只是十二、三歲左右，你父母把你送去，在那兒度過
了整個暑假。你父母是說要你去見識見識大自然的奧妙，實際上是

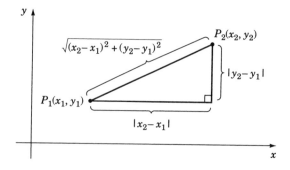

圖5.1　畢氏定理告訴我們，如何量測平面上兩點間的距離。

因為你開始了叛逆期，他們拿你沒輒，乾脆把你送離開家，圖個耳根清靜。而你也因此發現，所謂的奧妙大自然，主要就是超大隻的叮人蚊子，還有歪歪斜斜的松樹，長在有毒植物遍布的野地上。

　　那整個夏天，除了搔癢把自己抓得體無完膚，唯一一件叫你嚮往的營區活動就是射箭。你覺得這世界上，再也沒有比飛箭劃過長空、直奔箭靶時發出的颼颼聲響，更叫人興奮了。不光如此，當你眼見自己一箭中靶，幻想著被你射中的是你那討厭的哥哥（他也被你爸媽送來這個夏令營，而且是這個世界上，唯一能讓你過得比拚命抓癢還難受的人）⋯⋯

　　別因為我們患了早期的老年癡呆症，你就以為我們在離題胡說八道！我們是要幫助你記住，向量就像你所喜愛的箭，箭就代表了向量。你可以想像這枝箭已經射到空中，突然間時間凍結，一切動作停止，而在箭凍結住的一刹那，有兩個量跟它有關：第一個是它的長度，經驗告訴我們，長的箭要比短的箭射得遠；而第二個跟它有關的量，就是它的方向——對射箭這檔事來講，還有比方向更重要的嗎？方向決定了箭是會正中紅心，還是命中站在廁所前排隊等候的某人屁股！

　　至於這枝箭（向量）在空間中的位置，我們此刻用不著操心。通常我們把它的尾端想成是在原點上，長度跟方向不變，然後我們用它的另一端點，即箭尖，來描述這個向量。所以次頁圖5.2中的向量，我們稱之為 $v = \langle 2, 1 \rangle$，2跟1這兩個數，就稱為該向量的「分量」。向量在座標上的位置可以隨便移動，只要它的長度跟方向維持不變，即使它的尾端移到了點 (321, 467) 上，它仍然是同一個向量。就像你出去逛街，街上的你跟家裡的你是同一個人。

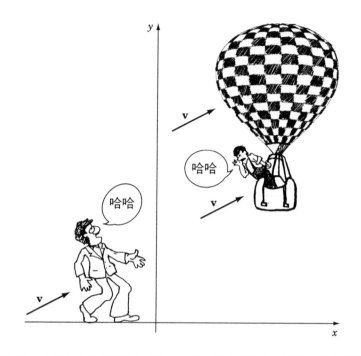

圖5.2　向量由它的長度跟方向決定。所以圖中所畫的三枝箭，其實是同一
　　　　個向量。

　　說到這兒，我們索性一併介紹另一個名詞「純量」。純量就是實
數。那幹嘛要把實數另外取一個名稱？為的就是要凸顯向量跟純量
之間的差別：純量是個實數，而向量不是；換個說法就是，純量只
有大小，沒有方向，而向量兩者皆有。

　　圖5.3顯示的向量是從點(2, 1)出發，到達點(1, 3)。我們把它平
移，讓它的尾端跟原點重合，那麼該向量就變成從點(0, 0)出發，到
達點(−1, 2)。因而我們得知它是 **v** = ⟨−1, 2⟩。

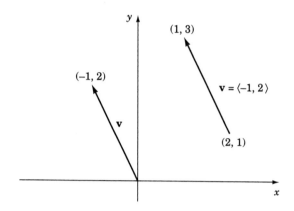

圖5.3　從點(2, 1)出發的箭，與從原點出發的箭，代表的仍然是同一個
　　　　向量。

　　其實我們並不需要搬動一個向量，去求得該向量的分量。那怎
麼辦呢？辦法是，如果一個向量的起點是(x_1, y_1)，終點是(x_2, y_2)，那
麼該向量就是

$$\mathbf{v} = \langle x_2 - x_1, y_2 - y_1 \rangle$$

　　向量的長度，是它的出發點P跟終點Q之間的距離。通常，向
量$\mathbf{v}$的長度表示成 $|\mathbf{v}|$。當我們搬動一個向量，讓它的出發點為原點
時，它的長度就可以由畢氏定理求出了。

畢氏定理　　如果$\mathbf{v} = \langle x, y \rangle$，那麼$|\mathbf{v}| = \sqrt{x^2 + y^2}$。

　　向量的長度$|\mathbf{v}|$，也可叫做該向量的範數或大小。

向量的各種運算

向量雖然不是數字，我們仍舊可以讓它們相加與相減。不過，稍微麻煩一點，向量的加減必須是分量與分量相加減。譬如說，如果 $\mathbf{v} = \langle x_1, y_1 \rangle$，而 $\mathbf{w} = \langle x_2, y_2 \rangle$，則

$$\mathbf{v} + \mathbf{w} = \langle x_1 + x_2, y_1 + y_2 \rangle$$
$$\mathbf{v} - \mathbf{w} = \langle x_1 - x_2, y_1 - y_2 \rangle$$

向量的加減也可以用幾何來解釋。向量相加，相當於把第一個向量的尾端放置在原點上，然後把第二個向量的尾端，放置在第一個向量的尖端上，所以，兩向量的和，則是從原點出發、而以第二個向量的尖端為終點的向量。你會發現，$\mathbf{v} + \mathbf{w} = \mathbf{w} + \mathbf{v}$，因為讓兩向量依這兩種次序相加時，我們構成了一個共用同一條對角線的平行四邊形（見圖 5.4）。

雙人劍法　兩人一組，躺到平面上（躺在地板上就成了）。假想你們兩人各是一個有頭有尾的向量，按照圖 5.4 所示，做不同次序的向量加法，證明次序不同並不影響相加的結果。

至於兩向量相減，則是把第二個向量的方向顛倒過來，再接在第一個向量的尖端，就像第 106 頁圖 5.5 所示的那樣。請注意，減法跟加法不同，前後次序更改會得到不同的結果。

此外，我們也可以用一個實數（或純量）c，去乘一個向量，這相當於把該向量的長度延伸到原先的 c 倍。把向量 $\mathbf{a} = \langle a_1, a_2 \rangle$ 乘以 c 的公式是

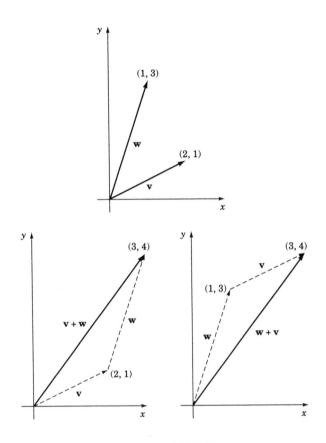

圖5.4　兩向量相加；孰先孰後並不影響結果。

$$\mathbf{ca} = \langle ca_1, ca_2 \rangle$$

　　這叫做純量乘法，其中的 c 若爲正數，得到的向量方向不變，僅改變長度。若所乘的 c 爲負數，向量的方向會顛倒，而若是乘以 0，該向量就喪失了所有的方向。

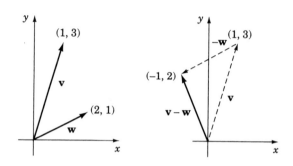

圖5.5　兩向量相減；次序會影響結果。

向量行動準則

1.　**a** + **b** = **b** + **a**（愛麗絲和比爾在豪華轎車上＝比爾和愛麗絲在豪華轎車上）

2.　**a** + (**b** + **c**) = (**a** + **b**) + **c**（愛麗絲坐進豪華轎車時，發現比爾和克瑞格已經在車上＝愛麗絲和比爾一起坐進豪華轎車時，發現克瑞格在車上）

3.　c(**a** + **b**) = c**a** + c**b**（在豪華轎車裡複製 c 個愛麗絲和比爾＝在豪華轎車裡複製 c 個愛麗絲和 c 個比爾）

4.　$(c + e)$**a** = c**a** + e**a**（如果我們複製了 $c + e$ 個愛麗絲，把她們放進豪華轎車裡，就等於先複製 c 個愛麗絲，再複製 e 個愛麗絲，然後把她們全放進車裡。）

5.　(ce)**a** = $c(e$**a**$)$ = $e(c$**a**$)$（如果我們複製了 ce 個愛麗絲，送進豪華轎車裡，就等於複製了 c 份 e 個愛麗絲，或是複製 e 份 c 個愛麗絲。）

一個非常特殊的向量

前面我們再三強調，每一個向量都具有長度跟方向。事實上，這個說法有一個例外，那就是所謂的零向量，$\mathbf{0} = \langle 0, 0 \rangle$。當然，大部分的人對 0 這個數不當一回事，也說不出什麼所以然。數字的 0 本來就代表空無所有！面對空白你能說些什麼呢？於是在英文裡，你可以用 What a zero.（好一個零蛋！）來形容某個你素來沒有好感的老兄。

不過，零向量比數字 0 更糟糕，更叫人瞧不起，原因是它既無長度，還缺乏方向。哪種人夠資格稱為零向量呢？就是那些生活上飄泊不定，沒有任何計畫，壓根兒不知道今後何去何從，年過 36 還跟父母同住，缺錢時只能打點零工、賺點零用錢，週末出遊得向人伸手借車的人。

〔本書英文版老編聲明：以上言論不代表本出版社立場。如果你是上面描述的那個人，請不要控告本社誹謗，要告就直接控告本書的三位作者，我們願意提供作者的地址。〕

5.2 太空：最後的疆界（空間：期末考的邊遠地帶）

坦白說，所有的單變數微積分（也就是我們到目前為止談過的微積分）都發生在 xy 平面上；換言之，它們都局限在二維世界裡。二維世界，就像一張薄餅似的，既薄且平，毫無高低起伏可言；相較於它的平坦，嘉南平原就有如多丘的陵地，CD 上的溝軌則像喜馬拉雅山脈。我們講的是扁平、光滑、毫無變化、無任何東西。似乎

此去兩千英里內，極目望去，別說沒有加油站，沒有一寸土地隆起，也沒有一處低窪！一言以蔽之，就是個「平」字。瞭解了吧？

那麼我們居住的世界是這樣的嗎？當然不是，我們的世界是實實在在的三維世界。三維世界裡的每一樣東西都是厚厚實實，沒有任何東西是完全二維的，甚至連紙牌或保鮮膜，都有些許厚度。所以咱們現在要把數學帶進另一個世界，要用數學描述我們身居其間的「家」，這美麗、刺激、滿是瓊漿玉液的三維感官世界。從現在起，一個點不再只有兩個座標值，而將是三個：(x, y, z)。不錯！我們現在已經進入了三維空間，正式名稱則是 R^3（英文唸法是 R three）。

兩點之間的距離

現在，讓我們找出空間中兩點 $P(x_0, y_0, z_0)$ 跟 $Q(x_1, y_1, z_1)$ 的距離公式。這應該不難，連雁鴨都會算。一群結伴南下過多的雁鴨正在飛行，有隻雁鴨一眼看到了躲在掩體內的獵人，便即刻轉頭對旁邊的雁鴨說：「雷明頓T20雙管霰彈槍，方位南南西，距離350公尺。該槍型射程僅200公尺，所以我們目前沒有危險。請把消息傳送出去。」V字形的飛行隊形，方便飛行中的雁鴨傳遞消息，但是也容易使雁鴨注意力分散。若某隻雁鴨飛偏了一點，所有的雁鴨都開始笑牠、數落牠，聒噪不已，等到大夥終於安靜下來，時常為時已晚，砰的一聲，今年南下過多的候鳥又少了幾隻。

所以，雁鴨都有計算能力，只是有時因為注意力不夠集中而飲恨。你則不然，你有維持注意力的本事，所以只要按部就班，你會在春假過後，安全到達佛羅里達州的羅德岱堡（Fort Lauderdale，候鳥棲息地之一），慶祝微積分期中考拿了九十分。

以下是計算距離的公式。

距離公式　設 d 為點 $P(x_1, y_1, z_1)$ 跟點 $Q(x_2, y_2, z_2)$ 之間的距離，則

$$d = \sqrt{(x_2 - x_1)^2 + (y_2 - y_1)^2 + (z_2 - z_1)^2}$$

這個公式從哪兒來的？它只不過是一連應用了畢氏定理兩次的結果：如圖 5.6 所示，$|x_2 - x_1|$ 是圖中立方盒在 x 方向上的邊長，而 $|y_2 - y_1|$ 是 y 方向上的邊長，因此，盒底對角線 δ 的長度，就等於以這兩邊為股的直角三角形的斜邊長，於是

$$\delta = \sqrt{(x_2 - x_1)^2 + (y_2 - y_1)^2}$$

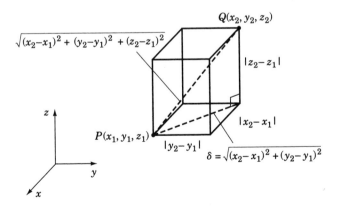

圖 5.6　由畢氏定理，我們也能量測出三維空間中兩點間的距離。

至於點 P 到點 Q 的距離，就是該立方盒的對角線，同時也是底為 δ、高為 $|z_2 - z_1|$ 的直角三角形的斜邊，所以再利用一次畢氏定理：

$$d(P(x_1, y_1, z_1), Q(x_2, y_2, z_2)) = \sqrt{\left(\sqrt{(x_2 - x_1)^2 + (y_2 - y_1)^2}\right)^2 + (z_2 - z_1)^2}$$
$$= \sqrt{(x_2 - x_1)^2 + (y_2 - y_1)^2 + (z_2 - z_1)^2}$$

我們講解得夠乾淨俐落吧！

空間中的球

咱們都知道球是什麼樣子，尤其是我們所居住的地球（或火星，如果你是外星讀者），大大圓圓的。

要定出空間中某個球的位置，最直截了當的方式是描述它的球心 $P(a, b, c)$ 以及半徑 r。然後，如果 $Q(x, y, z)$ 是該球面上的任何一點，則

$$d(P(a, b, c), Q(x, y, z)) = \sqrt{(x - a)^2 + (y - b)^2 + (z - c)^2} = r$$

把等號兩邊同時平方，則可得到下面的一般方程式。

半徑為 r、球心為 $P(a, b, c)$ 的球面方程式為
$$(x - a)^2 + (y - b)^2 + (z - c)^2 = r^2$$

範例　$(x - 3)^2 + (y - 4)^2 + (z + 1)^2 = 16$ 即是一個半徑為 4、球心在點 $P(3, 4, -1)$ 的球面方程式。

嘿！別把嘴張得太大，你的牙齒不夠好看！

5.3　空間中的向量

如前所述，我們應該把向量想成一枝箭，只是現在我們得讓這枝箭穿梭在三維空間中，而不是平面上。

跟前面所說的一樣，有兩樣東西決定一個向量，那就是它的方向跟長度。通常我們讓這個向量以原點為起點，然後以它的箭尖座標來代表該向量。所以我們把向量 $\mathbf{v} = \langle 2, 3, 4 \rangle$ 畫出來之後，就是像圖 5.7 所示，開始於點 $P(0, 0, 0)$，而終於點 $Q(2, 3, 4)$。

向量的長度則是從起點 P 到終點 Q 的距離。對於起始於原點的任何一個向量 $\mathbf{v} = \langle x, y, z \rangle$ 來說，其長度就是

$$|\mathbf{v}| = \sqrt{x^2 + y^2 + z^2}$$

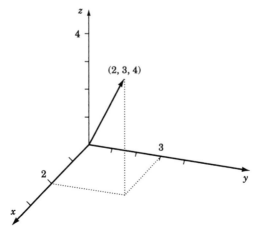

圖 5.7　向量 $\mathbf{v} = \langle 2, 3, 4 \rangle$

　　三維空間中的向量加法、減法跟純量乘法，都與平面上的向量無異，只不過多出了一個分量。至於零向量，也比平面上的零向量多一個零，即 $\mathbf{0} = \langle 0, 0, 0 \rangle$。

單位向量

　　長度為1的向量我們稱為單位向量。「1個什麼呀？1公分？1英寸？」你也許會問。答案是一單位！這種向量的大小為一個單位，所以叫做單位向量。單位向量有一卡車這麼多，只是方向各個不同。

　　很有用的事實　我們可以取任何一個向量（零向量除外），把它延長或縮短成單位向量。譬如向量 $\mathbf{v}$：

$$\mathbf{u} = \frac{\mathbf{v}}{|\mathbf{v}|}$$

得到的 $\mathbf{u}$ 就是一個單位向量，其方向與 $\mathbf{v}$ 相同。

　　我們可以檢驗 $\mathbf{u}$ 的長度的確是1。如何檢驗呢？

$$|\mathbf{u}| = \left| \frac{\mathbf{v}}{|\mathbf{v}|} \right| = \frac{|\mathbf{v}|}{|\mathbf{v}|} = 1$$

　　這兒還有幾個非常著名的向量：

$$\mathbf{i} = \langle 1, 0, 0 \rangle$$
$$\mathbf{j} = \langle 0, 1, 0 \rangle$$
$$\mathbf{k} = \langle 0, 0, 1 \rangle$$

許多人也常將這三個向量暱稱爲 Izzy、 Jane 跟 Klondike。它們三個都剛好是一單位長，分別指向正 x 軸、正 y 軸跟正 z 軸的方向。爲什麼會命名爲 $\mathbf{i}$、$\mathbf{j}$、$\mathbf{k}$ 呢？有人說是因爲在它們的命名會議上，最爲人看好的提議是「I Just don't Know.」另一說法是，在 $\mathbf{i}$ 之前的八個英文字母全給用光了：a、b、c 一般用來代表常數，d 代表導數，e 是 2.71828...，f 跟 g 代表函數，而 h 則拿來代表 Preparation H（一種常用的痔瘡外用藥膏）。所以，只好從 $\mathbf{i}$、$\mathbf{j}$、$\mathbf{k}$ 開始。

我們可以用一組 $\mathbf{i}$、$\mathbf{j}$、$\mathbf{k}$ 的倍數，來描述任何一個向量。怎麼說呢？譬如向量 $\mathbf{a} = \langle a_1, a_2, a_3 \rangle$，我們可以把它改寫爲

$$
\begin{aligned}
\mathbf{a} = \langle a_1, a_2, a_3 \rangle &= \langle a_1, 0, 0 \rangle + \langle 0, a_2, 0 \rangle + \langle 0, 0, a_3 \rangle \\
&= a_1 \langle 1, 0, 0 \rangle + a_2 \langle 0, 1, 0 \rangle + a_3 \langle 0, 0, 1 \rangle \\
&= a_1 \mathbf{i} + a_2 \mathbf{j} + a_3 \mathbf{k}
\end{aligned}
$$

所以我們得到了：

$$
\boxed{\langle a_1, a_2, a_3 \rangle = a_1 \mathbf{i} + a_2 \mathbf{j} + a_3 \mathbf{k}}
$$

數學家喜歡把向量寫成 $\langle a_1, a_2, a_3 \rangle$ 或像 (a_1, a_2, a_3) 的括弧形式，而物理學家則偏好用單獨的符號，諸如 $\mathbf{a}$，除非有必要強調其中的 $\mathbf{i}$ 分量、$\mathbf{j}$ 分量跟 $\mathbf{k}$ 分量。

那你呢？喜歡哪一種？

5.4　點積（內積）

　　所謂點積，就是把兩個向量放在一起，然後產生一個實數，這跟兩個向量相愛、結婚然後生下一個向量嬰兒，截然不同。後面這種情況，不是我們現在要講的，這部分稍後會再討論。這兒所談的點積，產下的嬰兒不是向量而是實數，所以比較像是兩向量相愛、結婚，之後產下一隻小海豚！這是怎麼做到的（我們問的是兩向量的點積，而不是如何產下小海豚）？

　　假設有兩個向量 $\mathbf{a} = \langle a_1, a_2, a_3 \rangle$ 跟 $\mathbf{b} = \langle b_1, b_2, b_3 \rangle$，那麼它們的點積是下面這個數：

$$\mathbf{a} \cdot \mathbf{b} = a_1 b_1 + a_2 b_2 + a_3 b_3$$

範例1（計算點積）　設兩向量為 $\mathbf{a} = \langle 3, 2, 1 \rangle$ 跟 $\mathbf{b} = \langle 2, -1, 4 \rangle$，則它們的點積為 $\mathbf{a} \cdot \mathbf{b} = 3(2) + 2(-1) + 1(4) = 8$。

　　大多數的人都稱之為點積，不過偶爾你也會聽到有人叫它「內積」（別問我們為什麼）。

　　人們經常會坦白的問：「點積究竟是啥？」這個我們知道；點積主要是看兩個向量是否相容、能夠愉快相處的指標：它是用來度量兩個向量的相似程度。如果兩向量差不多指向同一個方向，我們就會得到一個正的點積，而當方向愈接近，這個值就愈大（除非兩個向量都非常小）。如果兩向量互相垂直，點積的值就會是0；如果兩向量差不多指向相反的方向，點積的值則為負數。

用點積來作媒

我們可以利用點積，替人找出最佳的對象，這對象不必限定是人，也可以是動物、礦物質、蔬菜。

以下是作媒的步驟：請想找對象的人填一張簡單的表格，表格上列有以下三個項目，評分範圍從 –5 到 5，「–5」代表極端厭惡，而「5」表示非常有好感，填表人必須據實回答他或她對各項目的好惡：

1. 在身上打洞穿環（耳洞、鼻環、舌環⋯⋯）
2. 壽司
3. classical music（古典音樂）

我們把每一位填表人所給的答案資料，寫成一個三維空間裡的向量，三個分量分別代表三個問題的答案，而此向量的名稱就是「相容向量」。接著，要決定兩人之間的相容程度，我們只需取他們的相容向量之點積，得到的結果愈大，表示兩人愈匹配。

譬如說，E 小姐決定為自己找一個如意郎君，她跑到「非常男女」聯誼社，填寫了上述的表格，結果是 E = ⟨0, 5, 4⟩。同時，在同一棟樓的另外一間辦公室裡，L 先生跟 J 先生兩位男士也填寫了同樣的表格，結果是 L = ⟨–5, –2, 5⟩ 及 J = ⟨5, 5, 5⟩。當 E 小姐填完表格交到櫃檯時，服務人員張博士（心理學博士）說：「我要把資料輸入電腦，請在此稍候一下！」

她走到後面的辦公室問道：「小艾，你那兒有任何資料嗎？」小艾頭都沒抬，就把 L 先生跟 J 先生的卡片交到張博士手上，張博士

馬上把這兩位的相容向量，分別跟 E 小姐的相容向量 E 做了點積，結果發現 $E \cdot L = 10$，而 $E \cdot J = 45$。

「請 J 先生過來一趟！」她一邊告訴小艾，一邊走回 E 小姐等候的辦公室，非常興奮的告訴 E 小姐說：「你的運氣真好，我一下子就替你找到了一位很速配的對象，簡直可以稱為天作之合。還真是巧，他此刻正好就在這棟大樓裡，我已經請人帶他過來跟你見面。瞧！他們已經到啦！」

小艾領進來一位頭髮斑白的男士，他上身穿了一件相當短的灰色無袖 T 恤，使得肚皮露在外面不說，上臂碩大的匕首圖案刺青也非常醒目。見到 E 小姐他馬上說道：「你好！我姓 J。你看起來真是不錯，真的不錯！」目光不斷上下打量著 E 小姐。

「啊！」E 小姐回應道：「你倒是不太像我所企盼的模樣。」

「電腦可是比你更瞭解你自己！」張博士在旁邊推波助瀾。

當他們手挽著手走出大樓的時候，J 先生說道：「所以你也喜愛 classical 音樂呀？我的小貨車裡正好有 REO Speedwagon（REO 快速馬車合唱團）的帶子。」

（譯注：REO 快速馬車合唱團是成立於 1971 年的美國搖滾團體，可見 J 先生把 classical music 解釋成「經典老歌」，而非「古典音樂」。）

點積的運作法則

1. **$a \cdot a = |a|^2$**——這告訴了我們，你跟你自己最合得來。你跟你自己的點積永遠是正值，而且等於你的大小的平方。這相當值得慶幸；要是你跟自己合不來，那就等於你跟一個你不喜歡的人

一起住在你的腦子裡，將來不出問題才怪！這條法則只有一個例外：零向量跟誰都不合，包括它自己。

2. $\mathbf{a} \cdot \mathbf{b} = \mathbf{b} \cdot \mathbf{a}$——如果 a 跟 b 合得來，則 b 跟 a 也合得來。

3. $c\mathbf{a} \cdot \mathbf{b} = \mathbf{a} \cdot c\mathbf{b} = c(\mathbf{a} \cdot \mathbf{b})$——在點積式子中的純量，可以隨意移動到任何位置上。

點積的幾何解釋

在幾何上，點積也具有某種特殊意義。取兩個非零向量 a 跟 b，且讓它們的出發點相同，而所夾的角為 θ，其中 $0 \leq \theta \leq \pi$，則

$$\boxed{\mathbf{a} \cdot \mathbf{b} = |\mathbf{a}||\mathbf{b}| \cos \theta}$$

從你對這個公式的反應，我們很容易看出你對餘弦定律瞭解多少。如果不知道這條律法，別緊張，沒有人會因此被關起來，最多只會罰一點錢或做做社區服務。這個式子有一個有趣的結論：如果 a 跟 b 為任意兩個非零向量，那麼

$$\boxed{\text{向量 a 跟 b 互相垂直，若且唯若 } \mathbf{a} \cdot \mathbf{b} = 0 \text{。}}$$

為什麼呢？由前面的式子可以看出，若要 $\mathbf{a} \cdot \mathbf{b} = 0$，那麼 $\cos \theta$ 必須等於 0，而要它等於 0，只有當 $\theta = \pi/2$ 時才辦得到。所以，現在我們有了一個非常容易的方法，可用來檢驗兩個向量是否垂直。我們馬上就來試試。

範例2　惠勒斯堡鎮民代表會決定修建一條新的街道，用以整飭如雨後春筍般出現的小店前的交通。該街道將跟鎮上的主街相交。如果主街是從點(0, 0)到點(3, 4)，而新街道預計要從點(2, 5)到點(4, 3)，試問這兩條街道是否互相垂直（這套座標是以鎮公所為原點，單位為英里，x軸指向正東，而y軸指向正北）？

　　解：我們可以把這兩條街道看成兩個向量。第一條街（也就是主街）相當於向量 $\mathbf{v} = \langle 3, 4 \rangle$，而第二條街則為向量 $\mathbf{w} = \langle 4 - 2, 3 - 5 \rangle$ $= \langle 2, -2 \rangle$。由於它們的點積為 $\mathbf{v} \cdot \mathbf{w} = 3(2) + 4(-2) = -2 \neq 0$，所以我們知道，這兩條街不是垂直相交。

　　詩人能運用20個不同的詞藻來表達渴望，數學家也一樣，他們熱中的觀念通常也不只一種說法。比方「互成直角」這個概念，他們就會用 perpendicular（垂直）、orthogonal（正交）以及 normal（法向）等字眼。其中的 orthogonal 一字，源於希臘字根 –ortho，意思是直立、直角或標準，所以，orthodontist 的工作是矯正你的牙齒，orthoweed killer 的用途是幫你修剪草坪上的雜草。另外還有 ortho-doxy，是指信仰的正統，orthography 則指正確拼字的理論。（你一定會想知道「不正確拼字理論」是啥理論。）

　　我們也可以利用前面那個公式，計算兩向量所夾的角。

向量 $\mathbf{a}$ 跟 $\mathbf{b}$ 所夾的角 θ 可由下列式子決定：

$$\cos \theta = \frac{\mathbf{a} \cdot \mathbf{b}}{|\mathbf{a}||\mathbf{b}|}$$

範例3　有個飛機跑道的方向可以用向量 **a** = ⟨2, 1, 0⟩ 代表，現在正有一架飛機以速度向量 **b** = ⟨3, 2, −1⟩ 準備降落。試計算跑道跟這架飛機降落方向之間的角度。

　　解：把兩向量代入公式，就得到

$$\cos \theta = \frac{\mathbf{a} \cdot \mathbf{b}}{|\mathbf{a}||\mathbf{b}|} = \frac{8}{\sqrt{5}\sqrt{14}} \approx 0.9562$$

所以 $\theta \approx \arccos(0.9562) \approx 0.2971$ 弧度 $\approx 17°$。

飛機應該傾斜一下了！

向量在另一向量上的投影

　　在跟向量打交道時，我們經常需要找出一個向量在另一向量上的垂直陰影，此陰影就是所謂的投影（見次頁圖5.8）。

　　我們把 **a** 在 **b** 上的投影長度記為 $\mathrm{comp}_b\ \mathbf{a}$（意思是「**a** 在 **b** 方向上的分量」）。請注意，**a** 在 **b** 上的投影長度其實就等於 $|\mathbf{a}| \cos \theta$，因此，由前面框框中的公式，我們得到

$$\mathrm{comp}_b\ \mathbf{a} = |\mathbf{a}| \cos \theta = |\mathbf{a}| \left(\frac{\mathbf{a} \cdot \mathbf{b}}{|\mathbf{a}||\mathbf{b}|} \right) = \frac{\mathbf{a} \cdot \mathbf{b}}{|\mathbf{b}|}$$

如果希望求出 **a** 在 **b** 上的投影，記為 $\mathrm{proj}_b\ \mathbf{a}$，我們可以把 $\mathrm{comp}_b\ \mathbf{a}$ 乘上 **b** 方向上的單位向量：

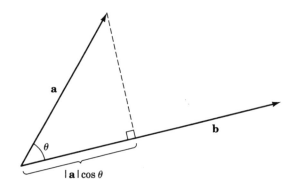

圖5.8　把向量 **a** 投影到向量 **b** 上，所得到的投影長度等於 $\mathrm{comp}_\mathbf{b}\,\mathbf{a}$。

$$\mathrm{proj}_\mathbf{b}\,\mathbf{a} = (\mathrm{comp}_\mathbf{b}\,\mathbf{a})\frac{\mathbf{b}}{|\mathbf{b}|}$$

$$= \left(\frac{\mathbf{a}\cdot\mathbf{b}}{|\mathbf{b}|}\right)\frac{\mathbf{b}}{|\mathbf{b}|}$$

$$= \frac{\mathbf{a}\cdot\mathbf{b}}{|\mathbf{b}|^2}\mathbf{b}$$

範例4　求向量 $\mathbf{a} = \langle 1, 3, 2 \rangle$ 在向量 $\mathbf{b} = \langle -1, 2, 4 \rangle$ 上的投影。

　　解：這題簡單。

$$\mathrm{proj}_\mathbf{b}\,\mathbf{a} = \frac{\mathbf{a}\cdot\mathbf{b}}{|\mathbf{b}|^2}\mathbf{b} = \frac{-1+6+8}{(-1)^2+(2)^2+(4)^2}\langle -1, 2, 4 \rangle = \frac{13}{21}\langle -1, 2, 4 \rangle$$

功

　　物理學對「做工（作功）」有個非常明確的定義，不過可能跟你的認知大不相同！舉例來說，假如某天你花了整整一下午，很認真的打掃你住的公寓；你不但捲起了袖子，還跪在地上洗刷浴室地板，仔細清理各個角落，甚至替你的室友整理亂七八糟的床舖跟工作檯，還得把笨重的鋼琴挪開，打掃它的正下方。等到你把各處都洗刷、擦拭得一乾二淨之後，最後還得把所有家具、擺飾、雜物一一復原，擺回到它們原來的位置。

　　傍晚，你的室友從外面回來，你迫不及待的說：「瞧我今天做了多少工？」偏偏她是學物理的，瞟了一眼之後回道：「功？什麼功？你壓根兒沒作任何功。真要作功，你必須把一件重物從地板這頭拖到那一頭，然後把你所施的力乘上重物被拖過的距離。據我看來，你今天什麼功都沒作！」這番話聽得你七竅生煙；這也說明了為什麼屋子裡最好不要放置刀槍之類的武器。

　　在物理上，以一恆力使物體沿著一直線運動所作的功，就等於這個力的向量 **F** 及物體位移的向量 **D** 的點積：

$$\text{功 } W = F \cdot D$$

上式中的位移向量 **D**，是以該物體原來的位置為起點，而以最後的位置為終點。如果力的向量跟位移的向量剛好在同一直線上，那麼所作的功就等於力向量的大小，乘上物體移動的距離（也就是位移向量的大小）。反之，如果力向量跟位移向量相互垂直，它們的點積就成了0，意思是說該作用力對移動的物體沒有作任何功。

在公制中，力的單位是牛頓（newton），而功的單位則是焦耳（joule）。1焦耳就是指物體抗衡1牛頓的力時，前進了1公尺所作的功。相傳「焦耳」一詞來自大科學家牛頓的死對頭，萊布尼茲，所說過的一段話：「誰以行動反對牛頓，我就送珠寶*給誰。」〔*譯注：joule 與 jewel（珠寶）發音相近。〕

〔英文版老編聲明：這是作者們瞎掰的。謹在此向牛頓鄭重道歉。〕

範例5 菲菲（她是一隻獅子狗，不是歐陽菲菲）拖著牠的主人，在人行道上往前走，人行道全長200公尺。如果菲菲對拴狗的皮帶施了2牛頓的力，而皮帶跟地面成45°角，那麼這一趟走下來，菲菲共作了多少功？

解：如圖5.9所示，我們先假定菲菲跟牠的主人是從 xy 平面上的原點$(0, 0)$出發，沿著 x 軸移動了200公尺，所以，位移向量 $\mathbf{D} = \langle 200, 0 \rangle$。題目還告訴我們，力的向量長度為2，而且跟 x 軸夾 45°角，也就是說，力的方向跟向量 $\langle 1, -1 \rangle$ 相同。然而，$\langle 1, -1 \rangle$ 的長度是 $\sqrt{1^2 + (-1)^2} = \sqrt{2}$，而我們要的向量 $\mathbf{F}$ 長度為2。怎麼辦呢？最不容易弄錯的方法，就是先求出沿著 $\langle 1, -1 \rangle$ 方向上的單位向量：將 $\langle 1, -1 \rangle$ 除以它的長度 $\sqrt{2}$，就得到單位向量 $\langle \sqrt{2}/2, -\sqrt{2}/2 \rangle$ 了。於是，向量 $\mathbf{F}$ 的長度就是單位向量的兩倍，所以

$$\mathbf{F} = \langle \sqrt{2}, -\sqrt{2} \rangle$$

於是，所作的功 $\mathbf{W} = \mathbf{F} \cdot \mathbf{D} = \sqrt{2}\,(200) + (-\sqrt{2})\,(0) = 200\sqrt{2}$ 焦耳。

圖5.9　菲菲所施的力

　　如果在這個例子裡，力的向量不是固定不變的，我們就得把整個位移細分成許多近似直線的小線段，使得作用力在每一段位移上差不多都是恆定的。然後，我們把每一段所作的功加在一塊，就可以得到整個過程中所作的功。分得愈細，得到的結果就愈逼近實際值，這個過程的極限就成了積分，可用來計算非恆力作用在非直線位移時所作的功。在第10章，我們將用「線積分」來計算諸如此類的量。

5.5　叉積（外積；向量積）

行列式

　　「行列式」的英文名稱是determinant。絕大多數的現代學生恐怕會聯想到阿諾・史瓦辛格的「魔鬼終結者」（The Terminator）。其實，阿諾最偉大的電影是「行列式終結者」（The Determinator），可

惜從未公開放映過。在這部電影裡，阿諾很難得一見的端坐著，跟一堆行列式的數學習題奮戰。他就這樣奮戰了一個半小時，偶爾也會抬起頭來，對著鏡頭說兩句非常酷的獨白：「I'll be back.」或「Hasta la vista, baby.」最後，他顯然失去了耐性，不知從哪兒抽出一挺衝鋒槍及一些手榴彈，跟「克里夫蘭州立大學數學系」展開了一場槍林彈雨的殊死戰──這是整部電影的高潮。

　　阿諾做的行列式究竟是什麼玩意兒？如果給定一個由四個數組成的 2×2 陣列，它們的行列式就是

$$\det \begin{pmatrix} a & b \\ c & d \end{pmatrix} = \begin{vmatrix} a & b \\ c & d \end{vmatrix} = ad - bc$$

只要畫兩條垂直線在陣列的前後就可以了。例如：

$$\begin{vmatrix} 2 & 1 \\ 3 & -1 \end{vmatrix} = 2(-1) - 1(3) = -5$$

　　如果它是一個 3×3 的陣列，它的行列式就是：

$$\det \begin{pmatrix} a & b & c \\ d & e & f \\ g & h & j \end{pmatrix} = \begin{vmatrix} a & b & c \\ d & e & f \\ g & h & j \end{vmatrix} = a \begin{vmatrix} e & f \\ h & j \end{vmatrix} - b \begin{vmatrix} d & f \\ g & j \end{vmatrix} + c \begin{vmatrix} d & e \\ g & h \end{vmatrix}$$

範例（3×3 行列式）

$$\begin{vmatrix} 1 & 2 & 4 \\ -1 & 3 & 0 \\ 2 & 5 & -2 \end{vmatrix} = 1 \begin{vmatrix} 3 & 0 \\ 5 & -2 \end{vmatrix} - 2 \begin{vmatrix} -1 & 0 \\ 2 & -2 \end{vmatrix} + 4 \begin{vmatrix} -1 & 3 \\ 2 & 5 \end{vmatrix}$$
$$= 1(-6) - 2(2) + 4(-11) = -54$$

　　行列式在一個叫做「線性代數」的數學領域中非常重要，而線性代數的應用範圍相當廣，從經濟學到電腦繪圖。雖然行列式對瞭解微積分並不是很重要，我們仍然有必要知道，如何計算2 × 2跟3 × 3矩陣的行列式。

行列式與叉積

　　現在我們要取兩個向量，叫它們相乘，結果會得到一個新的向量（見圖5.10）。這有些像把兩個人關進一個房間，等了九個月之後，從房間裡出來了三個人；當然，如果當初關進去的兩個人性別相同，就沒辦法得到這樣的結果了。所以，我們可以把叉積想成是

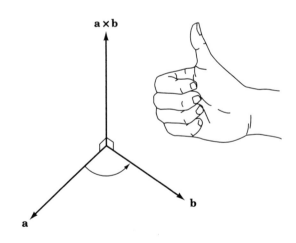

圖5.10　叉積a×b同時跟a和b垂直。當你的右手四個指頭順著a到b的方向旋轉時，拇指所指的方向就是a×b的方向。

兩個不同的向量相遇、相愛，然後生出一個小孩，這小孩長大後變得又高又瘦，就跟向量一樣。

兩個向量 $\mathbf{a} = \langle a_1, a_2, a_3 \rangle$ 跟 $\mathbf{b} = \langle b_1, b_2, b_3 \rangle$ 的叉積公式如下：

$$\mathbf{a} \times \mathbf{b} = \langle a_2b_3 - a_3b_2, a_3b_1 - a_1b_3, a_1b_2 - a_2b_1 \rangle$$

要硬背下這個公式，對咱們這些腦筋不太靈光的等閒之輩，還真不太容易，就像要你一邊游泳橫渡英吉利海峽，一邊唸著不知所云的印度教經典，包你手忙腳亂。好在大家都不必硬背這個公式，因為有一個很簡單的方法，可以求兩向量的叉積，那就是：

$$\mathbf{a} \times \mathbf{b} = \begin{vmatrix} \mathbf{i} & \mathbf{j} & \mathbf{k} \\ a_1 & a_2 & a_3 \\ b_1 & b_2 & b_3 \end{vmatrix}$$

你只要記得，讓矩陣的第一列為 $\mathbf{i}$、$\mathbf{j}$、$\mathbf{k}$，第二列為向量 $\mathbf{a}$，第三列向量為 $\mathbf{b}$，取行列式之後的結果就是 $\mathbf{a} \times \mathbf{b}$。

要證明上面這個式子，只需把行列式展開如下：

$$\begin{vmatrix} \mathbf{i} & \mathbf{j} & \mathbf{k} \\ a_1 & a_2 & a_3 \\ b_1 & b_2 & b_3 \end{vmatrix} = \mathbf{i}(a_2b_3 - a_3b_2) - \mathbf{j}(a_1b_3 - a_3b_1) + \mathbf{k}(a_1b_2 - a_2b_1)$$

$$= \langle a_2b_3 - a_3b_2, a_3b_1 - a_1b_3, a_1b_2 - a_2b_1 \rangle$$

看到了沒？結果跟前面難記的公式一模一樣。

範例2　若 $\mathbf{a} = \langle 1, 2, -1 \rangle$，$\mathbf{b} = \langle -2, 3, 1 \rangle$，求 $\mathbf{a} \times \mathbf{b}$。

解：

$$\begin{vmatrix} \mathbf{i} & \mathbf{j} & \mathbf{k} \\ 1 & 2 & -1 \\ -2 & 3 & 1 \end{vmatrix} = \mathbf{i} \begin{vmatrix} 2 & -1 \\ 3 & 1 \end{vmatrix} - \mathbf{j} \begin{vmatrix} 1 & -1 \\ -2 & 1 \end{vmatrix} + \mathbf{k} \begin{vmatrix} 1 & 2 \\ -2 & 3 \end{vmatrix}$$

$$= \mathbf{i}(5) - \mathbf{j}(-1) + \mathbf{k}(7) = \langle 5, 1, 7 \rangle$$

這倒跟人世間的情形滿相像的，怎麼說呢？這個向量「小孩」跟它的父母處不好，它非常叛逆，跟父母一點都不相容，跟它們都成直角。

重要事實　$\mathbf{a} \times \mathbf{b}$ 跟 $\mathbf{a}$ 與 $\mathbf{b}$ 兩個向量都垂直。

我們怎會知道呢？要證明兩個向量互相垂直，咱們只需證明它們的點積等於0。現在我們先來證明 $\mathbf{a}$ 跟 $\mathbf{a} \times \mathbf{b}$ 垂直：

$$\begin{aligned} \mathbf{a} \cdot (\mathbf{a} \times \mathbf{b}) &= \langle a_1, a_2, a_3 \rangle \cdot \langle a_2b_3 - a_3b_2, a_3b_1 - a_1b_3, a_1b_2 - a_2b_1 \rangle \\ &= a_1(a_2b_3 - a_3b_2) + a_2(a_3b_1 - a_1b_3) + a_3(a_1b_2 - a_2b_1) \\ &= 0 \end{aligned}$$

式子中各項剛好互相抵消，於是點積等於0，也就證明了這兩個向量互相垂直。同樣的，$\mathbf{b} \cdot (\mathbf{a} \times \mathbf{b}) = 0$，因此 $\mathbf{b}$ 跟 $\mathbf{a} \times \mathbf{b}$ 也相互垂直。

千萬記住，兩個向量的叉積產品也是向量。為了幫助你記住這一點，數學家編造過無數跟此有關的笑話，我們也新編了幾則。

叉積笑話集錦

問：如果讓獅子跟老虎雜交＊，會生下什麼？

答：一個跟獅子、老虎都垂直的向量。（＊譯注：叉積 cross product 裡的 cross 也有「雜交」的意思。）

問：如果讓獅子跟登山者雜交，會生下什麼？

答：啥都生不出來，因為向量跟純量不能取叉積⊛。〔⊛作者注：lion（獅子）唸起來像 line（直線），應該會讓你想到「向量」，至於「登山者」為何會扯上純量（scalar），就請你自己來舉一反三啦。（別瞪我們，這不是我們瞎掰的。）〕

問：如果拿蚊子跟魚販雜交，會生下什麼？

答：啥都生不出來，仍是因為向量跟純量不能取叉積⊛。〔⊛譯注：蚊子是病媒（disease "vector"），魚販是成天都在秤魚有多重的人（fish "scaler"）。〕

問：如果讓數學家跟電影明星「雜交」，會生下什麼？

答：繼續作夢吧，這種好事還從未發生過！

問：為什麼小雞要穿越（cross）馬路？

答：為了得到一個跟牠自己和馬路都垂直的向量。

問：如果拿向量 **A** 跟向量 **Dresser** 叉積，會產生什麼？

答：變裝癖⊛。（⊛譯注：**A × Dresser** 用英文來唸就是 a cross dresser；

cross–dresser 是指男扮女裝或女扮男裝的人。)

好啦好啦，別做出那副皮笑肉不笑的模樣！我們也知道這些笑話很冷，不過數學笑話本來就是十個裡面有九個不好笑。通常，這種笑話的樂趣不在笑話本身，而是在說笑話的人有意揶揄自己。

叉積的幾何意義

之前我們已經談過叉積向量 $\mathbf{a} \times \mathbf{b}$ 的方向，得知它跟 $\mathbf{a}$、$\mathbf{b}$ 兩個向量都垂直，並且遵守右手法則。那麼它的大小呢？

$\mathbf{a} \times \mathbf{b}$ 的大小是這麼定義的：

$$\boxed{|\mathbf{a} \times \mathbf{b}| = |\mathbf{a}||\mathbf{b}|\sin\theta}$$

θ 是 $\mathbf{a}$、$\mathbf{b}$ 兩向量之間的夾角。你可注意到，這條公式跟前面講過的點積公式 $\mathbf{a} \cdot \mathbf{b} = |\mathbf{a}||\mathbf{b}|\cos\theta$ 多麼相似！小心別搞混了。

還要注意，叉積的大小，跟我們取叉積時的先後次序無關。換言之，

$$|\mathbf{a} \times \mathbf{b}| = |\mathbf{b} \times \mathbf{a}|$$

由於牽涉到右手法則，故 $\mathbf{a} \times \mathbf{b}$ 的方向跟 $\mathbf{b} \times \mathbf{a}$ 的方向剛好相反。這兩個向量的方向雖然相反，大小卻相同，所以互為反向量，換言之，

$$\boxed{\mathbf{a} \times \mathbf{b} = -\mathbf{b} \times \mathbf{a}}$$

這點需要特別記住。

好啦，那叉積究竟能幹嘛？

有多少次，你對你生命中的那個真命天子說：「親愛的，你記不記得那個簡單的三角形面積公式？就是相鄰兩邊為兩個已知向量，然後求三角形面積的那個公式？」然而對方卻回答道：「你連這個都不曉得？看樣子我得另外找一個真命天子了。」

安啦，我們現在就告訴你一個簡單的公式，從今以後你就用不著擔心歷史會重演了。

請瞧瞧圖5.11所示的平行四邊形，向量**a**跟**b**為相鄰兩邊。我們可以把左手邊的一個直角三角形切下來，移到右邊，這樣就變成了一個長方形，它的高跟底與平行四邊形相同，所以

（平行四邊形的）面積 ＝（高）（底）＝ $|\mathbf{a}||\mathbf{b}|\sin\theta = |\mathbf{a} \times \mathbf{b}|$

以**a**跟**b**為相鄰兩邊的三角形的面積，就正好等於這個平行四邊形面積的一半，因而我們得到了以下的公式：

（三角形的）面積 ＝ $\frac{1}{2}|\mathbf{a}||\mathbf{b}|\sin\theta = \frac{1}{2}|\mathbf{a} \times \mathbf{b}|$

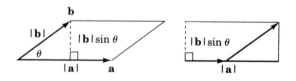

圖5.11   利用叉積，我們可以算出平行四邊形跟三角形的面積。

這條公式讓我們想到了以下的笑話：

問：如果讓河馬跟長頸鹿雜交，會生下什麼？

答：一個跟河馬和長頸鹿都垂直的向量，而且它的長度等於河馬的
　　身長乘上長頸鹿的身長，再乘以牠們的夾角的正弦值。

各位真命天子，搞清楚了沒？

純量三重積（平行六面體的體積）

現在我們一不做、二不休，繼續看「三個」向量的乘積。這對
我們來說，其實並非全新的東西，只不過是把前面講過的點積跟叉
積拼湊到一塊而已。如果做法正確，就會得到由這三個向量所張成
的平行六面體的體積。這種平行六面體（見圖5.12），就像好端端的
一個紙箱讓你踩在上面，久了之後變得歪歪斜斜的。說到這兒，有
件事值得一提：抽空去查一查「平行六面體」的英文 parallelepiped
該怎麼唸（賠了累了拍屁的！），好好記住，這樣就能讓人對你肅然起
敬、刮目相看。

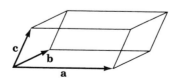

圖 5.12　三重積就等於平行六面體的體積。

　　a、**b**、**c** 三個向量的三重積公式是 **a** • (**b** × **c**)。如果你一時記錯，把它寫成了 (**a** × **b**) • **c**，別擔心，你得到的結果還是相同，換句話說，點積跟叉積在公式中的先後次序，對結果完全不發生影響。三重積的結果為一純量，其絕對值就是前述之平行六面體的體積。

　　只是你得特別注意，計算三重積時，必須先做叉積，然後才做點積。如果計算 (**a** • **b**) × **c**，是毫無意義的，因為你若是先做兩個向量的點積，結果必為純量，而純量是不能跟向量取叉積的！還要注意一點，取完叉積之後再取點積，得到的是一個數（純量），可能為正，也可能為負，若在它的前後各加一條垂直線，取絕對值，最後的結果就為正值了。

　　若真要先做叉積，然後做點積，那可是相當複雜而麻煩的，好在我們有個比較簡單的公式，可以求純量三重積：

$$\mathbf{a} \cdot (\mathbf{b} \times \mathbf{c}) = \begin{vmatrix} a_1 & a_2 & a_3 \\ b_1 & b_2 & b_3 \\ c_1 & c_2 & c_3 \end{vmatrix}$$

　　純量三重積這項觀念，有一項滿有用的用途，那就是證明三個向量是否在同一平面上；若三個向量在同一平面上，它們所張成的平行六面體的體積勢必等於0。

範例　**a** = ⟨1, 2, 3⟩、**b** = ⟨3, 2, 1⟩ 以及 **c** = ⟨8, 4, 0⟩ 這三個向量是否在同一平面上？

　　解：取這三個向量的純量三重積，我們發現

$$\mathbf{a} \cdot (\mathbf{b} \times \mathbf{c}) = \begin{vmatrix} 1 & 2 & 3 \\ 3 & 2 & 1 \\ 8 & 4 & 0 \end{vmatrix} = 0$$

這三個向量張成的平行六面體體積等於0，所以我們可以下結論說，三個向量的確在同一平面上。

在接下來的幾節中，還有其他應用的例子，用到本章介紹的各種觀念。正如你問小雞為什麼要過馬路而得到的回答一樣，當你碰到了向量，就去求叉積，別問為什麼。

親愛的讀者，你怎麼不吭聲啦？宰羊了沒？

5.6　空間中的直線

你還記得當初學習在 xy 平面上畫直線的往事嗎？首先，題目會給你一個方程式，比如 $y = 2x + 3$，然後你得找出所有能夠滿足該方程式的點 (x, y)。不過，在此所舉的例子裡，一看就知道斜率為2，y 截距為3，所以你很快就能畫出這條直線。

但到了三維空間，討生活（包括畫直線在內）就沒有那樣簡單了。在三維空間中，直線得用三個方程式來描述。咱們先來瞧瞧如何在三維空間裡決定一條直線。說起來其實非常容易：假定我們知道直線上任一點 P 的位置，及一個跟該直線相同方向的向量 $\mathbf{v}$，就能決定出唯一一條通過點 P、且與向量 $\mathbf{v}$ 同方向的直線；也就是說，一個點加上一個向量，就足以決定一條直線。

人生何嘗不也是如此？譬如冒險家哥倫布（見次頁圖5.13），要

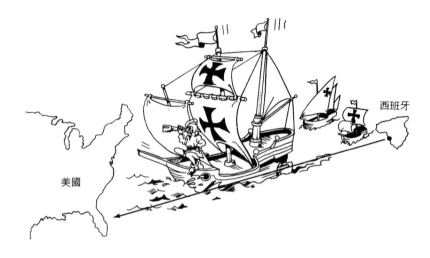

圖5.13　哥倫布的生命線，由他的人生起點跟一個方向所決定。

不是當時西班牙女王伊莎貝拉一高興，免費給了他三條船，讓他航向美洲，他也不可能名垂青史。所以我們可以說，這一個時間點與航行方向，決定了他的「生命線」。如果我們之中的任何人，現在也碰到同樣的運氣，將來一樣會飛黃騰達，創出一番偉大的事業！

　　假設我們知道直線上有一點 $P(x_0, y_0, z_0)$，而且向量 $\mathbf{v} = \langle a, b, c \rangle$ 與該直線的方向相同。現在，我們另外取一點 $Q(x, y, z)$，用來代表直線上任何一點，那麼向量 $\mathbf{PQ}$ 所指的方向，就跟向量 $\mathbf{v}$ 的方向相同，也就是說，$\mathbf{PQ}$ 是 $\mathbf{v}$ 的某一倍數，所以存在一個純量 t，使得 $\mathbf{PQ} = t\mathbf{v}$。

　　我們從圖5.14中可以看出，向量 $\mathbf{OP}$ 加上 $\mathbf{PQ}$ 之後可得到向量 $\mathbf{OQ}$，也就是

$$\mathbf{OQ} = \mathbf{OP} + \mathbf{PQ} = \mathbf{OP} + t\mathbf{v}$$

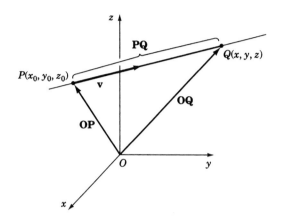

圖5.14　直線是由一點 P 跟一個向量 **v** 所決定。

把各個向量寫出來，就得到

$$\langle x, y, z \rangle = \langle x_0, y_0, z_0 \rangle + t \langle a, b, c \rangle$$

分別看三個分量，可得到

$$x = x_0 + ta$$

$$y = y_0 + tb$$

$$z = z_0 + tc$$

這三個方程式，就描述了通過點 $P(x_0, y_0, z_0)$，而方向跟向量 **v** = $\langle a, b, c \rangle$ 相同的那條直線，稱為該直線的「參數方程式」。

方程式中的變數 t 就稱為參數。當 t 的值改變時，點 Q 也會像一隻蟲一樣，沿著直線移動。如次頁圖5.15，當 $t = 0$ 時，這隻蟲正在起跑點 $P(x_0, y_0, z_0)$ 上，等到 $t = 1$ 時，牠到達了向量 **v** 的尖端，而當 t

繼續增加，牠也繼續沿線向前爬行。我們這些旁觀者，一定覺得那隻蟲的一生眞是無聊透頂，好在小蟲子知足常樂，沒有太大的野心。不過如果你的腦子也像蟲子的腦一樣大，你大概也不會有遠大的期望和抱負。

　　由於直線上有無數個點可以用來當做 P，而且又有無數個向量跟該直線平行，每一個都可以用來當做 $\mathbf{v}$，所以同一條直線可以由無數個不同的參數方程式來描述。

　　我們還可以把這組直線方程式稍微改寫一下。我們可以解每個方程式裡的 t，然後令三個方程式的 t 相等，就得到了直線的對稱方程式：

$$\frac{x - x_0}{a} = \frac{y - y_0}{b} = \frac{z - z_0}{c}$$

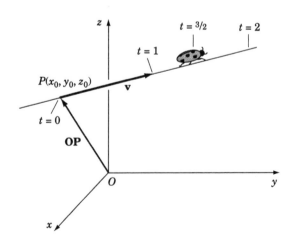

圖5.15　參數 t 決定了直線上的一點。

範例　有隻蜜蜂的飛行路徑是一條直線，這條直線經過了 $P_0(1, 0, -1)$ 跟 $P_1(2, 3, -2)$ 兩點。試求描繪該直線的參數方程式及對稱方程式。

　　解：如果你覺得這一題不夠刺激，不妨直接用這兩個點，而非一個點與一個向量，去找出直線的方程式。若要寫出該直線的參數方程式，我們需要直線上一點，以及跟直線同方向的向量。直線上一點，沒問題，我們現成就有兩個；向量也不難找，只要取從 P_0 到 P_1 的向量，亦即 $\mathbf{v} = P_0P_1 = \langle 2 - 1, 3 - 0, -2 - (-1) \rangle = \langle 1, 3, -1 \rangle$。向量 $\mathbf{v}$ 的三個分量，就是咱們要的 a、b 跟 c。至於 x_0、y_0 及 z_0 嘛，我們就選 P_0 的三個分量。所以我們可以得到如下的參數方程式：

$$x = 1 + t$$
$$y = 0 + 3t$$
$$z = -1 + (-1)t$$

如果我們用的是 P_0 而是 P_1，得到的參數方程式就成了：

$$x = 2 + (-t)$$
$$y = 3 + (-3t)$$
$$z = -2 + t$$

　　兩組（及其他許多組）參數方程式看似不同，但都代表同一條直線。至於對稱方程式，就要把參數方程式的三個 t 各自求出，然後令它們相等。所以如果我們用第一組參數方程式，就會得到

$$\frac{x-1}{1} = \frac{y-0}{3} = \frac{z+1}{-1}$$

5.7　空間中的平面

「平面」一詞的英文 plane，出自拉丁字 planus，原意是平坦、水平、沒有任何特點可言。拉丁語的 Planus Janus，演變成了如今英語裡的 Plain Jane（外表平凡的女孩子）或 Planus in the Anus（直譯為屁眼裡的平面，就是指坐起來很不舒服的椅子），想不到吧？言歸正傳，我們現在想知道一些方法，讓我們可以追蹤、記錄空間中平面的位置。

假設我們正坐在一張魔毯（或浴室踏墊）上，我們想請它載著我們飛到小吃攤附近，讓聚集在那兒的人們開開眼界。不過我們這張魔毯不像卡通影片裡的那樣，它既不會講也不懂中、英文，那麼如何才能讓它知道我們的目的地呢？其實非常簡單；事實上，每一張魔毯上都豎著一根看不見的搖桿，而且跟魔毯垂直。就是因為魔毯必須隨時與搖桿保持垂直，所以我們只要能抓住搖桿，就能控制魔毯了。換句話說，這根垂直搖桿決定了魔毯在空中的去向（如果想讓魔毯向前或向後飛，只需狠狠踢它一腳就成了）。

同樣的觀念也可以應用到空間中的平面。讓我們取一個跟這個平面垂直的向量 $\mathbf{n} = \langle a, b, c \rangle$，稱為法向量，然後在該平面上再取一點 $P_0 = (x_0, y_0, z_0)$，於是，這個法向量 $\mathbf{n}$ 跟點 P_0 就完全決定出這個平面（見圖 5.16）。

描述平面的方程式

若已知一個法向量 $\mathbf{n} = \langle a, b, c \rangle$ 及平面上一 $P_0 = (x_0, y_0, z_0)$，要怎樣找出一個描述該平面的方程式呢？讓我們假設 $Q(x, y, z)$ 為平面上任何一點，那麼如第 140 頁圖 5.17 所示，向量 $\mathbf{P_0Q}$ 躺在該平面上（說

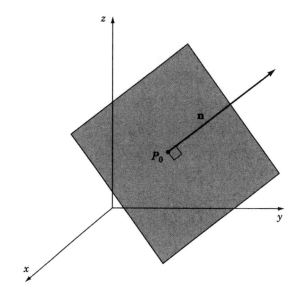

圖5.16　平面是由一點P_0及一個法向量 **n** 所決定。

它坐或站在平面上也可以），因此也一定與法向量 **n** 垂直，所以：

$$\mathbf{n} \cdot \mathbf{P_0 Q} = 0$$
$$\langle a, b, c \rangle \cdot \langle x - x_0, y - y_0, z - z_0 \rangle = 0$$

所以，該平面上的任意一點$Q(x, y, z)$都會滿足下列方程式：

$$\boxed{a(x - x_0) + b(y - y_0) + c(z - z_0) = 0}$$

把上式乘開，然後把常數項移項到等號右邊，就可寫成

$$\boxed{ax + by + cz = d}$$

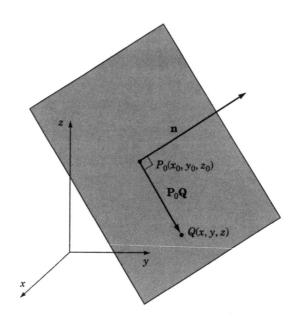

圖5.17 向量 P_0Q 與法向量 **n** 垂直。

其中的 $d = a(x_0) + b(y_0) + c(z_0)$ 為各常數的乘積和。上面框起來的兩個方程式,即為平面方程式的兩種形式。

範例1(傾斜的地板) 為了節省蓋房子的錢,你請你的表哥承包了工程,現在房子蓋得差不多了,你才突然發現地板似乎不大平:你站在廚房裡的一點 $P(1, 2, 3)$,量得地板的一個法向量為 **n** = ⟨4, 5, 3⟩。試寫出包含你家地板的平面的方程式。

解: 題目裡給了 $P(x_0, y_0, z_0)$ 跟 **n** = ⟨a, b, c⟩,所以我們只需直接代入上述公式:

$$4(x - 1) + 5(y - 2) + 3(z - 3) = 0$$

化簡之後變成

$$4x + 5y + 3z = 23$$

範例2　你的表哥說地板應該沒問題，準是你的法向量歪了。於是哥兒倆走出廚房，來到隔局呈三角形的客廳，一起量得三個角落的位置分別是 $P(1, 2, 3)$、$Q(5, 0, 1)$ 及 $R(0, 4, 1)$。試利用這三個點，重新計算包含你家地板的平面方程式。

　　解：題目給了我們三個點，但是沒有法向量 **n**，所以當務之急是要先求出 **n** 來。如圖 5.18 所示，由於三個點全在地板平面上，因此向量 **PQ** 跟 **PR** 必然都躺在地板上，它們的叉積就會跟地板垂直，正好可當做一個法向量。於是，

$$\mathbf{PQ} = \langle 5 - 1, 0 - 2, 1 - 3 \rangle = \langle 4, -2, -2 \rangle$$
$$\mathbf{PR} = \langle 0 - 1, 4 - 2, 1 - 3 \rangle = \langle -1, 2, -2 \rangle$$
$$\mathbf{PQ} \times \mathbf{PR} = \langle 8, 10, 6 \rangle$$

　　接著，代入平面方程式的公式：

$$a(x - x_0) + b(y - y_0) + c(z - z_0) = 0$$

其中 $\langle a, b, c \rangle = \langle 8, 10, 6 \rangle$，且取點 $P(x_0, y_0, z_0) = (1, 2, 3)$，就得到：

$$8(x - 1) + 10(y - 2) + 6(z - 3) = 0$$

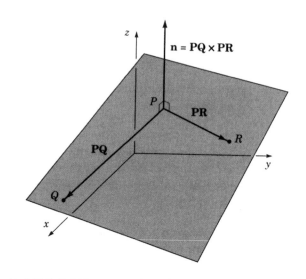

圖5.18 法向量就是向量 **PQ** 跟 **PR** 的叉積。

等號兩邊同時除以2，我們就會得到：

$$4x + 5y + 3z = 23$$

跟你用廚房地板法向量算出來的一模一樣，仍然不是很平。唉，不經一事，不長一智，下回找你的小舅子幫你蓋房子吧！

範例3 求兩平面 $x + y - z = 7$ 跟 $2x - 3y + z = 3$ 的交線的參數方程式。

解：這個問題稱得上經典級的，就像古董車裡的1964年產MGB跑車。要找出兩平面交線的參數方程式，咱們得知道兩件事，一是

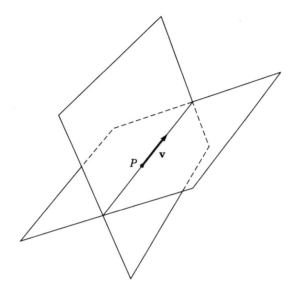

圖5.19　兩平面相交於一直線。

交線上的任何一點，一是跟交線方向一致的向量（見圖5.19）。

第1步：首先咱們得找出這條交線上的一點。

　　令該點是$P(x, y, z)$，由於它同在所給的兩個平面上，所以x、y、z同時滿足兩個平面方程式：

$$x + y - z = 7$$
$$2x - 3y + z = 3$$

　　上面的三元一次方程組裡只有兩個方程式，所以應該有不只一個解；這一點也不稀奇，因為題目所給的平面相交於一直線，所以

這個三元一次方程組的解為一整條直線。那該怎麼解呢？一點也不難，我們只需先固定其中一個未知數，譬如設 $x = 0$，讓方程組變成

$$y - z = 7$$
$$-3y + z = 3$$

兩式相加，就得到

$$-2y = 10$$
$$y = -5$$

　　把它代回第一個式子，我們得到 $-5 - z = 7$，故 $z = -12$，所以就得到了交線上一點 $P(0, -5, -12)$。當然，隨著你固定的未知數不同，可以得到許多其他的點，不管用哪個點都可以。

第2步：找出一個跟交線方向一致的向量。

　　其實從平面方程式的係數，我們就可以直接讀出該平面的法向量，所以本題所涉及的兩個平面，法向量分別為 $\mathbf{n}_1 = \langle 1, 1, -1 \rangle$ 及 $\mathbf{n}_2 = \langle 2, -3, 1 \rangle$。精采的部分來了。我們知道，平面上的任何一條直線，必然與其法向量垂直，而兩平面的交線同時在這兩個平面上，所以必然分別與兩平面的法向量垂直。一個向量若要同時與另外兩個向量垂直，不就是後兩個向量的叉積嗎？也就是

$$\mathbf{v} = \mathbf{n}_1 \times \mathbf{n}_2$$

其中

$$\mathbf{n}_1 \times \mathbf{n}_2 = \begin{vmatrix} \mathbf{i} & \mathbf{j} & \mathbf{k} \\ 1 & 1 & -1 \\ 2 & -3 & 1 \end{vmatrix} = -2\mathbf{i} - 3\mathbf{j} - 5\mathbf{k}$$

也就是 $\mathbf{v} = \langle -2, -3, -5 \rangle$，而在第 1 步我們找到的點為 $P(0, -5, -12)$，所以這條交線的參數方程式就是：

$$
\begin{aligned}
x &= 0 + t(-2) &&= {}-2t \\
y &= -5 + t(-3) &&= -5 - 3t \\
z &= -12 + t(-5) &&= -12 - 5t
\end{aligned}
$$

如果把方向向量 $\langle -2, -3, -5 \rangle$ 改為方向相反的向量 $\langle 2, 3, 5 \rangle$，我們得到的就是另一組參數方程式：

$$
\begin{aligned}
x &= 2t \\
y &= -5 + 3t \\
z &= -12 + 5t
\end{aligned}
$$

看起來雖然有些不同，但實際上是同一條直線。

嘿！你把羊都宰光了嗎？

第 6 章

空間中的參數曲線：
來坐坐雲霄飛車

　　在本章裡，我們將看到一些相當特殊的函數，它們的函數值不是數，而是向量。這些向量值函數有許多用途，特別是用來描述空間中的曲線。

　　在此之前我們看函數時，有點像在研究一隻懶狗，我們餵它一個數，它就把一個答案（也是一個數）吐在地毯上。現在我們要看的是另外一種函數，它的函數值存在於空間中。這種函數比較像一條眼鏡蛇，因為每當我們餵它一個數，它不只是把一個數吐出來，而是直對著咱們的眼睛射出毒液；換言之，它製造出一個向量。

6.1　參數曲線

關於參數曲線，有許多著名的樂曲，其中之一是「大黃蜂的飛行」，作曲者是俄國的林姆斯基高沙可夫（N. Rimsky-Korsakov，1844-1908）。在聆聽完這首短短的樂曲之後，你就會清楚瞭解，這位作曲家一定是先找出了描述大黃蜂花叢間飛來飛去、四處採蜜的數學方程式，然後把這些方程式譜成了音樂。

（英文版老編注：用方程式譜曲的理論從未經過證實，所以大概又是作者們胡謅的無稽之談。）

你也可以依樣畫葫蘆，譜出一些美妙的參數曲線；事實上，前面我們在描述直線時，就已經做過這件事了。比方說，假設我們有一條直線，它的參數方程式是

$$x = 2 + t$$
$$y = -1 + 3t$$
$$z = 4 - 2t$$

我們可以把這三個方程式合併為一個 t 的向量函數：

$$\mathbf{r}(t) = \langle 2 + t, \ -1 + 3t, 4 - 2t \rangle$$

用來描述 x、y 跟 z 的三個方程式，現在分別變成了這個向量的 x 分量、y 分量跟 z 分量。當 t 變動時，$\mathbf{r}(t)$ 就給出了沿著這條直線的各個值，如次頁圖6.1所示。

我們可以用向量函數的觀念，去建構一些比直線複雜的曲線，

這些曲線我們稱為「參數曲線」。下面是參數曲線的一個例子。

範例 1

$$\mathbf{r}(t) = \langle \sin t,\ \cos t,\ t \rangle$$

或者寫成：

$$\mathbf{r}(t) = \sin t\mathbf{i} + \cos t\mathbf{j} + t\mathbf{k}$$

　　這就像一隻喝醉了的大黃蜂的飛行路線，但是牠心裡卻非常明白哪一朵花裡蘊藏著佳釀，因而工作路線仍安排得很妥當，就像大部分出外買醉的人們一樣。函數 $\mathbf{r}(t)$ 告訴我們這隻黃蜂 t 秒後的位

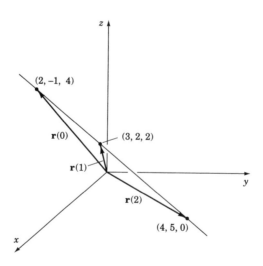

圖 6.1　由 $\mathbf{r}(t) = \langle 2+t,\ -1+3t,\ 4-2t \rangle$ 描述的直線。

置；所以在一開始，也就是當 $t = 0$ 時，黃蜂位於 $\mathbf{r}(0) = \mathbf{j}$，即 $\langle 0, 1, 0 \rangle$。當 $t = 20$ 時，也就是20秒後，這隻黃蜂正嗡嗡飛過 $\mathbf{r}(20) = \sin(20)\,\mathbf{i} + \cos(20)\,\mathbf{j} + (20)\,\mathbf{k}$，即 $\langle \sin 20, \cos 20, 20 \rangle$。

　　要畫出一個參數曲線的圖形，有時可能相當不容易，但是我們現在所舉的例子還不算頂難。當 t 遞增時，函數的前兩項座標值是繞著一個圓 $\langle \sin t, \cos t \rangle$ 在轉圈子，同時它的第三項座標值則在穩定增加，形成的曲線就叫做螺旋線（見圖6.2），它就是我們每回談到基因時，少不了要提到的重要話題：DNA的雙螺旋結構。

　　進一步歸納起來，所有具三個分量的向量值函數，都可以寫成 $\mathbf{r}(t) = \langle x(t), y(t), z(t) \rangle$ 的形式，在絕大多數的情況下，電腦是畫這類曲線的最佳工具。既然這是微積分，咱們就來求這些曲線的微分。

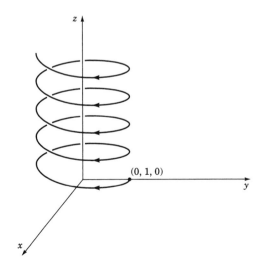

圖6.2　螺旋線

向量值函數的微分

聽起來很唬人，但是做起來一點也不複雜，只要把各個分量
$x(t)$、$y(t)$、跟 $z(t)$ 分別微分就好了：

$$\mathbf{r}'(t) = \langle \mathbf{x}'(t), \mathbf{y}'(t), \mathbf{z}'(t) \rangle$$

向量 $\mathbf{r}'(t)$ 稱為該曲線在時間 t 的速度向量，有時候也叫做切線向
量，原因是，如果我們以我們所計算的曲線上一點為起點，作向量
$\mathbf{r}'(t)$，畫出來的向量會與原曲線相切，且指向那一瞬間的運動方向
（見圖6.3）。

特別要注意的是，該導數為一向量，而非數值！若要搞清楚我
們在沿著一條曲線運動時的位置變化，我們得知道兩件事：一是方
向，一是代表我們朝那方向上移動得快或慢的數值。所以換言之，

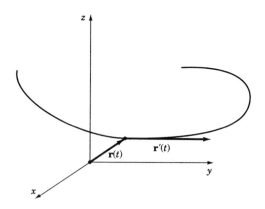

圖6.3　速度向量 $\mathbf{r}'(t)$ 與曲線在 $\mathbf{r}(t)$ 相切。

我們要的是向量。|r′(t)|這個數，也就是速度向量的大小，只告訴我們朝那方向移動的快慢，稱爲速率。

螺旋線 $\mathbf{r}(t) = \langle \sin t, \cos t, t \rangle$ 的速度向量爲 $\mathbf{r}'(t) = \langle \cos t, -\sin t, 1 \rangle$，在 $t = 0$ 時，該向量爲 $\langle 1, 0, 1 \rangle$，意指在 $t = 0$ 的那一瞬間，x 座標跟 z 座標都在遞增，但由於 y 座標的導數爲 0，所以 y 座標不變。

它的速率則是速度向量的長度，也就是

$$|\mathbf{r}'(t)| = \sqrt{\cos^2 t + (-\sin t)^2 + 1^2} = \sqrt{2}$$

我們得到了一個跟 t 無關的常數，也就是說，當我們在螺旋線上繞圈子時，速率永遠保持爲 $\sqrt{2}$，完全不受轉彎所影響。

曲線微分的法則

關於向量值函數的點積、叉積等等情況的微分，有許多法則得遵循，這些法則跟微分普通函數時所用的積法則、鏈鎖律及和法則大同小異。只不過向量函數牽涉到的乘積不僅一種：有純量乘積、點積及叉積，但把積法則適度變化一下，就能處理這些乘積了。

爲了徹底明瞭這些法則，你心裡先要記住 $x(t)$ 跟 $s(t)$ 都是 t 的向量值函數，其中的 t 只是一個實數變數，就像一般函數裡的 x、y 一樣；而 $f(t)$ 則是 t 的一般實值函數，在向量微積分裡有時也叫做純量函數。最後、也可能是最不重要的一點就是 c，它代表一個實數常數。

1. $\dfrac{d}{dt}[\mathbf{r}(t) + \mathbf{s}(t)] = \dfrac{d}{dt}\mathbf{r}(t) + \dfrac{d}{dt}\mathbf{s}(t)$

2. $\dfrac{d}{dt}[c\mathbf{r}(t)] = c\dfrac{d}{dt}\mathbf{r}(t)$

3. $\dfrac{d}{dt}[f(t)\mathbf{r}(t)] = f(t)\mathbf{r}'(t) + f'(t)\mathbf{r}(t)$

4. $\dfrac{d}{dt}\left[\mathbf{r}(t)\bullet\mathbf{s}(t)\right] = \mathbf{r}(t)\bullet\mathbf{s}'(t) + \mathbf{r}'(t)\bullet\mathbf{s}(t)$

5. $\dfrac{d}{dt}\left[\mathbf{r}(t)\times\mathbf{s}(t)\right] = \mathbf{r}(t)\times\mathbf{s}'(t) + \mathbf{r}'(t)\times\mathbf{s}(t)$

6. $\dfrac{d}{dt}\left[\mathbf{r}(f(t))\right] = \mathbf{r}'(f(t))f'(t)$

最後一條就是向量值函數的鏈鎖律。

向量值函數的積分

向量值函數 $\mathbf{r}(t) = \langle x(t), y(t), z(t)\rangle$ 的積分，跟它的微分一樣，也是依分量各自積分：

$$\int_a^b \mathbf{r}(t)\,dt = \left\langle \int_a^b x(t)\,dt, \int_a^b y(t)\,dt, \int_a^b z(t)\,dt \right\rangle$$

如果這個積分不是一個定積分，就必須在積分結果的尾巴上加一個常數，就像一般的積分法一樣，只是這兒的常數是一個向量：

$$\int \mathbf{r}(t)\,dt = \left\langle \int x(t)\,dt, \int y(t)\,dt, \int z(t)\,dt \right\rangle + \mathbf{C}$$

範例2 一隻蚊子在時間 $t = 0$ 時，位置是在點 $(1, 1, 1)$。牠從那一點開始沿著一條曲線飛了 1 秒鐘，之後停下來吃中飯。假設牠在時間 t 的速度向量是 $\mathbf{v}(t) = \langle t, t^2, t^3\rangle$，而你的耳朵位置是在 $(3/2, 4/3, 5/4)$，你室友的鼻子位置是在 $(1/2, 1/3, 1/4)$。那麼應該是誰被這隻蚊子叮了？

解：欲知道答案，我們得求 $\mathbf{v}(t)$ 的積分，找出位置向量 $\mathbf{r}(t)$。

$$\mathbf{r}(t) = \int \mathbf{v}(t) \, dt = \left\langle \int t \, dt, \int t^2 \, dt, \int t^3 \, dt \right\rangle$$

$$= \left\langle \frac{t^2}{2}, \frac{t^3}{3}, \frac{t^4}{4} \right\rangle + \mathbf{C}$$

我們得想辦法找出式子中的常數向量 $\mathbf{C}$。事實上，我們可由這隻蚊子在 $t = 0$ 時的位置向量，把 $\mathbf{C}$ 計算出來：

$$\langle 1, 1, 1 \rangle = \mathbf{r}(0) = \langle 0, 0, 0 \rangle + \mathbf{C}$$

所以，$\mathbf{C} = \langle 1, 1, 1 \rangle$，而且

$$\mathbf{r}(t) = \left\langle \frac{t^2}{2} + 1, \frac{t^3}{3} + 1, \frac{t^4}{4} + 1 \right\rangle$$

那麼在 $t = 1$ 時，這隻吸血的傢伙在哪兒呢？

$$\mathbf{r}(1) = \langle {}^3\!/_2, {}^4\!/_3, {}^5\!/_4 \rangle$$

看來牠剛好停在你的耳朵上飽餐一頓！

空間曲線的長度

假設你正在駕駛一架飛機，飛機上的全球定位系統隨時會告訴你飛機的所在位置。此時陽光普照、萬里無雲，加上心情很好，讓你一時技癢，要上幾個空中特技，一連做了許多叫人內臟翻騰的高難度動作。等你玩過癮了，漂亮落地之後，你身旁的副駕駛才從嘔吐袋上抬起頭來，訕訕問道：「我們剛才一共飛了多少里程？」

　　於是你面臨了一個典型的弧長問題：剛才在轉彎時，飛機在空中劃過的美妙曲線到底有多長？

　　這個問題似乎稀鬆平常，事實上卻很有學問。我們應該瞭解，在微積分出現之前，人們量測長度的能耐非常有限，除了直線的長度之外，再來大概就只有一、兩個圓的圓周長了。直線跟圓周的長度要怎麼量，我們早在當小學生時就已經學過，現在學了微積分，我們就能量一量這些亂彎亂扭的曲線了。

　　要怎麼量呢？首先，我們得把曲線切成許多小段，然後畫出這些小段的近似直線，再把這些直線的長度全加起來。這個近似值的準確度有賴於分段的多寡，你切成愈多段，得到的結果就愈準確；如果取極限，得到的就會是實際長度。還記得吧，當我們把區間分割得愈細，然後取其總和的極限，這不就是積分嗎？

　　所以，假定我們有條曲線 $\mathbf{r}(t) = \langle x(t), y(t), z(t) \rangle$，而我們想要量出 $\mathbf{r}(t)$ 從點 $t = a$ 到點 $t = b$ 之間的弧長 S。我們再假設 $\mathbf{r}(t)$ 到 $\mathbf{r}(t + \Delta t)$ 之

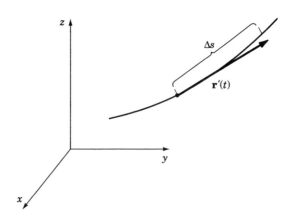

圖 6.4　Δs 大約等於 $|\mathbf{r}'(t)| \, \Delta t$。

間這一小段曲線的長度爲 Δs。那麼，對於非常小的 Δt，該曲線即使轉彎也轉得非常有限，因此我們可以假設，移動的軌跡實質上是條直線。所以，如圖6.4所示，我們移動的距離就等於速率乘上 Δt：

$$\Delta s \approx |\mathbf{r}'(t)| \, \Delta t = \sqrt{(x'(t))^2 + (y'(t))^2 + (z'(t))^2} \, \Delta t$$

把所有的小段曲線長度全加起來，就會得到整段曲線弧長的近似值：

$$S \approx \sum \Delta s = \sum \sqrt{(x'(t))^2 + (y'(t))^2 + (z'(t))^2} \, \Delta t$$

若讓時間間隔 Δt 更短，並取其極限，我們就得到了求曲線弧長的公式：

$$S = \int_a^b \sqrt{(x'(t))^2 + (y'(t))^2 + (z'(t))^2} \, dt = \int_a^b |\mathbf{v}(t)| \, dt$$

式子中的 a 跟 b 是我們度量曲線弧長的起始點，也就是從點 $\mathbf{r}(a)$ 量到點 $\mathbf{r}(b)$。

範例3　咱們先前提到的那隻大黃蜂，在座標位置$(0, 1, 0)$處飲用了一些發酵過的花蜜之後，決定飛回蜂巢。牠的飛行路線是個參數曲線，在 t 時間的位置爲

$$\mathbf{r}(t) = \langle \sin t, \cos t, t \rangle$$

長度單位爲英尺。已知這隻大黃蜂用了 4π 秒的時間回到蜂巢，請問牠一共飛了多遠？

解：把 $t = 0$ 代入 $\mathbf{r}(t)$，我們發現 $\mathbf{r}(0) = \langle 0, 1, 0 \rangle$，表示這隻黃蜂此時正好飲完花蜜，要打道回府。其次，我們要來計算牠的速率 $|\mathbf{v}(t)|$（$= |\mathbf{r}'(t)|$）：

$$|\mathbf{v}(t)| = \sqrt{(x'(t))^2 + (y'(t))^2 + (z'(t))^2} = \sqrt{(\cos t)^2 + (-\sin t)^2 + (1)^2} = \sqrt{2}$$

所以，這隻大黃蜂回家的全程是

$$S = \int_a^b |\mathbf{v}(t)|\, dt = \int_0^{4\pi} \sqrt{2}\, dt = \left. \sqrt{2}t \right|_0^{4\pi} = (\sqrt{2})(4\pi)$$

飛行路徑長是 $4\sqrt{2}\,\pi$，大約 17.77 英尺。

嘿！很酷嘛，不是嗎？

6.2　曲率

　　曲率是用來度量曲線的彎曲程度。小的圓個頭不起眼，但它們的曲率可相當大，反之，繞著地球跑出來的大圓，曲率卻非常小，而那些我們肉眼看不到，只有在顯微鏡下才看得見的小圓，曲率可就大得不得了啦！在同一個圓上，每一點的曲率都相同，然而對於任何一條空間曲線來講，曲率可能就會依曲線上各點而變。現在我們就要來瞭解，如何量測如 $\mathbf{r}(t) = \langle x(t), y(t), z(t) \rangle$ 這樣的參數曲線上任何一點的曲率。

　　要知道曲率，我們必須看切線向量的變化。正因為是向量，所以 $\mathbf{r}(t)$ 的切線向量可能有兩種變化：一種是方向上的，不同的點的切線，指向不同的方向；另一種是長短變化，但這只影響到我們在曲

線上各點的移動速度，而不影響曲線的形狀，所以並不是我們在此關心的焦點。因此，為了度量出曲率，我們選用曲線的另一種參數化表示，**r**(*s*)，且讓|**r**(*s*)| = 1。這個步驟就叫做「以弧長來參數化一段曲線」，在此步驟中，我們把時間參數 *t* 換成了弧長參數 *s*。

若以一個非常普通的例子來說明，就譬如我們坐在車上，由你開車，那麼車子的加速度對我們有兩種影響。如果你一會兒踩煞車、一會兒踩油門，那麼即使道路筆直，當乘客的我們還是會被你整得前仆後倒。這種反應跟道路的曲率無關，而是在告訴我們，你的駕駛技術太爛了——你的駕照八成是在某家駕駛函授學校考到的。另一方面，如果你在起動之後，按下定速裝置，讓時速維持在55英里，然後順著九彎十八拐的山路往前開，這時我們這些乘客就會被你甩得七葷八素，其間大夥兒所感覺到的加速度，就告訴了我們這條路的曲率。

　　團體練劍　與同學聚餐之後，一起開車兜風，並且分別試試上述兩種駕駛技術，看看哪一種方法讓人最暈。務必放一些嘔吐袋在車上，以備萬一。

範例1　試證明

$$\mathbf{r}(s) = \left\langle R\cos\frac{s}{R}, R\sin\frac{s}{R}, 0 \right\rangle$$

為 *xy* 平面上一個半徑為 *R* 的圓的弧長參數曲線。

　　解：首先我們看看它是否為一個半徑為 *R* 的圓。由於

$$z = 0$$

表示該曲線的確在 xy 平面上，又由於

$$\left(R\cos\frac{s}{R}\right)^2 + \left(R\sin\frac{s}{R}\right)^2 = R^2\left(\cos^2\frac{s}{R} + \sin^2\frac{s}{R}\right) = R^2$$

表示曲線上所有的點都能滿足 $x^2 + y^2 = R^2$，而此式正是半徑爲 R 的圓方程式。

　　其次，我們得算算它的速度向量長度是否爲 1：

$$\mathbf{r}'(s) = \left\langle -R\frac{1}{R}\sin\frac{s}{R}, R\frac{1}{R}\cos\frac{s}{R}, 0 \right\rangle = \left\langle -\sin\frac{s}{R}, \cos\frac{s}{R}, 0 \right\rangle$$

而它的大小就是

$$|\mathbf{r}'(s)| = \sqrt{\sin^2\frac{s}{R} + \cos^2\frac{s}{R}} = \sqrt{1} = 1$$

所以這個速度向量的長度爲 1，$\mathbf{r}(s)$ 確實爲弧長參數曲線。

　　有了弧長參數曲線之後，$\mathbf{r}'(s)$ 的變化率就只剩下了方向上的變化。但是方向上的變化率就是速度向量的變化率，後者爲位置向量的一階導數，所以方向變化率也就是位置向量的二階導數。因而我們是用位置向量二階導數的大小，來衡量曲率。

　　由於它的速率恆等於 1，所以我們又可以把弧長參數曲線，稱爲單位速率曲線。

　　單位速率曲線 $\mathbf{r}(s)$ 的曲率 $\kappa(s)$，就定義爲 $\kappa(s) = |\mathbf{r}''(s)|$。

　　當你套用這個公式時，必須先確定你的曲線已經是弧長參數曲線，也就是確定它爲單位速率曲線。

範例2　試證明半徑爲 R 的圓的曲率爲 $1/R$。

　　解：從上一個範例，我們知道 $\mathbf{r}(s) = \langle R\cos(s/R),\ R\sin(s/R),\ 0\rangle$ 是一條單位速率曲線，且爲半徑爲 R 的圓的弧長參數表示。於是：

$$\mathbf{r}'(s) = \left\langle -\sin\left(\frac{s}{R}\right),\ \cos\left(\frac{s}{R}\right),\ 0 \right\rangle$$

$$\mathbf{r}''(s) = \left\langle -\frac{1}{R}\cos\frac{s}{R},\ -\frac{1}{R}\sin\frac{s}{R},\ 0 \right\rangle$$

$$\kappa(s) = |\mathbf{r}''(s)| = \sqrt{\left(-\frac{1}{R}\cos\frac{s}{R}\right)^2 + \left(-\frac{1}{R}\sin\frac{s}{R}\right)^2} = \sqrt{\left(\frac{1}{R}\right)^2} = \frac{1}{R}$$

結論是，半徑爲 R 的圓，曲率果然爲 $1/R$。這也證明了我們在此節一開始就指出的，大圓之曲率小、小圓之曲率大的說法。

　　但是，如果我們沒有弧長參數曲線，該怎麼求曲率？這些參數曲線，有時還眞不容易求出來。幸好有個還算簡單的公式，可以幫助我們算出各種參數曲線的曲率。

　　由於向量值函數 $\dfrac{\mathbf{r}'(t)}{|\mathbf{r}'(t)|}$ 是一單位向量，而其方向就是曲線上各點的切線方向，因而它也經常叫做單位切線向量，而且特別記做 $\mathbf{T}$。有了它的幫忙，我們就有了可求出任何參數曲線曲率的公式：

> 任意曲線 $\mathbf{r}(t)$ 的曲率定義爲 $\kappa(t) = \dfrac{|\mathbf{T}'(t)|}{|\mathbf{r}'(t)|}$。

範例3　試求 $y = x^2$ 在點 $(x, y) = (1, 1)$ 的曲率。

　　解：我們先不用顧慮是否化成一個單位速率參數曲線，我們只要把它參數化就行了。怎麼做呢？由於曲線上每一點的 y 都等於 x^2，所以看起來最簡單的參數表示就是：

$$x = t$$
$$y = t^2$$

　　這樣一來，對任何 t 值，$y = x^2$ 總是成立，所以我們可以取 $\mathbf{r}(t) = \langle t, t^2 \rangle$，當做我們的參數曲線（該曲線位於 xy 平面上）。

　　由於 $\mathbf{r}'(t) = \langle 1, 2t \rangle$，

$$|\mathbf{r}'(t)| = \sqrt{(1)^2 + (2t)^2} = \sqrt{1 + 4t^2}$$

那麼

$$\mathbf{T}(t) = \frac{\mathbf{r}'(t)}{|\mathbf{r}'(t)|} = \frac{\langle 1, 2t \rangle}{\sqrt{1 + 4t^2}} = \left\langle \frac{1}{\sqrt{1 + 4t^2}}, \frac{2t}{\sqrt{1 + 4t^2}} \right\rangle$$

　　然後取導數，於是得到

$$\mathbf{T}'(t) = \left\langle \frac{-4t}{(1 + 4t^2)^{3/2}}, \frac{2}{(1 + 4t^2)^{3/2}} \right\rangle$$

$$|\mathbf{T}'(t)| = \sqrt{\left[\frac{-4t}{(1 + 4t^2)^{3/2}} \right]^2 + \left[\frac{2}{(1 + 4t^2)^{3/2}} \right]^2}$$

$$= \sqrt{\frac{16t^2 + 4}{(1 + 4t^2)^3}} = \sqrt{\frac{4}{(1 + 4t^2)^2}} = \frac{2}{1 + 4t^2}$$

所以，

$$\kappa(t) = \frac{|\mathbf{T}'(t)|}{|\mathbf{r}'(t)|} = \frac{2/(1 + 4t^2)}{\sqrt{1 + 4t^2}} = \frac{2}{(1 + 4t^2)^{3/2}}$$

當 $t = 1$，亦即在曲線上的點$(x, y) = (1, 1)$時，我們的曲率為：

$$\kappa(1) = \frac{2}{(5)^{3/2}} \approx 0.1789$$

如果你想知道這題答案的話，這就是啦！

6.3　速度與加速度

「加速（度）」這字眼似乎很酷，一般人都喜歡拿來唬人，譬如有人告訴你：「我已經加速了我的碳水化合物消耗量。」聽起來很炫，其實他的意思不過是：「我覺得自己像一頭肥豬。」數學家跟物理學家也不例外，喜歡用「加速（度）」來幫助描述粒子（質點）的運動。

正如上一節講解過的，若$\mathbf{r}(t)$代表粒子的運動軌跡，其切線向量$\mathbf{r}'(t)$就代表了該粒子的速度，而後者的大小$|\mathbf{r}'(t)|$則是該粒子的速率。至於這個粒子的加速度，則是它的速度向量的導數，記住，加速度本身也是向量：

$$\mathbf{a}(t) = \mathbf{v}'(t) = \mathbf{r}''(t)$$

也就是說，加速度是位置向量 $\mathbf{r}(t)$ 的二階導數。

範例1　赫兒嘉跟她的室友們一塊出去參加派對，她們預先約定好，由赫兒嘉當司機，現在她們正在回家的路上，後座裡歪歪斜斜的躺著赫兒嘉的三位室友，全喝得酩酊大醉。這時，如果車子的加速度超過了750英里／小時^2，後座地毯就會變成啤酒回收廠了。假設赫兒嘉的車子所走的路徑是下列這條參數曲線：

$$\mathbf{r}(t) = \langle \sin 30t, \cos 30t, 10t \rangle$$

試問：赫兒嘉第二天一早用車前，是否急需汽車除臭劑的幫助？

　　解：赫兒嘉的速度為 $\mathbf{r}'(t) = \langle 30 \cos 30t, -30 \sin 30t, 10 \rangle$，加速度為 $\mathbf{r}''(t) = \langle -900 \sin 30t, -900 \cos 30t, 0 \rangle$，所以加速度的大小為：

$$|\mathbf{r}''(t)| = \sqrt{(-900 \sin 30 t)^2 + (-900 \cos 30 t)^2 + 0^2}$$

$$= 900 \sqrt{\sin^2 30 t + \cos^2 30 t} = 900$$

看樣子，她最好趕快拿出橡皮手套跟海綿了。（事實上，她的室友會吐，是預料中的事，因為她所走曲線是個螺旋線——搞了半天，原來赫兒嘉在停車場裡迷路了。）

範例2　假設你站在一棟大樓屋頂上的一角，離地高度為50英尺，從那兒你丟出一塊乳酪，而且已知乳酪飛出的初速向量為 $\mathbf{v}_0 = \langle 8, 6,$

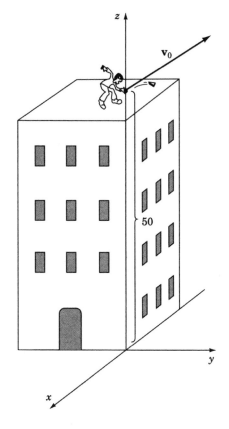

圖6.5　丟出的乳酪跟你的室友會不會碰到一起？

4〉，單位是英尺／秒。這時你的室友正好站在地面上，若以你所站的屋角正下方為原點，他的位置是在 x 方向的14英尺4英寸處，y 方向的10英尺9英寸處。試判斷你丟出的乳酪會不會砸到他（見圖6.5）。

解： 這就是所謂的拋體問題。在這個範例裡，你用的拋體是一塊乳酪，吸引拋體的靶子是你的室友；如果你把乳酪換成了一袋葡萄乾，或是半融化了的櫻桃巧克力口味冰淇淋，這還是叫做拋體問題。

在這種情形下，加速度只有一個來源，那就是重力，在地球曲面附近的重力加速度，差不多總是等於32英尺／秒^2，而方向是垂直向下，所以我們可以把這個加速度向量寫成 a = ⟨0, 0, −32⟩。

求這個向量的積分，我們可以得到速度向量

$$\mathbf{v}(t) = \langle 0, 0, -32t \rangle + \mathbf{C}$$

注意，我們在這兒任意選取了一個向量 $\mathbf{C}$。但由於速度向量 $\mathbf{v}(t)$ 在 $t = 0$ 時，應該等於題目所給的初速度，所以

$$\langle 8, 6, 4 \rangle = \mathbf{v}_0 = \mathbf{v}(0) = \langle 0, 0, 0 \rangle + \mathbf{C}$$

所以 $\mathbf{C} = \langle 8, 6, 4 \rangle$，把它代入 $\mathbf{v}(t)$，就得到

$$\mathbf{v}(t) = \langle 8, 6, 4 - 32t \rangle$$

現在，把這個速度向量再做一次積分，我們就可以得到位置向量了：

$$\mathbf{r}(t) = \langle 8t, 6t, 4t - 16t^2 \rangle + \mathbf{D}$$

這兒又出現了一個常數向量 $\mathbf{D}$，但是我們知道，這塊乳酪最初（即當 $t = 0$ 時）的位置是在 $\mathbf{r}_0 = \langle 0, 0, 50 \rangle$，亦即

$$\langle 0, 0, 50 \rangle = \mathbf{r}_0 = \mathbf{r}(0) = \langle 0, 0, 0 \rangle + \mathbf{D}$$

所以 $\mathbf{D} = \langle 0, 0, 50 \rangle$，把它代入 $\mathbf{r}(t)$，我們就得到了：

$$\mathbf{r}(t) = \langle 8t, 6t, 50 + 4t - 16t^2 \rangle$$

於是，我們有了這塊乳酪在被你丟出手之後，到它飛到離地6英尺（假設你的室友身高剛好6英尺）的這段期間的位置向量。依據題意，我們想看看，當當乳酪的 z 座標等於6時，它的 x 座標跟 y 座標各為多少，這樣我們就能知道它會不會砸到你的室友。所以，我們令位置函數的 z 座標等於6，然後解參數 t：

$$50 + 4t - 16t^2 = 6$$
$$4t^2 - t - 11 = 0$$

用二次公式，我們求出 $t \approx 1.788$ 秒。

把此 t 值代入 $\mathbf{r}(t)$，我們得到 $\mathbf{r}(1.788) = \langle 14.30, 10.73, 6 \rangle$。而由你室友目前的位置來看，我們敢保證這塊乳酪會直接命中，就算沒砸在他頭上，也會打到他的上半身。

　　常犯的錯誤　在最後這個範例中，我們看到，$\mathbf{C}$ 跟 $\mathbf{D}$ 這兩個常數向量剛好等於 $\mathbf{v}_0$ 跟 $\mathbf{r}_0$。這是因為在 $t = 0$ 時，$\mathbf{v}(t)$ 跟 $\mathbf{r}(t)$ 中除了 $\mathbf{C}$ 跟 $\mathbf{D}$ 之外，其他部分恰好等於0。千萬不要因為此例的印象而誤以為它們一定會如此。下面這個範例3，就是用來提醒你這一點。

範例3 已知速度向量為 $\mathbf{v}(t) = \langle \sin t, \cos t, t \rangle$，而初始位置向量為 $\mathbf{r}_0 = \langle 1, 1, 1 \rangle$，試求它的一般位置向量 $\mathbf{r}$。

解： 求 **v** 的積分，我們得到

$$\mathbf{r}(t) = \left\langle -\cos t,\ \sin t,\ \frac{t^2}{2} \right\rangle + \mathbf{C}$$

由於在 $t = 0$ 時，初始位置向量必須與一般位置向量相等，所以

$$\langle 1, 1, 1 \rangle = \mathbf{r}_0 = \mathbf{r}(0) = \langle -1, 0, 0 \rangle + \mathbf{C}$$

得到 $\mathbf{C} = \langle 2, 1, 1 \rangle$。注意！它跟 $\mathbf{r}_0$ 並不相等。

其次，把 $\mathbf{C}$ 代入 $\mathbf{r}(t)$，我們得到

$$\mathbf{r}(t) = \left\langle 2 - \cos t,\ 1 + \sin t,\ 1 + \frac{t^2}{2} \right\rangle$$

這就是我們所要的一般位置向量 **r**。

嘿！這下子，你就不會有 $\mathbf{C}$ 一定等於 $\mathbf{r}_0$ 的錯誤印象啦！

第 *7* 章

曲面與作圖

現在讓我們做一個快速複習，看看平面上的幾類簡單曲線。

7.1　平面上的曲線：回顧一下

1.　首先是拋物線，它的一般式為 $y = x^2$（見圖7.1a）。

我們可以把它的位置任意調高調低，就像同一圖中所示的 $y = x^2 + 1$ 及 $y = x^2 - 2$，也可以把它變寬變窄，如圖7.1b所示的 $y = x^2/2$ 跟 $y = 3x^2$。

我們還可以寫成 $y = -x^2$，把它顛倒過來（圖7.1c），或者讓它轉個 $90°$，開口朝 x 軸的方向或反方向，如 $x = y^2$ 或 $x = -y^2$（圖

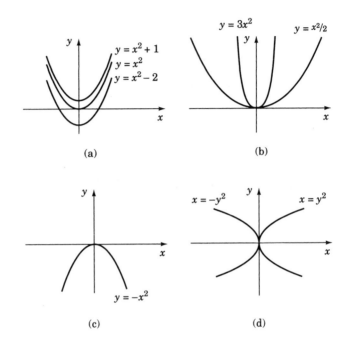

圖7.1 各式各樣的拋物線

7.1d）。

2. 然後是橢圓，它的標準式是$x^2/a^2 + y^2/b^2 = 1$。畫出來的圖形是一個壓扁了的圓，跟x軸相交於a跟$-a$兩點，而跟y軸相交於b跟$-b$，如圖7.2所示。（我們可以看出，當$a = b$時，它就變成了一個正圓。）

3. 然後是雙曲線，它的方程式長相為$y^2 - x^2 = 4$。它跟橢圓或圓的不同處，在於x^2跟y^2兩項前的正負號相反。以剛舉的例子來說，我們注意到當$x = 0$時，$y = 2$或-2，因此，所得到的雙曲

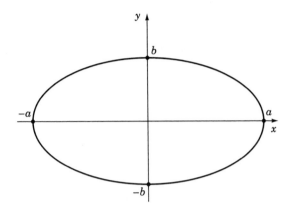

圖 7.2 $x^2/a^2 + y^2/b^2 = 1$ 代表的橢圓

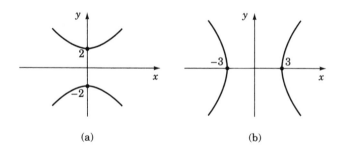

(a)   (b)

圖 7.3 雙曲線

線跟 y 軸相交兩次，如圖 7.3a 所示。

同樣的，雙曲線 $x^2 - y^2 = 9$ 會跟 x 軸相交於 3 跟 –3，如圖 7.3b 所示。 x^2 跟 y^2 兩項前面的常數，會決定該雙曲線彎曲的程度，但對它的其他性質沒有什麼影響。

7.2　三維空間方程式的圖形

　　心理學家設計了許多光怪陸離的測驗，用以判定受測者是否精神異常，其中最著名的一個叫做羅夏墨漬測驗（或羅氏測驗）。在這個測驗裡，他們先給你看一團墨漬，然後問你它看起來像啥。如果你回答：「它看起來很像是在明媚的春天裡，在花叢間飛舞的可愛蝴蝶。」那麼他們就會認為你的精神沒問題，不會為難你。但是如果你的回答是：「它看起來像是我的老爸，正在跟我們鄰居家的獅子狗跳探戈！」他們可就二話不說，馬上把你的手腳綑綁在一張有輪子的擔架床上，然後強迫你吃大量的抗精神病藥物。

　　在此章節中，我們要推敲出我們自己的羅氏測驗。但是我們的測驗是以一些三維空間中的曲面為起點；它的好處是，曲面看起來不太可能像是你的老爸在跟鄰居的獅子狗跳探戈。不過從另一方面看，這也意謂著，我們必須把畫圖的本事練好，並且得能辨識三維空間裡的各種曲面。我們所說的三維空間曲面作圖，究竟在說什麼呢？且讓我們看一個也許是最簡單的例子。

範例1　試把三維空間中能滿足下式的各點(x, y, z)畫出來。

$$x^2 + y^2 + z^2 - 1 = 0$$

　　解：把1移項，然後取平方根，就得到了$\sqrt{x^2 + y^2 + z^2} = 1$。這就是指所有離原點距離為1的點，也就是以原點為球心，半徑為1的球面，如圖7.4。

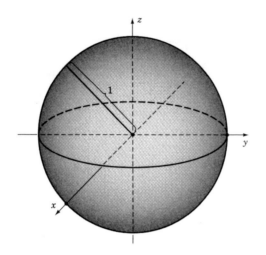

圖 7.4　代表 $x^2 + y^2 + z^2 - 1 = 0$ 的球面

　　這個球對我們的羅氏測驗沒啥用處，原因是看過的每一個人都認為，它代表一個由外星人統治的星球，專門綁架地球人去做各種侵犯性的實驗。不過，球面的確是曲面的一個很好的例子。我們若把前面這個例題說得更廣義些，就是：在三維空間中，由滿足方程式 $F(x, y, z) = 0$ 的各點 (x, y, z) 所形成的集合，就是該方程式的圖形；而這樣的圖形就叫做曲面。

範例 2　畫出 $2x + 3y + 4z = 12$ 的圖形。

　　解：首先我們注意到，題目中這個方程式是線性的；意思是它既沒有平方根，沒有像 x^2 之類的乘方，也沒有像 xy 之類的乘積，更要感謝老天的是，它也沒有麻煩的正弦、餘弦或對數符號。它只是

簡單的 $Ax + By + Cz = D$，其中的 A、B、C 跟 D 都是常數。凡是合乎這種形式的方程式，就叫做線性方程式，它的圖形永遠是一個平面，至於究竟是哪個平面，還需要一些計算之後才能確定。有個辦法倒是非常簡單，我們只需找出該平面分別與 x、y、z 三軸的交點就成了。

第*1*步：　該平面在哪兒跟 x 軸相交？我們可以這麼看，凡是在 x 軸上的點，它的 $y = 0$ 且 $z = 0$。所以，在該平面的方程式中，令 $y = 0$，$z = 0$，我們就能找出它與 x 軸的交點；我們得到 $2x = 12$，即 $x = 6$。

第*2*步：　這個平面在哪兒跟 y 軸相交呢？同理，令 $x = 0$，$z = 0$，我們得到 $3y = 12$，所以 $y = 4$。

第*3*步：　那麼它又在哪兒跟 z 軸相交？（如果到了這一步，你還沒看出其中的模式，那麼你應該馬上去找你的驗光師傅。）令 $x = 0$，$y = 0$，我們得到 $4z = 12$，所以 $z = 3$。

第*4*步：　把圖形畫出來。怎麼畫呢？當然，我們得先畫出三根座標軸，然後把剛才所求得的三個交點標出來，再把這三點連成一個三角形，中間塗得稍微暗一些（通常我們只畫出落在第一卦限的部分），就成了圖7.5。

　　如果該平面跟三根座標軸各有不同的交點，這個畫平面的方法步驟才管用。如果是其他情形，譬如這塊平面剛好通過原點，此法就無用武之地啦！那麼又該怎麼辦呢？其實這也不難，我們可以先畫出該平面的法線向量，然後畫出與法線垂直的平面。

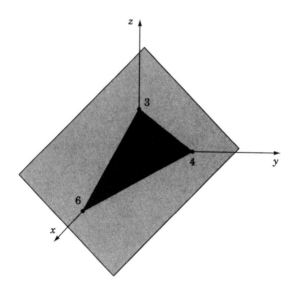

圖 7.5　平面：$2x + 3y + 4z = 12$

再強調一次，任何一個線性方程式的圖形都是平面。但是如果交給我們的不是線性方程式，那怎麼辦？別急，請繼續看下去。

當變數跑去休假

假設我們要把空間中的方程式畫出來，然而方程式中有一個變數缺席，比方說 $y^2 + z^2 = 1$，其中的 x 若不是休假去了，就是跟人喝咖啡，或者是為了要待在家裡玩線上遊戲，而裝病請病假。反正它沒露面就是了，你看到的只有 y 跟 z。

現在讓我們先瞧瞧若是 $x = 0$，會出現什麼圖形？$x = 0$ 意謂著我們先自我限制在 yz 平面上，也就是又回到從前單變數微積分的時代，而這個方程式，一看就知道是一個以原點為圓心、半徑為 1 的

圓；這也告訴我們：這個圓是該方程式所代表的曲面跟 yz 平面的交線。

但是你要記住，x 是在休假；休假的時候，想做什麼都隨自己高興，任何禁令限制都可以拋在腦後。因此，x 不受任何限制，愛去哪就去哪；對這個方程式圖形上的點 (x, y, z)，x 座標可以是任何值，但 y 跟 z 座標必須隨時滿足 $y^2 + z^2 = 1$。所以如果點 $(0, y_0, z_0)$ 在圖形上，x 座標為任何值的任意點 (x, y_0, z_0)，也應該在圖形上，而這些點會形成一條與 x 軸平行的直線，此直線也在圖形上。以此類推，通過 yz 平面上以原點為圓心、半徑為 1 的圓，且與 x 軸平行的所有直線，也都在圖形上。因此，最後的圖形看起來就像一個圓筒或錫罐，以 x 軸為中心軸線，且向兩端無止盡延伸，如圖 7.6 所示。

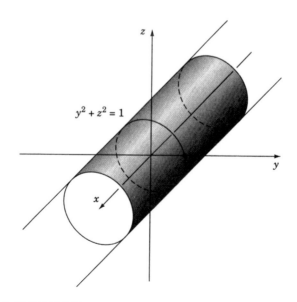

圖 7.6　無限延伸的錫罐

範例3 試繪出 $z = 1 - x^2$ 的圖形。

解：這回輪到 y，它去峇里島休假了。所以我們得到了一條在 xz 平面上、而且開口朝下的拋物線。由於 y 可以等於任何值，所以得到的曲面就是由所有與 y 軸平行、通過 xz 平面上的拋物線上各點的直線集合而成，如圖7.7所示。啊！這圖形就可以用來做咱們的羅氏測驗了。它看起來像很多不同的東西，譬如說像顛倒過來的屋簷雨溝，或是像一條隧道。不管你的答案是啥，你的心理醫生準會給你一大堆分析解釋。不過對我們來說，它倒滿像軍隊營區常見到的鐵皮圓頂屋。

這個曲面的正式名稱是拋物柱面，注意其中用了「柱面」兩個字。平常說到柱面，多半指罐頭、大小鼓等圓柱形的東西。但是在數學上，柱面的意義遠為廣泛：在平面上取一曲線，則通過該曲線

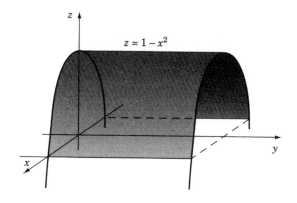

圖7.7 無限延伸的鐵皮圓頂屋

各點、且與一條不在該平面上的給定直線平行的所有直線所構成的任意曲面,就稱為柱面。所以,我們有圓柱面、拋物柱面、橢圓柱面及雙曲柱面,真是琳瑯滿目,不是嗎?

7.3　旋轉曲面

　　這兒有個簡單的方法,可以用來製造一些有趣的曲面。我們可以在一個座標平面上取一條曲線,然後讓它繞著其中一根座標軸旋轉,結果可得到一個曲面,叫做旋轉曲面。比如圖 7.8 所示,就是假設我們在 yz 平面上有一條曲線 $z = f(y)$,並且讓它繞著 z 軸旋轉,所得到的旋轉曲面。

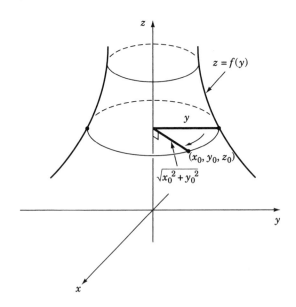

圖7.8　曲線 $z = f(y)$ 繞著 z 軸旋轉。

　　該曲線上的任何一點(y, z)，跟z軸的距離為y，在旋轉之後，原先的單獨一點就形成了一整個圓的軌跡，其上各點跟z軸的距離均為y。但是空間中的任何一點(x_0, y_0, z_0)，跟z軸的距離為$\sqrt{x_0^2 + y_0^2}$。因此，整個圓上的所有點都必須滿足原曲線的方程式$z = f(y)$，但是方程式裡的y要以$\sqrt{x^2 + y^2}$取代，所以

$$z = f(\sqrt{x^2 + y^2})$$

就是新形成的旋轉曲面的方程式。

範例　當我們讓曲線$x = -z^2$繞著x軸旋轉，會形成一個旋轉曲面，試求該曲面的方程式。

　　解：經過剛才的解說，這題就成了為長者折枝的舉手之勞。我們只需依樣畫葫蘆就可以了。由於曲線上各點與x軸的距離為z，所以我們以$\sqrt{y^2 + z^2}$取代原方程式中的z，得到

$$x = -(\sqrt{y^2 + z^2})^2$$
$$x = -y^2 - z^2$$

　　圖7.9（見次頁）顯示的就是這個曲面的外貌了。

7.4　二次曲面（帶 –oid 字尾的曲面）

　　對老美來說，帶 –oid 字尾的字總是指一些怪異、讓人不舒服甚至討人厭的東西*。譬如說 paranoid（偏執狂）；比較起來，這字還算不錯的呢！另一個字是 steroid（類固醇）；除非你想在四健會的

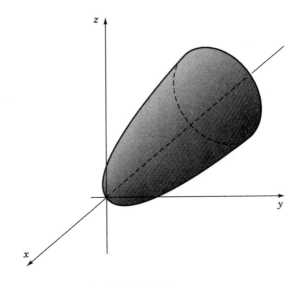

圖7.9 把曲線 $x = -z^2$ 繞著 x 軸旋轉的結果。

公牛比賽中奪取錦標，否則請千萬遠離這個東西。再來就是 void（空虛）；你年紀輕輕，不會喜歡在這個地方久待。然後是 hemor-rhoid（痔瘡）；這個字嘛，恕無可奉告。（＊譯按：其實-oid字尾是表示「類似……的」、「像……的」的意思，沒有任何貶義在內。）

現在我們要介紹一組新的 -oid 字，這些字並不像上面所舉的例子那麼令人討厭，它們就是：ellipsoid（橢球面）、hyperboloid（雙曲面）、paraboloid（拋物面），及 hyperbolic paraboloid（雙曲拋物面），這些就是所謂的二次曲面。之所以叫做「二次」，是因為它們的方程式全是二次的，也就是變數最高次數為2的方程式。二次方程式的通式為：

$$ax^2 + by^2 + cz^2 + dx + ey + fz + g = 0$$

　　既然形式都長得一個樣，那麼當我們面對其中一個時，又要如何判定它的圖形是什麼樣子呢？可記得在你小的時候，祖母總是告誡你說：「小乖乖，不要貪多，一次只能拿一片土司！」

　　當時你非常不以為然，心想：「準是老奶奶沒事找碴所訂的餿規矩！」但是你後來漸漸發現，這真是金玉良言。現在，我們又要再一次用上老奶奶的忠告，因為若要徹底瞭解這些曲面，我們也得把它們切成片，然後一次拿一片——別急著抹奶油。

範例1　試畫出曲面：$z = x^2 + y^2$。

　　解：怎麼切呢？我們可以順著三個座標平面來切。首先取 $x = 0$ 的那塊平面，也就是 yz 平面，切的方法就是令 $x = 0$，結果得到了 $z = y^2$。一看就知道，這個方程式是一條在 yz 平面上，開口朝正 z 軸方向，如假包換的拋物線。

　　接著我們取 $y = 0$ 的那塊平面，亦即令 $y = 0$，結果得到了 $z = x^2$。這是在 xz 平面上，開口向正 z 軸方向的標準拋物線。

　　我們再取 $z = 0$，亦即 xy 平面，令 $z = 0$，結果得到了 $0 = x^2 + y^2$。由於 x^2 跟 y^2 都不可能是負數，唯一能讓它們的和等於0的可能情況，是它們兩個都等於0；換言之，唯一的解就是點$(0, 0)$。

　　以上求出的兩條拋物線跟一點，代表曲面 $z = x^2 + y^2$ 跟三塊座標平面的交線或交點，把它們分別畫出來之後，就構成了一個骨架。從這骨架看來，我們要畫的曲面似乎是一個碗狀的物件，可以用來盛裝乾果或放射性碘元素。那麼我們要怎樣才能確定，它的確是一個碗呢？讓我們再切它一刀，這回用一個比 xy 平面高一些且跟它平

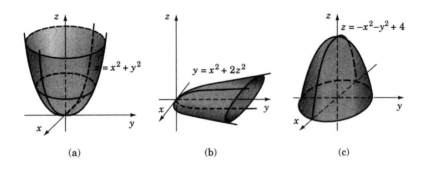

圖7.10　幾個不同的拋物面

行的平面，譬如說 $z = 1$。令 $z = 1$，我們得到 $1 = x^2 + y^2$，表示該平面與曲面 $z = x^2 + y^2$ 相交於一個半徑為1的圓。把這個圓畫在平面 $z = 1$ 上，就足以證實我們的猜想：它的確是一個碗狀的曲面（見圖 7.10a）。

這種類型的碗，是拋物線的一種推廣，故稱為拋物面。不過例題1所給的這個拋物面，就好像大賣場裡的貨色，可說是最陽春的一種。我們可以把一些常數加在各個項的前面，並且（或者）把其中 x、y、z 的角色互相掉換一下，這樣就能製造出一些較為複雜而有趣的拋物面（當然價格上也就相對提高了）。

這兒隨便舉兩個例子。圖7.10b中所示的是 $y = x^2 + 2z^2$ 的圖形，而圖7.10c則為 $z = -x^2 - y^2 + 4$ 的圖形。

羅氏測驗問題1　在看到圖7.10c的曲面時，你會聯想到下列物品中的哪一樣？

1. 山丘
2. 魚頭
3. 舌頭

現在再看另一類型的曲面。

範例2 試畫出曲面：$x^2 + \dfrac{y^2}{9} + \dfrac{z^2}{16} = 1$。

解： 分別順著三塊座標平面切開時，我們都得到一個橢圓：

令 $x = 0$，得到橢圓 $\dfrac{y^2}{9} + \dfrac{z^2}{16} = 1$。

令 $y = 0$，得到橢圓 $x^2 + \dfrac{z^2}{16} = 1$。

令 $z = 0$，得到橢圓 $x^2 + \dfrac{y^2}{9} = 1$。

在相對應的座標平面上，分別畫出這三個橢圓曲線，把它們當做骨架，我們就很容易看出，這曲面是個壓扁了的球面，叫做橢球面（如次頁圖7.11所示）。

羅氏測驗問題2 在看到圖7.11時，你會聯想到以下哪一樣東西？

1. 恐龍蛋
2. 普拿疼藥丸
3. 睪丸

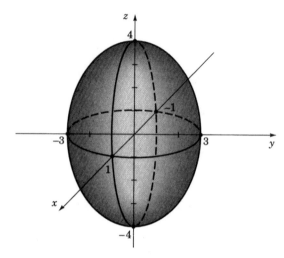

圖7.11　橢球面：$x^2 + \dfrac{y^2}{9} + \dfrac{z^2}{16} = 1$

讓我們看看另一類型的曲面。

範例3　試畫出曲面：$z^2 = x^2 + 4y^2 - 4$。

　　解：用平面 $x = 0$ 來切，我們得到雙曲線 $z^2 = 4y^2 - 4$。當 $z = 0$ 時，該雙曲線與 y 軸相交於 ± 1；而當 $y = 0$ 時，z 無解（$z^2 = -4$），表示該雙曲線不跟 z 軸相交。

　　用平面 $y = 0$ 切開時，我們得到另一條雙曲線：$z^2 = x^2 - 4$；而用平面 $z = 0$ 切開時，我們得到的是橢圓：$0 = x^2 + 4y^2 - 4$。把這三條曲線畫出來之後，可以大略得到如圖7.12所示的曲面骨架。為了進一步確定這樣的想法，我們可以選擇在 $z = 1$、2、-1、-2 分別切開，來一一證明。

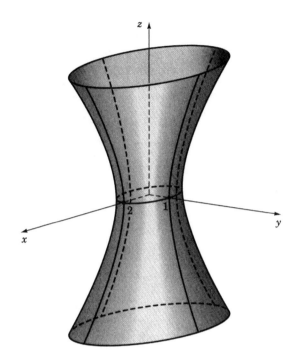

圖7.12　代表 $z^2 = x^2 + 4y^2 - 4$ 的單葉雙曲面。

這種曲面叫做單葉雙曲面。

羅氏測驗問題3　圖7.12會使你聯想到下列物品中的哪一樣？

1.　核能發電廠的冷卻塔

2.　束腹

3.　你的舅舅穿著束腹

範例4 試畫出 $z^2 = x^2 + y^2$。

解：順著 $x = 0$ 平面切開時，我們得到 $z^2 = y^2$，即 $z = \pm y$。這是兩條交叉直線；同樣的，在順著 $y = 0$ 平面切開時，我們得到了另外一對交叉直線：$z = \pm x$。最後，順著 $z = 0$ 平面切開時，得到的是 $0 = x^2 + y^2$，它唯一的解是點 $(x, y) = (0, 0)$。然而，等畫好了這個曲面的骨架之後，我們仍然很難看出它究竟是什麼模樣。

所以，我們選在平面 $z = 1$ 再切它一刀，結果得到一個半徑為 1 的圓；同樣的，順著平面 $z = 2$ 切開時，得到一個半徑為 $\sqrt{2}$ 的圓；

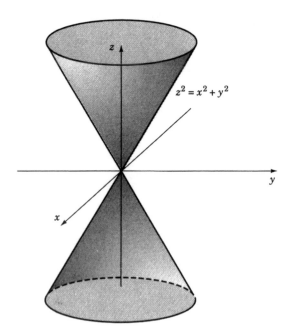

圖 7.13 相連的兩個圓錐面

而在 $z = -1$ 跟 $z = -2$ 處分別切開時，也得到與前相同的兩個圓。有了這四個圓，該曲面的外貌就變得非常明顯了：如圖 7.13 所示，它是一對在原點相連的圓錐面。

範例5 試畫出 $z^2 = x^2 + y^2 + 1$。

解：看過上面各範例之後，現在你應該知道怎麼做切片工作了。本題得到的曲面如圖 7.14 所示，叫做雙葉雙曲面。

範例6 試畫出 $z = x^2 - y^2$。

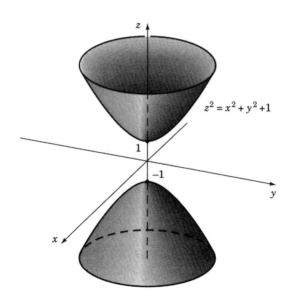

$$z^2 = x^2 + y^2 + 1$$

圖7.14 雙葉雙曲面

解：最後這個範例頗值得我們小心從事，因為三刀切下來，結果都不一樣，讓事情變得有些複雜。首先順著平面 $x = 0$ 切開，我們得到 $z = -y^2$，是一條碗口朝下的拋物線。然後順著平面 $y = 0$ 切開，得到 $z = x^2$，是一條碗口朝上的拋物線。從這兩塊切面得到的骨架顯示，這兩個拋物線彼此背對，共用一點，而且它們在那一點上又是相互垂直。

接下來，順著平面 $z = 0$ 切開，我們得到 $0 = x^2 - y^2$，或 $y = \pm x$，代表兩條直交的直線。這兩條直線跟上面的兩條拋物線，構成如圖 7.15a 所示的骨架，而圖 7.15b 則是曲面本身的模樣。它的形狀像一個馬鞍或品客洋芋片，數學家則喜歡把它叫做雙曲拋物面，聽起來比拴在馬背上的舊皮貨有學問一些。

羅氏測驗問題 4　圖 7.15b 會讓你聯想到下列物品中的哪一樣？

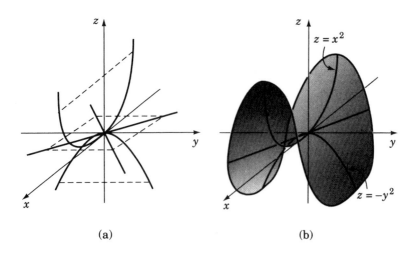

(a)　　　　　　　　　　　(b)

圖 7.15　$z = x^2 - y^2$ 代表的雙曲拋物面

1. 品客洋芋片
2. 馬鞍
3. 牛仔褲的褲襠

　　好啦！讓我們來瞧瞧你的羅氏測驗結果。請把你在以上四個問題的答案號碼加起來，然後參照下表，就可以得知你的精神狀態：

　0 – 3 ： 你在閱讀文字說明或遵照指示的能力方面顯然有問題。

　4 – 6 ： 你的精神狀態保證完全正常。

　7 – 9 ： 你有沒有考慮過找心理醫生談談？

10 – 11 ： 你可能需要在一個四壁都襯有軟墊的房間裡待上幾天。

　　12 ： 你是個活動的定時炸彈。趕緊打119通知離你最近的治安機構，叫他們馬上派員把你帶走。

　　13 ： 你跑錯教室了，我們現在上的是微積分。修微積分之前，必須先學會加法。

第 *8* 章

多變數函數，
及它們的偏導數

8.1　多變數函數

從開始學習微積分到現在，我們所遇到的函數多是像 $f(x)$ 一樣，其中只包含一個變數。它們很單純，運算起來也很容易，只要我們把一個數放進去，就可以等著它們的答案出來。我們對它們非常熟悉，其中一些甚至滿討人喜愛；譬如 $f(x) = \sin x$，誰又能討厭它呢？甚至向量值函數 $\mathbf{r}(t) = \langle 2 + t, 3 - 5t, 7t \rangle$，雖然是個三維空間中的向量，它的值也只是由一個變數 t 來決定。

但是，人往高處爬，猶如水往低處流，人類不會滿足於簡單、平實無華的生活——你我都希望有朝一日能住進景觀大廈的頂樓，

開著紅色敞篷車，同樣的，我們也希望跟比較有挑戰性的多變數函數周旋，讓自己看起來更有水準。

那麼，有兩個變數的函數是怎麼回事呢？這種函數就像一個有兩張嘴的函數機器，我們餵它 x 跟 y 兩個數，它就會吐出另外一個數：$f(x, y)$。為什麼它只吐出一個數，而不是兩個，甚至三個呢？其實那些情況都有可能，不過我們首先要把握住一些基本概念，然後才去談那些細枝末節。

範例1　$f(x, y) = 2x + y$

如果把一個數對$(2, 3)$丟進去，會蹦出什麼？這不是腦筋急轉彎，答案很明顯：蹦出來的是7。那麼兩個數丟進去的次序跟答案有關係嗎？絕對有關！如果你把它們換成$(3, 2)$再丟進去，仍舊得到7，那麼準是你的注意力渙散，該去喝杯咖啡提提神，然後重做一遍，因為你應該得到8。

我們可以把$f(x, y)$這個數，想成是在告訴我們，xy平面上一點(x, y)在垂直方向的高度z。換言之，如果我們要畫出兩個變數的函數，我們可以設 $z = f(x, y)$，然後在三維空間中畫出所有的點(x, y, z)，而全部的點(x, y, z)的集合，就是三維空間中的一個曲面。以上述範例中的函數為例，我們可以標示出所有能滿足 $z = 2x + y$ 的點(x, y, z)，就會畫出如次頁圖8.1的曲面（平面）。這兒的z叫做應變數，而x跟y則為自變數。

由於圖8.1的這個曲面看似直線，所以它的函數$f(x, y) = 2x + y$就叫做線性函數。好吧，我們承認它不是直線，而是個平面。線性函數裡可以有任意多個變數，譬如下面這個線性函數就有四個變數：

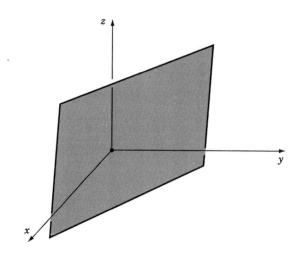

圖 8.1　線性函數 $f(x, y) = 2x + y$ 的圖形

$$f(x, y, z, w) = 2x - y + 57z - \sqrt{2}w + 3$$

若要像前例那樣，把它成功的畫出來，我們恐怕需要一個五維空間圖才辦得到，那不是我們現在需要解決的問題。要判定 f 是否為線性函數，其實只需看它的式子內容就可以了：函數裡不能有任何搞怪的東西，包括乘方、三角函數、根號、流浪貓等等；也就是說，其中每一項都只能是（常數）×（變數）的形式。上面的函數式裡雖然有個 $\sqrt{2}$，但那沒關係，因為 $\sqrt{2}$ 是一個常數，不過，根號裡絕不能有變數，諸如 $\sqrt{w}$。線性函數是一切函數中最單純的一種，有如冰淇淋世界裡的香草口味。

對於那些認為香草冰淇淋不解饞，喜歡濃濃的巧克力糖漿外加一粒櫻桃的人，我們準備了以下的範例 2。

範例2　$f(x, y) = x^2 + y^2 - 2y$

無論你怎麼看，它都不會是線性函數。但是它跟上一章裡談到的拋物面很接近，你應該覺得似曾相識。同樣的眼睛、同樣的鼻子，只是額頭上多長出了一個$-2y$項。現在讓我們先試著把其中有y的項配方，看看是否對你的記憶有幫助。

$$z = x^2 + (y^2 - 2y + 1) - 1$$
$$= x^2 + (y - 1)^2 - 1$$

這不就跟大賣場裡的標準拋物面很像嗎？不同的是，y換成了$y - 1$，尾巴上還多出了-1。$y - 1$取代y，表示這同一個拋物面向正y軸的方向移動了一單位，而多出的-1，表示它還得沿著z方向下移一單位。移動之後的結果就成了次頁圖8.2的曲面。

對於口味更重、喜歡鰻魚加辣根口味冰淇淋的人，我們備有範例3。

範例3　$f(x, y) = \sin x \cos y$

讓我們把所有能夠滿足$z = \sin x \cos y$的點(x, y, z)全找出來。說得倒是挺容易似的，究竟怎麼個找法呢？不要慌，記住老祖母的話，一片一片來。首先我們順著$z = 0$（即xy平面）切開，我們發現在xy平面上，所有能夠叫$\sin x \cos y = 0$成立的點，合起來就是圖8.3所畫的格線。因為若要$\sin x \cos y = 0$，要嘛$\sin x = 0$，或是$\cos y = 0$；前者需要x等於π的整數倍，後者則需要y等於$\pi/2$的奇數倍。

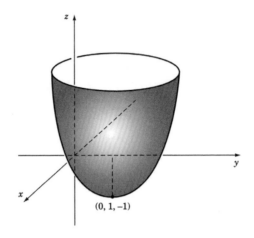

圖8.2　$f(x, y) = x^2 + y^2 - 2y$ 的圖形。

圖8.3　當 $\sin x \cos y = 0$ 時，所有 (x, y) 點構成了 xy 平面上的格線。

圖 8.4　$f(x, y) = \sin x \cos y$ 的圖形

那麼在 xy 平面之外，也就是格線的中間部分，$z = \sin x \cos y$ 又在幹些什麼呢？由於四周都被格線釘牢在 xy 平面上，我們可以想見，中間部分也沒什麼太多戲好唱，它要不是凸起來形成一個山丘，就是凹下去形成一個山谷（見圖 8.4）。

怎麼判定在某一方格內它是凸起來或是凹下去呢？我們可以把該方格中心點的座標值，諸如 $(\pi/2, 0)$，代進函數試試看：

$$f(\pi/2, 0) = \sin(\pi/2)\cos(0) = 1$$

這表示以 $(\pi/2, 0)$ 爲中心點的方格，是凸起來形成了一個山丘。如是試了幾個方格之後可以知道，跟山丘方格相鄰的四個方格都是山谷，而跟山谷方格相鄰的四個方格都是山丘。它們的排列分布情形就跟黑白格相間的西洋棋盤一樣。

在現實生活中，多變數函數比比皆是，此道理很明顯，正如人們常說的，世間一切事物都充滿了變數。這兒隨便舉個例。下星期

就是感恩節了，而你回不回家過節，只取決於你這個星期的課業份量，那簡單得很；如果星期五你發現有太多書要念，有太多報告要交，那就待在宿舍裡不回家過節，犧牲一頓火雞大餐；如果老師心腸軟，這星期就只給了一個帶回家做的測驗，不用花費許多工夫就可擺平，那就回家吃火雞。

　　但是經驗告訴我們，影響一件事的因素不只一個：除了課業負擔之外，你可能得看那位從小專門喜歡整你的堂哥是否會到家中作客，你現在還欠你大哥多少錢，以及是否還想面對火雞旁邊那盤叫你噁心的配菜……總之，你回不回家的這個決定，就是一個多變數函數。

　　本章的其餘部分，我們要討論具有一個以上變數的函數，包括如何描繪圖形、如何取極限、如何求微分（因為此書是微積分），以及討論我們幹嘛求它們的微分。

　　嘿！今年你們家的感恩節火雞肚子裡，是用什麼做填料呀？

8.2　等高線

　　這一節裡，我們要介紹「等高線」的概念，這個概念對喜愛露宿野外、與蚊蚋為伴的人來說，並不陌生。在等高線圖上，這類曲線能幫助你看出地形的高低起伏，而在這兒，我們要藉由它們的幫助，看出三維空間曲面圖形的立體感。

漫步森林中

　　話說你在美國懷俄明州境內的微溫水州立公園，已經迷路了整

整三天，隨身攜帶的乾糧早已經吃光，樹皮草根之外，連皮夾都被你拿來祭了五臟廟。

　　正在山窮水盡疑無路的時候，你才突然記起襯衫左邊口袋裡面有一張地圖。拿出來攤開一看，它正好就是你所希望看到的等高線圖，整張地圖上布滿了彎彎扭扭的綠色線條，每一條線各代表一個水平高度。地圖上指出，全區的最高點是「中等高度峰」，於是你從四周林木的間隙中極目望出去，找出目力所及的最高點。啊哈！那大概就是「中等高度峰」了，你高興的告訴自己，然後對準方向，朝它走去。

　　第二天中午之前，你終於來到了頂峰，興奮的俯瞰著四周並不怎樣出色的景致，對照著那張地圖，你很快就看到公園入口處的小店，那兒可以買到分裝好的冷凍熱狗，只要在店裡的微波爐中加熱一下，就可以大快朵頤了。當然，你知道地圖上的等高線就是等高平面跟這座山峰的交線，所以你可以參照地圖，在心中想像整座山的地形地勢，讓自己安全的回到這個後現代文明世界——你的熱狗不加芥末吧？

　　我們要做的同樣的事，雖然沒有熱狗。藉由曲面的等高線，我們可以清楚知道這個曲面的真實面貌。

範例1　試求曲面$f(x, y) = 4 - x^2 - y^2$的等高線。

　　解：$f(x, y) = 4 - x^2 - y^2$的函數圖形，相當於三維空間中所有能滿足以下方程式的點(x, y, z)：

$$z = 4 - x^2 - y^2$$

　　順著不同z值的平面切它幾刀，所得到的交線就是我們要的等高線了。當$z = 0$時，我們得到一個圓：$x^2 + y^2 = 4$，其半徑為2；當$z = 1$時，我們得到的是圓：$x^2 + y^2 = 3$，半徑為$\sqrt{3}$；而當$z = 2$時，我們得到一個半徑為$\sqrt{2}$的圓；當$z = 3$，我們得到半徑為1的圓；最後，當$z = 4$時，我們得到$x^2 + y^2 = 0$，亦即半徑為0的圓，其實也就是一個點。把這些圓一起畫出來，就成了圖8.5，這個圖形是咱們的老朋友拋物面，只不過這一回碗底朝上。

　　假如我們把這些交線都投影到xy平面上，而且描繪在xy平面上，並標示出每條曲線的z座標值，就可得到圖8.6。這種圖形通常稱為該函數的等高線圖。

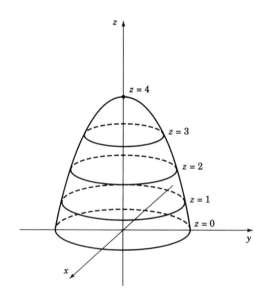

圖8.5　$f(x, y) = 4 - x^2 - y^2$的圖形

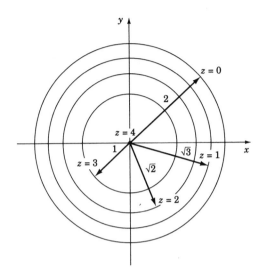

圖8.6　$f(x, y) = 4 - x^2 - y^2$ 的等高線圖

我們也可以反向操作，由等高線圖推敲出三維的函數圖形。

範例2　次頁圖8.7中的等高線代表一個曲面，請問是啥曲面？

解：我們從圖上的等高線看到，這個曲面跟xy平面上方的那些水平平面（即$z > 0$者），相交於一些不經過yz平面的雙曲線，而且跟xy平面下方的水平平面（即$z < 0$者），相交於一些不經過xz平面的雙曲線。至於它跟xy平面本身的交線，則為兩條直交的對角線。具有這樣特性的曲面無他，就是每一位牛仔心中最惦念的曲面——馬鞍。最單純的鞍面方程式就是$z = x^2 - y^2$，圖8.8顯示的就是它的圖形。

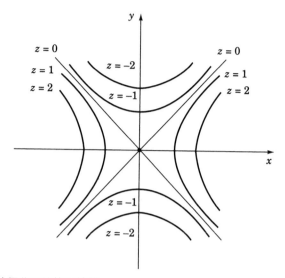

圖 8.7　某個曲面的等高線圖

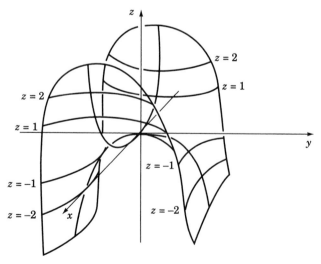

圖 8.8　$z = x^2 - y^2$ 所代表的馬鞍（鞍面）

8.3 極限

為了定義多變數函數的導數，我們需要先瞭解它們的極限。在此之前，也許我們還應該複習一下單變數函數的極限。

單變數函數的極限：回顧

你還記得極限的觀念嗎？基本上，我們可以把極限想成是戀愛。如果當 x 趨近 a，$f(x)$ 會向 L 趨近，我們就說 $\lim_{x \to a} f(x) = L$。這意思是說，當 x 靠近 a 時，$f(x)$ 對 L 的好感會逐漸增加。至於當 $x = a$ 時，$f(x)$ 的值究竟等於什麼，就不重要了，關鍵是在 x 差一點就要變成 a 時的 $f(x)$ 值。

比方說，

$$\lim_{x \to 2} x^2 - 3x + 4 = 2^2 - 3(2) + 4 = 2$$

在這個例子，$f(x)$ 在 x 趨近 a 時的極限剛好等於它在 $x = a$ 的值。我們看另一個例子：

$$\lim_{x \to 1} \frac{x^2 - 1}{x - 1}$$

這時，雖然在 $x = 1$ 時，$\dfrac{x^2 - 1}{x - 1}$ 沒有定義，但是下式依然成立：

$$\lim_{x \to 1} \frac{x^2 - 1}{x - 1} = \lim_{x \to 1} \frac{(x - 1)(x + 1)}{x - 1} = \lim_{x \to 1} x + 1 = 2$$

在單變數函數的情形下，x 趨近 a 的方式有兩種：可從左邊（因

而 $x <$ a），也可以從右邊（因而 $x >$ a）。唯有在 x 從左邊跟右邊趨近 a 時，$f(x)$都趨近同一個 L 值的情況下，該極限才存在。

多變數函數的極限

　　不管函數是單變數或是多變數，取極限都類似戀愛。在這兒我們要強調一點，此處所說的戀愛，是真正的戀愛，而非瞬間即逝的激情。不期而遇時的驚艷傾心，接下來的發展都沒啥好結果；雖然對方美好的第一形象，吸引了你的注意力，但是隨後你多半會發現，他習慣用一把大彎刀剪腳指甲，或是晚上睡覺時，需要有人拍他的背他才能入睡，這樣一來，跟他生活在一起可能就不像當初想像得那麼浪漫了。

　　所以，此處所說的戀愛，是一種緩慢、漸進的過程。對方每做一件小事，都只會使你覺得他（她）更加可愛。這就是函數的戀愛方式。

範例1　當(x, y)趨近$(1, 1)$時，$f(x, y) = x^2y + x$ 的極限為何？

　　解：當(x, y)趨近$(1, 1)$時，$x^2y + x$ 會趨近 2。不管(x, y)是從哪個方向或路線去趨近$(1, 1)$，到了決定時刻，$x^2y + x$ 會毫不猶疑的採取行動，且忠於她之所愛，託付終身，在此例中，那個男人就是 2。所以我們寫成：

$$\lim_{(x,y)\to(1,1)} x^2y + x = 2$$

　　事實上，所有的多項式函數都是上述這種老實結婚型；也就是

如果 P(x, y) 是一個有 x 跟 y 的多項式，則

$$\lim_{(x,y)\to(a,b)} P(x, y) = P(a, b)$$

意思就是，我們只需用 P(x, y) 在點 (a, b) 上的值，來求得它的極限，換言之，只需把 a、b 代入即可。原因是，多變數函數也遵守單變數函數所遵守的法則。當 f 跟 g 都各自有極限時，這些法則告訴我們：

1.　$\lim (f + g) = \lim f + \lim g$

2.　$\lim cf = c \lim f$

3.　$\lim (fg) = \lim f \lim g$

4.　$\lim \left(\dfrac{f}{g}\right) = \dfrac{\lim f}{\lim g}$（若 $\lim g \neq 0$）

所以

$$
\begin{aligned}
\lim_{(x,y)\to(1,1)} x^2 y + x &= \lim_{(x,y)\to(1,1)} x^2 y + \lim_{(x,y)\to(1,1)} x \\
&= \left(\lim_{(x,y)\to(1,1)} x^2\right)\left(\lim_{(x,y)\to(1,1)} y\right) + \lim_{(x,y)\to(1,1)} x \\
&= (1)^2(1) + 1 \\
&= 2
\end{aligned}
$$

　　不過，比多項式更一般化的函數，其極限也會更複雜。不像我們在考慮單變數函數時，x 只會從 a 的左方或是右方趨近 a。在有兩個變數的函數的情況，如果在 xy 平面上有一點 (x, y) 朝向另一點 (a, b) 趨近，可能的趨近路徑可以說有非常非常多個。在次頁的圖 8.9 中，我們畫了三條比較具代表性的路徑：一條直線，一條曲線，跟一條螺旋線。如果極限存在，不論所取的路徑是啥，得到的結果都會相

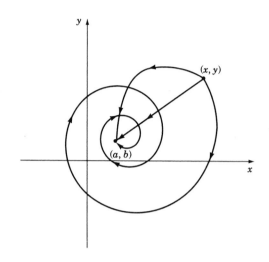

圖8.9 從(x, y)到(a, b)的可能路徑

同。眞愛是超越路徑的。（這本書不只討論微積分，還談論人生呢！）

但是問題來了，既然路徑的數目無限，那麼如有必要時，我們如何去一一檢驗這些向(a, b)靠近的路徑呢？讓我們看一個實際的例子好了。

範例2 試求 $\lim_{(x, y) \to (0, 0)} \dfrac{xy}{\sqrt{x^2 + y^2}}$ 。

解：請注意，這個式子屬於0/0型的不定式。一聽到不定式，你可能馬上聯想到羅必達法則，但是很抱歉，對多變數函數來說，羅必達法則愛莫能助。那麼我們要如何檢驗從(x, y)到(a, b)的所有可能路徑呢？試試這個：轉換成極座標。轉換成極座標這件事，很像你

改變宗教信仰，只不過你的爸媽不會因此而惱火。還記得吧：

$$x = r\cos\theta \qquad y = r\sin\theta \qquad r = \sqrt{x^2 + y^2}$$

特別注意當(x, y)趨近$(0, 0)$時，r會趨近0。

因此，我們所求的極限變成

$$\lim_{(x,y)\to(0,0)} \frac{xy}{\sqrt{x^2 + y^2}} = \lim_{r\to 0} \frac{(r\cos\theta)(r\sin\theta)}{r} = \lim_{r\to 0} r\cos\theta\sin\theta = 0$$

之所以等於0，是因為$\cos\theta$　$\sin\theta$絕不會大於1，以它去乘一個趨近於0的r，答案當然會跟著趨近於0。

但是得注意，轉換成極座標這一招，只能用在當(x, y)趨近$(0, 0)$的情況下，除此之外可就無效了。

範例3　試判定下列這個極限是否存在：

$$\lim_{(x,y)\to(0,0)} \frac{x^2 - y^2}{x^2 + y^2}$$

解：如果把它轉換成極座標，我們得到

$$\lim_{(x,y)\to(0,0)} \frac{x^2 - y^2}{x^2 + y^2} = \lim_{r\to 0} \frac{(r\cos\theta)^2 - (r\sin\theta)^2}{r^2} = \lim_{r\to 0} (\cos\theta)^2 - (\sin\theta)^2$$

這個答案很有意思，因為它隨著θ的不同而有不同的值。比方說，如果$\theta = 0$（這就相當於我們沿著正x軸方向趨近$(0, 0)$），則極限為1；如果$\theta = \pi/2$（這相當於我們沿著正y軸方向趨近$(0, 0)$），則極限為-1；如果$\theta = \pi/4$（這相當於我們沿著直線$x = y$向$(0, 0)$趨近），

則極限為0。由此我們看出，極限的值會隨著趨近(0, 0)的路徑不同而有差異，所以極限不存在！

　　這一題其實不用轉換成極座標，也能得到相同的答案。方法很簡單，先設 $y = 0$（意思就是我們沿著 x 軸向(0, 0)趨近），極限就變成

$$\lim_{x \to 0} \frac{x^2 - 0^2}{x^2 + 0^2} = \lim_{x \to 0} 1 = 1$$

但是，設 $x = 0$（沿著 y 軸向(0, 0)趨近）時，極限卻變成了

$$\lim_{x \to 0} \frac{0^2 - y^2}{0^2 + y^2} = \lim_{x \to 0} (-1) = -1$$

兩個不同的路徑導出不同的結果，所以極限根本就不存在。

　　嘿！你這馬鈴薯沙拉的味道與眾不同，加了什麼特殊佐料？

8.4　連續性

　　函數分兩類，一類為連續函數，另一類為不連續函數。前者的圖形很完整，其上沒有漏洞跟扯裂之處；不連續函數則非常危險，展現的地形一看就知道需要登山裝備。

　　如果你想去走一趟，得注意些什麼呢？最要緊的是地上的凹洞，凹洞對每一個徒步旅行者，都可說是致命的陷阱，要是一腳不小心卡進洞裡，腿骨就報銷了，等到太陽下山，你就成了熊的晚餐。當然，即使你十二萬分小心，沒踩進洞裡，但若是沒注意到斷

崖而摔了下去，那也是死路一條——這種走法看似捷徑，實際上是一個很緩慢的程序；在離開這世界之前，你的一生都會在眼前重現一遍，而且是慢動作，畫面中甚至包括了你跟小學老師及同學去參觀科博館，在路上發生的小意外，以及國中時期，有人在班上散布你的謠言，說你喜歡漂亮的音樂老師等等。

更壞的狀況是，你走上一段山坡，一個不小心就掉進了正在爆發的聖海倫斯火山口。那可是一趟很了不起的天路歷程，因為你的身體頓時變成了熾熱的火山灰，被噴射到俄勒岡州的上空漫遊去了。不錯，以上都是不連續性的例子。

當然，單變數函數的不連續性，不見得都這麼糟，你的記憶裡也可能有一些溫馨的例子。

總而言之，以上所描寫的三種情況：破洞、斷崖跟火山口，都在圖8.10顯示的函數 $y = f(x)$ 的圖形裡，而在這三個點，函數 $f(x)$ 都不連續。至於此三點之外的部分，這個函數都是連續的，而且自得其樂。對於「單變數函數某一點為連續」的意義，咱們有一個正式的

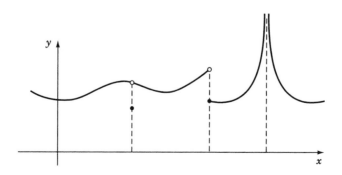

圖8.10　三種不連續性

定義，是這麼說的：

> 如果 $\lim\limits_{x \to a} f(x) = f(a)$，則函數 $f(x)$ 在 $x = a$ 處為連續。

這個定義說明了以下三件事：

1. 該極限存在。
2. 函數 $f(x)$ 在 $x = a$ 有定義。
3. 該極限等於 $f(a)$。

以前頁圖 8.10 所示的三個例子來說，我們可以看出：破洞處之所以不連續，原因是 $\lim\limits_{x \to a} f(x) \neq f(a)$；斷崖的情形則是，左極限跟右極限不相等，所以極限不存在；最後的火山口，則是因為極限跟 $f(a)$ 都不存在。

然而，現在談論的是雙變數函數，因而我們假設 $z = f(x, y)$ 為一個隨 x 跟 y 變化的函數。它的連續性定義，應該跟單變數的完全相同。

> 如果 $\lim\limits_{(x,y) \to (a,b)} f(x, y) = f(a, b)$ 成立，
> 則函數 $f(x, y)$ 在 $(x, y) = (a, b)$ 處為連續。

同樣的，這個定義指出了以下三件事：

1. $\lim\limits_{(x,y) \to (a,b)} f(x,y)$ 存在。
2. $f(x, y)$ 在 (a, b) 有定義。
3. $\lim\limits_{(x,y) \to (a,b)} f(x,y) = f(a,b)$。

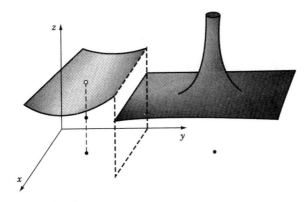

圖8.11　不連續函數

如圖8.11所示，若是在曲面上遇到了破洞、斷崖或是火山口，仍然表示$f(x, y)$不連續。

若某一函數在xy平面上的所有點(a, b)都連續，則我們說該函數處處連續。許多函數都是處處連續，譬如我們的好朋友，多項式，就是處處連續的函數，因為如果我們有個多項式，像$P(x, y) = 4x^3y + 7xy^2 - 2x + 9$，則

$$\lim_{(x,\, y) \to (a,\, b)} P(x, y) = P(a, b)$$

而且對xy平面上的每一個點(a, b)，上式都成立。此外，由連續函數相加、相減、相乘、相除與合成，而得到的更複雜的函數，在有定義的各點上仍然是連續的。

範例1　$f(x, y) = e^{\sin(xy)} + \ln(3x^2y^3)$在有定義的各點為連續的。

原因是，這個函數的組成份子為連續函數，如$\sin$、$\cos$、$\ln x$、

e^x等，它們以＋、－、×、÷以及合成的方式串聯而成。但是必須特別注意除法，因為除法有可能造成分母等於0的狀況，使函數在某些點沒有定義。另外我們還需記住，平方根不喜歡負數，而 ln x的x亦然。

因此，這個函數只要在有定義的地方，就是連續的。那麼有人會問，它究竟在什麼地方沒有定義？讓我們分析一下。首先，它的第一項$e^{\sin(xy)}$對所有的x跟y來說，都有定義，原因是 sin x跟e^x在任何地方都有定義。但是第二項 ln $(3x^2y^3)$ 就不一樣了；我們知道 ln x要求x為正，亦即只有當$3x^2y^3$為正值時，ln $(3x^2y^3)$ 才有定義，這就表示點(x, y)必須同時滿足$x \neq 0$跟$y > 0$——在這些點（亦即定義域），函數$f(x, y)$連續。

一般說來，我們可以把連續函數想成很友善、肯合作，而相反的，不連續函數則代表危險、很難對付。我們應儘量避開後者，若無可迴避，則須非常小心。

嘿，你怎麼才吃完馬鈴薯沙拉，又吃起奶油烤馬鈴薯？

8.5　偏導數

你應該還記得，函數$f(x)$的導數就代表$y = f(x)$圖形的切線（如圖8.12所示）。現在我們要把這項觀念，推廣到具有兩個變數的函數$f(x, y)$。

怎麼辦呢？讓我們假設，你現在正站在聖母峰的山腰上，身上是昂貴得出奇的登山裝跟裝備，有著閃亮耀眼的時髦花樣。當時你在專櫃店試穿這套服裝時，覺得自己酷得不得了，然而現在，你感

覺不到酷，而是寒冷徹骨，因為冰冷的寒風從外套的下緣縫中鑽了
進來，原來是你忘了把其中一條高科技束帶紮緊。

　　你被綁在一根繩索的一端，繩索懸掛在你頭頂上方那個卡在岩
縫裡的帶環鋼釘上，而繩索的另一端，則掌握在芬蘭籍隊長的手
中。他這時正拚命向你打手勢，並且用你壓根兒聽不懂的芬蘭話向
你猛喊；似乎從這次探險一開始，你對他的唯一印象，就是見他拚
命向你打手勢，並且用你聽不懂的芬蘭話向你猛喊。這時候風愈刮
愈大，氣溫也似乎在疾速下降，你不由得再一次自問，明明可以無
憂無慮的躺在游泳池面上，啜飲著熱帶果汁，幹嘛要發神經參加什
麼高山探險隊？

　　你猜測，也許這位芬蘭隊長看時候不早，應該轉回基地營區，
喝杯熱可可加上軟棉糖，以禦寒氣，所以你自以為是的向東跨出一
小步。哪裡知道你這一腳踩了個空，因為在你所踏出的方向，根本
沒有落腳處：下一個落腳處是在負 z 方向的 200 英尺外！幸好你頭頂
上的鋼釘沒有鬆脫，你才沒摔下去，結果整個人懸在半空中。這時
你的芬蘭隊長喊聲更急促響亮，同時死命的拽住繩索，額頭上的青

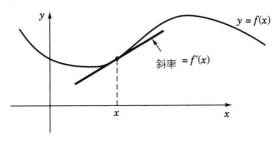

圖8.12　$f(x)$的導數值等於 $y = f(x)$ 曲線的切線斜率。

筋都冒了出來。

當然，剛才這幕驚險鏡頭之所以發生，問題出在山峰的東側坡度太陡。你定了定神，然後拿出吃奶的力氣，好不容易才收回了你那隻差一點造成千古恨的腳。驚魂甫定，仔細向下看清楚之後，你這才發現芬蘭隊長的手勢，原來是在叫你向正北方移動前進，因為那一側的坡度沒那麼大，一步跨出去，只不過向負 z 軸方向踏出 2 英尺而已。

這讓你思想起大學時代修過的多變數微積分。你記起了，當你在三維空間曲面上的一點，就跟你現在站在山腰上的情形一樣，你周圍有不只一個斜率。事實上，不管你面朝任何一個方向，都可能有一個不同的斜率，也就是在該方向上的切線的斜率。

假設這座山的表面，可由函數 $z = f(x, y)$ 的圖形來表示，其中的正 x 軸指向正東方，而正 y 軸指向正北方（如圖8.13）。剛才的那幕驚魂記，就相當於 x 方向上的切線斜率很大，而且為負值，約為 –200，因為落差有 200 英尺；至於正 y 方向（亦即正北方）上的切線斜率，雖然也是負值，但是沒那麼陡，大約為 –2，因為落差僅 2 英尺。

你仍然記得，你的微積分老師（那個看起來不太愛乾淨的傢伙）曾經告訴過你們，函數 f 對 x 的偏微分 $\dfrac{\partial f}{\partial x}$，就是它在 x 方向的切線的斜率。你還記得當時不太瞭解他的意思，於是發問道：「對不起，教授！x 方向哪有什麼切線？x 方向不是水平的嗎？切線不都是傾斜的嗎？」（多有趣啊，每當你的生命面臨危險時，你常會突然記起一些毫不相干的往事。）

於是，你的教授丟過來一個非常不屑的眼神，然後說：「你聽好，我的意思是你得取一個通過所求的那一點、且跟 xz 平面平行的

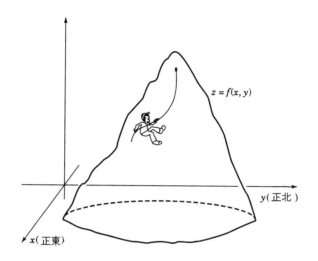

圖 8.13 登山

平面，然後在該平面上取這個曲面的切線，而這條切線的斜率就叫

做 $\dfrac{\partial f}{\partial x}$ (a, b)。」接著他就在黑板上畫了一個像圖 8.14 的圖形（請見

次頁）。

「我懂了！」你跟著說道：「如此一來，我們就可以用平面上求
導數的同樣方法，去計算它的導數了。」於是你也走上講台，在黑
板上畫了一個像圖 8.15 的圖形。

他見你如此舉一反三，立刻衝著你露齒一笑，只是露出的兩顆
門牙還真是難看透頂。即使如此，你對他馬上產生了不少好感，心
裡還打算也許就此轉系，主修數學。

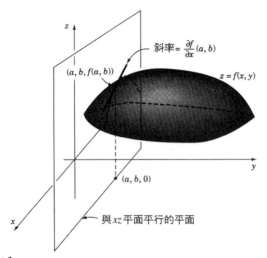

圖 8.14　$\dfrac{\partial f}{\partial x}$ 即是這條切線的斜率。

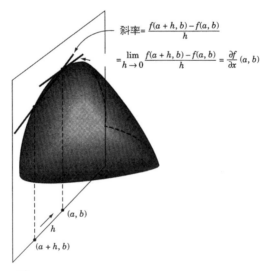

圖 8.15　求偏導數 $\dfrac{\partial f}{\partial x}(a, b)$。

　　所以，我們算是搞清楚如何測量一個曲面（也就是方程式 $z = f(x, y)$ 的圖形）在 x 方向上的斜率。辦法就是像圖8.14所示的，用一個與 xz 平面平行、且通過點 $(a, b, f(a, b))$ 的垂直平面，把這個曲面切上一刀。這一刀切下去，切出的是曲面與該平面的交線，而這條相交曲線在點 $(a, b, f(a, b))$ 的切線斜率，就叫做 $f(x, y)$ 在點 (a, b) 對 x 之偏導數，並寫做 $\dfrac{\partial f}{\partial x}(a, b)$。

　　由於我們所用的垂直平面，把原先的三維空間切成了二維，使得我們能夠應用單變數微積分中學過的方法，求切線斜率：如圖8.15所示，在曲線上另取一點 $(a + h, b)$，算出連接這兩點所成的割線的斜率，然後讓第二個點 $(a + h, b)$ 向第一點 (a, b) 趨近，取其極限。

　　以我們在此所舉的例子，寫成數學式便成為：

函數 f 對 x 的偏導數，就等於

$$\frac{\partial f}{\partial x} = \lim_{h \to 0} \frac{f(x + h, y) - f(x, y)}{h}$$

　　同理，$\dfrac{\partial f}{\partial y}(a, b)$ 代表同一曲面在同一點 $(a, b, f(a, b))$ 的另一條切線的斜率，這條切線是在一個與 yz 平面平行的平面上，且該平面依然通過點 $(a, b, f(a, b))$。如次頁圖8.16所示。

函數 f 對 y 的偏導數，就等於

$$\frac{\partial f}{\partial y} = \lim_{h \to 0} \frac{f(x, y + h) - f(x, y)}{h}$$

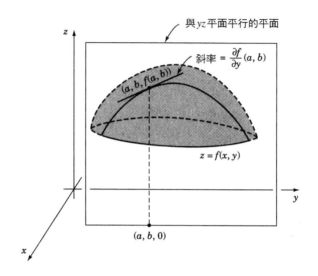

圖 8.16　此切線的斜率等於 $\dfrac{\partial f}{\partial y}$ (a, b)。

　　請注意，上述兩種情況中，我們都僅僅動到 x 跟 y 兩個變數中的一個，而把另外那個變數當做一個常數。事實上，這正是我們求偏導數的辦法：在對其中一個變數進行微分時，把其他的變數當做常數看待。我們索性把它寫成一個正式的法則：

求 $\dfrac{\partial f}{\partial x}$ 時，把 y 當做常數，然後對 x 微分。

　　所以如果 $f(x, y) = 2x + y$，那麼 $\dfrac{\partial f}{\partial x} = 2$。

在這兒我們假裝認為 y 不是變數，而是一個無足輕重的常數，因而一微分之後就不見了。

偏導數記號　偏導數的寫法並非一種，以下是常見的幾個：

$$f_x = 2$$

或

$$\frac{\partial f}{\partial x} = 2$$

或

$$\partial_x f = 2$$

或

$$D_x f = 2$$

讓我們舉幾個別的例子試試：

範例1　如果 $f(x, y) = x^2 y$，那麼 $\frac{\partial f}{\partial x} = 2xy$。

範例2　如果 $f(x, y) = \sin x \cos y$，那麼 $\frac{\partial f}{\partial y} = \cos x \cos y$。

對今後（至少對下一章）很有用的特殊重點：在以上所舉的範例中，在你把題目中所給的函數對 x 微分之後，所得到的都是一個新的

函數，而這個新函數仍然具有跟原先函數相同數目的變數。為了闡明此觀念，比較小心的寫法是：

$$f(x, y) = 2x + y$$
$$\frac{\partial f}{\partial x}(x, y) = 2$$

當然，所有雙變數函數裡面的 x 並不比 y 特殊，它之所以寫在 y 的前面，只是字母順序的關係。這就跟姓名以 z 起頭的人，每次都編排到隊尾一樣，只有認命的份。所以，它既然能對 x 微分，就照樣能對 y 微分，所得到的就是：

$$f(x, y) = 2x + y$$
$$\frac{\partial f}{\partial y} = 1$$

及

$$f(x, y) = x^2 y$$
$$\frac{\partial f}{\partial y} = x^2$$

及

$$f(x, y) = \sin x \cos y$$
$$\frac{\partial f}{\partial y} = (\sin x)(-\sin y)$$

好了，有了這套新演算法，你可以用不著害怕回家過感恩節啦！怎麼說呢？當你坐在餐桌上，你那開鞋店的堂哥開始唸他的賣鞋經，講他如何替一位患有拇趾內側囊腫炎的小老太婆試穿新鞋，或者餐桌上的噁心配菜跟人數的比是 10：1，此時你可以客客氣氣

的跟家人說，你必須先行告退，因為你還有學校帶回來的作業要做，要練習求偏導數的偏導數，或者偏導數的偏導數的偏導數，就像這樣：

$$f(x, y) = 2x + y$$

$$\frac{\partial f}{\partial y} = 1$$

$$\frac{\partial}{\partial x}\left(\frac{\partial f}{\partial y}\right) = \frac{\partial^2 f}{\partial x \, \partial y} = 0$$

在這兒我們是把 f 對 y 取偏導數之後，再對 x 取偏導數。由於 $\frac{\partial f}{\partial y}$ 的式子中已經沒有帶 x 項，故答案為0。

在 $\frac{\partial^2 f}{\partial x \, \partial y}$ 的寫法上，分子裡面的那個小2，告訴我們前後一共取了兩次偏導數，而分母則告訴我們這兩次偏導數的先後次序，從右讀向左。這跟單變數函數連續取導數的程序相彷彿，所不同的是這兒不只一種可能。

在寫多次取偏導數時，你就瞭解為什麼還會有其他的寫法，因為省事的緣故，譬如說，我們可以這麼寫（次序是由左到右）：

$$f(x, y) = 2x + y$$
$$f_y = 1$$
$$f_{yx} = 0$$
$$f_{yxy} = 0$$

這個函數才取了幾下偏導數，就玩完了。那麼 $f(x, y) = x^2y$ 呢？以下是隨意取幾個偏導數的一些例子：

$$f(x, y) = x^2 y$$
$$f_x = 2xy$$
$$f_{xy} = 2x$$
$$f_{xx} = 2y$$
$$f_{xxy} = 2$$

比上面那個線性函數持久了一些，但很快也宣告結束，沒戲唱了。

再試試$f(x, y) = \sin x \cos y$，哇！這個函數可耐玩得很，你可以從感恩節開始取偏導數，到過了新年還沒得完：

$$f(x, y) = \sin x \cos y$$
$$f_x = \cos x \cos y$$
$$f_y = -\sin x \sin y$$
$$f_{yx} = -\cos x \sin y$$
$$f_{xx} = -\sin x \cos y$$
$$f_{xxx} = -\cos x \cos y$$
$$f_{xxxx} = \sin x \cos y$$

這個函數的偏導數沒完沒了。我們之所以寫了一串x，是因為在想，如果把它以這個樣子公布在我們的網站上，一定會招來一大批閒著沒事幹的人，上網來抗議！

請注意，當我們取所謂的二階偏導數時，可能的組合一共有四個，那就是f_{xx}、f_{yy}、f_{xy}以及f_{yx}，實在是太複雜了，幸好數學之神對我們很仁慈，主動發善心幫我們的忙，讓$f_{xy} = f_{yx}$，這樣組合數目就少了一個，條件是只要它們是連續函數就成。我們通常叫這兩個導數為混合二階偏導數，也就是說，這兩個混合二階偏導數相等。讓我們

凸顯這件事實，把它寫成公式：當這些偏導數連續時，

$$\frac{\partial^2 f}{\partial y\, \partial x} \;=\; \frac{\partial^2 f}{\partial x\, \partial y}$$

　　由於幾乎所有我們處理過的函數，以及它們的導數，在定義域裡是連續的，我們大可不必擔心這個條件。

範例 3　試驗證函數 $f(x, y) = x^2y^3 + 7y \sin x + 6x$ 的兩個混合二階偏導數相等。

　　解：

$$f_x \;=\; 2xy^3 + 7y \cos x + 6$$

所以

$$f_{xy} \;=\; 6xy^2 + 7 \cos x$$

另一方面，

$$f_y \;=\; x^2 3y^2 + 7 \sin x$$

所以

$$f_{yx} \;=\; 6xy^2 + 7 \cos x$$

你看，f_{xy} 果然等於 f_{yx}。這不是奇蹟是啥？

那麼，偏導數有啥用？

　　真高興你問了這個問題。讓我們再談談山好了。假設我們要去爬「帕馬森乳酪郡」境內的最高峰，再假設那座山的表面為函數：$z = f(x, y)$的圖形。為了達到登山的目的，我們得要能確認我們的確到過山頂。那麼當我們到達山頂時，怎麼才能證明它是山頂呢？在山頂上，任何一條切線都是水平的，亦即其斜率為0。而$\dfrac{\partial f}{\partial x}$跟$\dfrac{\partial f}{\partial y}$是其中兩條切線的斜率，所以如果該點的確是山頂（如圖8.17所示），這兩個偏導數都必須等於0，即

$$\frac{\partial f}{\partial x} = 0$$

$$\frac{\partial f}{\partial y} = 0$$

　　我們可以利用這兩個條件來找出山頂：取這兩個偏導數，令它們等於0，然後解出同時符合$\dfrac{\partial f}{\partial x} = 0$跟$\dfrac{\partial f}{\partial y} = 0$的點$(x, y)$。這些點是山頂可能出現的所在點（叫做臨界點）。

　　事實上，這同一個觀念也可以用來找出山谷的位置，而且不必限定是此處所爬的山頂，世上任何大山、小丘都一樣適用。對於任何雙變數函數$f(x, y)$，不管它是一個利潤函數，還是代表冷藏保鮮盒內細菌數目的函數，這個方法都可以幫助我們找出該函數的最大或最小值，而這就是下節將討論的主題。

　　嘿！你這身大禮服燙得筆挺，該不會是要穿去爬山的吧！

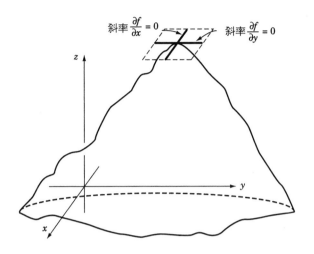

斜率 $\dfrac{\partial f}{\partial x} = 0$　　　　斜率 $\dfrac{\partial f}{\partial y} = 0$

圖8.17　山頂的所有切線都是水平的。

8.6　最大、最小值問題

　　在我們熟悉的眞實世界裡，我們最常遭遇到的問題，似乎都是在某種限制或約束之下，要找出某個量的最大或最小值。比方說，我們正爲減肥而節食，卻面對一大堆美味的甜點，這時我們腦子裡會馬上開始盤算，如何能取用最多樣的甜點，而讓熱量攝取不超過125大卡。或者學期即將結束，一星期之後就是大考，我們得考四門課，這時，任何一個有大腦的同學，一定會在心裡規劃如何分配這僅剩的一星期，讓這四門課考下來，可以得到最高的平均成績。或者突然感覺到咖啡因癮發作，下意識一掏口袋，身上總共只有九十五元台幣，於是你腦筋就會開始轉，如何利用這一點錢，得到最

大量的咖啡因。

我們把這類性質雷同的問題，通稱為受制的最大、最小值問題。現在讓我們看一個簡單的例子。

範例1 找出三個數 x、y 跟 z，使它們的和是 120，而乘積為最大值。

解：這可是此類問題中的經典，早在石器時代，人類就已經在為它傷腦筋啦！不過在那個年頭，人們知道的最大數字是 7，所以這個問題在那個時代的版本比較簡單。

第1步：首先我們設定一個待求最大值的函數，以及一個所謂的約束方程式。設 $f(x, y, z) = xyz$，這就是我們想求最大值的函數。依題意，我們受限於一個約束方程式，那就是 $x + y + z = 120$。

第2步：利用這個約束方程式，把待求函數裡的變數減成兩個。

由於 z 可以寫成一個 x 跟 y 的函數，亦即 $z = 120 - x - y$，我們用它取代函數裡的 z：

$$f(x, y) = xy(120 - x - y) = 120xy - x^2y - xy^2$$

於是我們有了一個只有兩個變數的函數，供我們求最大值跟最小值。

第3步：取偏導數，並令它們為 0。

$$\frac{\partial f}{\partial x} = 120y - 2xy - y^2$$

$$\frac{\partial f}{\partial y} = 120x - x^2 - 2xy$$

於是我們得到下面這組方程式：

$$120y - 2xy - y^2 = 0$$
$$120x - x^2 - 2xy = 0$$

第4步：解方程式，以求得所有的臨界點。

第一個方程式的每一項都可以拿出一個y：

$$y(120 - 2x - y) = 0$$

第二個方程式的每一項都可以拿出一個x：

$$x(120 - x - 2y) = 0$$

如果x或y等於0，我們顯然會得到最小值，而不是最大值，所以我們可以假定，x跟y都不等於0。那麼

$$120 - 2x - y = 0$$
$$120 - x - 2y = 0$$

把第一個式子減去第二個式子，可以得到

$$-x + y = 0$$
$$x = y$$

把這個式子代回第一個式子，就可得到

$$120 - 2x - x = 0$$
$$3x = 120$$
$$x = 40$$

我們再把 $x = 40$ 代回 $x = y$，就可得到 $y = 40$，又由於 $z = 120 - x - y$，我們可以得到 $z = 40$。因而若要得到最大乘積，x、y 跟 z 三個數都得等於 40，而得到的最大乘積則是 $(40)^3 = 64,000$。

哇塞！這可不是隨便亂蓋的！

讓我們再看一個例子。

範例 2　埃及豔后克麗奧佩脫拉要人替她打造一個珠寶箱，需要的容積為 8 立方腕尺，箱子的底部得用黃金平板打造，箱子的四壁用白銀平板，而上面的蓋子則是一塊鑲滿珍珠的面板。她願意給你 1000 個半盎司金幣，做為打造這個珠寶箱的酬勞。假如當時的行情是：黃金平板的價格每平方腕尺 16 個金幣，白銀平板的價格則是每平方腕尺 6 個金幣，而鑲滿珍珠的面板價格是每平方腕尺 8 個金幣，那麼試問你應不應該接下這項任務（這裡的意思可不是問你賣不賣克麗奧佩脫拉的面子，而是要你算算看，這筆生意有沒有賺頭）？

解：首先假設這個珠寶箱的尺寸是 x 腕尺長、y 腕尺寬、z 腕尺高。你問我 1 腕尺究竟有多長。你管它多長幹什麼？它的長度其實跟解問題完全沒有關係。（不過你既然問了，態度又很誠懇，不妨就告訴你吧。這個上古時代就有的長度單位，相當於手肘到伸直了的中指尖的長度，約 18 英寸。古時候的人經常把中指伸直，現代人則只是偶爾在用手勢罵人時，才把中指伸直。古埃及人的腕尺又跟別地方的不一樣，計算時還要加上法老王的手掌寬度，這使得腕尺的總長度達到了 21 英寸左右，視當政法老王的手掌大小而定。這種長

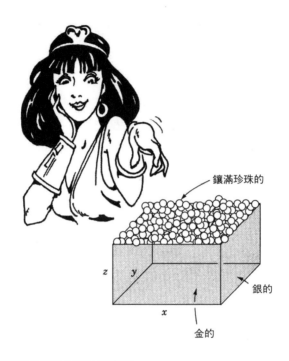

鑲滿珍珠的

z　y

x

銀的

金的

圖8.18　替克麗奧佩脫拉打造的珠寶箱

度單位，對建造金字塔已經綽綽有餘。）

第*1*步：畫一幅類似圖8.18的圖。有藝術細胞的同學不妨把克麗奧
　　　　佩脫拉也畫進去。

第*2*步：找出變數之間的「約束」。

　　　　　題目裡說，珠寶箱的容積必須為8立方腕尺，這說明了
　　　　三個變數之間的一個關係，即$xyz = 8$。這個關係式稱為約
　　　　束方程式，因為它在三個變數上加了一個限制。有了它，

三個變數就不能肆無忌憚的變動了；拴住了其中兩個，第三個變數也沒得變了。

第3步： 決定出待求最大或最小值的函數。

我們的目標是要得到珠寶箱的最低造價，所以我們就來瞧瞧本錢究竟是多少。譬如蓋子所需的本錢，就等於蓋子的面積（單位：平方腕尺）乘上材料的單價。亦即：

蓋子的本錢 ＝（蓋子的面積）×（每平方腕尺單價）＝ $(xy)(8)$

四壁的本錢 ＝（四壁的面積）×（每平方腕尺單價）

$$= (xz + xz + yz + yz)(6) = 12xz + 12yz$$

箱底的本錢 ＝（箱底的面積）×（每平方腕尺單價）＝ $(xy)(16)$

所以總材料費為

$$C(x, y, z) ＝（蓋子本錢）＋（四壁本錢）＋（箱底本錢）$$
$$= 8xy + (12xz + 12yz) + 16xy = 24xy + 12xz + 12yz$$

第4步： 利用約束方程式，把上述函數化簡成兩個變數的函數。

前述之約束方程式為 $xyz = 8$，亦即 $z = \dfrac{8}{xy}$，以之取代總材料費函數中的 z，則得

$$C(x, y) = 24xy + 12x\frac{8}{xy} + 12y\frac{8}{xy} = 24xy + \frac{96}{y} + \frac{96}{x}$$

第5步： 取偏導數，令它們為0，然後求解所得到的方程式。

$$\frac{\partial C}{\partial x} = 24y - \frac{96}{x^2}$$

$$\frac{\partial C}{\partial y} = 24x - \frac{96}{y^2}$$

爲了求最小值，我們令上述兩式等於 0：

$$24y - \frac{96}{x^2} = 0$$

$$24x - \frac{96}{y^2} = 0$$

以上兩式得同時成立。我們先解第一式的 y：

$$y = \frac{4}{x^2}$$

把它代入第二式，得到

$$24x - \frac{96}{(4/x^2)^2} = 0$$

$$24x - 6x^4 = 0$$

$$6x(4 - x^3) = 0$$

$$x = 0 \text{ 或 } x = 4^{1/3} \approx 1.587 \ \text{腕尺}$$

$x = 0$ 這個解，顯然不會讓我們得到最小值，甚至做不出一個眞正的珠寶箱。但是當 $x = 4^{1/3}$，我們會得到 $y = 4^{1/3}$ 及 $z = 2(4^{1/3})$，於是總造價爲：

$$C = 24(4^{1/3})(4^{1/3}) + \frac{96}{4^{1/3}} + \frac{96}{4^{1/3}}$$

$$\approx 181.42 \ \text{個半盎司金幣}$$

　　這表示你的利潤最多可達到約818塊金幣，哇塞！這筆錢應該足夠用來替你的破屋換個全新的豪華茅草屋頂！因此，以「利潤」來說，這筆生意絕對可以做！

範例3　如果我們想做一個箱子，使其中一角位於原點，而與該角相鄰的三個面，分別位於三個座標平面上，至於它的斜對角，則限定在第一卦限中，且在 $2x + 3y + 4z = 12$ 平面上。試求這樣一個箱子的最大體積。

　　解：首先我們得問自己：幹嘛要知道這個問題的答案？也許是因為我們剛好有一個屋頂傾斜的閣樓，另外又有一位因近親通婚而導致身體畸形的皇室成員，所以我們想在那間閣樓裡，建造一個箱型房間，用來藏匿這位不幸的皇室成員，免得那些唯恐天下不亂的狗仔隊借題發揮，有損皇室形象。當然，這種辦法雖值得一試，但有可能會欲蓋彌彰。比較可行的辦法可能是，讓這位畸形的皇室成員成為新國王，然後大家假裝不覺得他長相畸形。

　　或者，問題中的箱子代表利潤，而箱子的體積代表具三個變數（譬如我們投入的資金、雇用人力的薪資，以及產品的需求）的函數，而這三個變數之間，受制於方程式 $2x + 3y + 4z = 12$ 所代表的約束關係。

　　又或者，這個問題跟期中考有某種關係（你瞧！有了這麼一句提示，便足以讓人急切的想知道如何求解）。不管這個題目背後的淵源是啥，讓我們來瞧瞧此題該如何解。

第1步：首先，按照題意畫一個圖，如圖8.19。

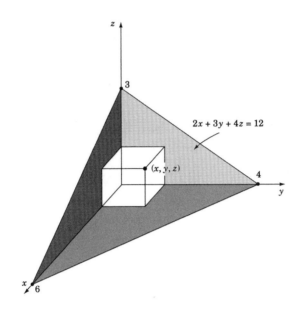

圖8.19　閣樓中的箱子

第2步： 找出本題的約束方程式，以及要用來求最大值的函數。

　　　　請特別注意，如果設(x, y, z)就是位在平面$2x + 3y + 4z = 12$上那個角的座標，那麼x、y、z三個座標值，就正好是該箱子的長、寬、高；也就是說，這個箱子的體積等於它們的乘積，即$V = xyz$，其中的x、y、z受制於方程式$2x + 3y + 4z = 12$。

第3步： 用約束方程式把體積函數裡的三個變數，減成兩個變數。

　　　　求解約束方程式中的x，我們得到$x = 6 - \dfrac{3}{2}y - 2z$，把它代入體積函數，我們得到

$$V = (6 - \tfrac{3}{2}y - 2z)yz$$
$$= 6yz - \tfrac{3}{2}y^2z - 2yz^2$$

第4步：取偏導數。

$$\frac{\partial V}{\partial y} = 6z - 3yz - 2z^2$$

$$\frac{\partial V}{\partial z} = 6y - \tfrac{3}{2}y^2 - 4yz$$

令兩式為0：

$$6z - 3yz - 2z^2 = 0$$
$$6y - \tfrac{3}{2}y^2 - 4yz = 0$$

第一式變成 $z(6 - 3y - 2z) = 0$

第二式變成 $y(6 - \tfrac{3}{2}y - 4z) = 0$

$z = 0$ 或 $y = 0$ 所得到的解，會使體積為零，而不可能是最大值，所以我們可以設 z 跟 y 都不等於0。因此我們知道

$$6 - 3y - 2z = 0$$
$$6 - \tfrac{3}{2}y - 4z = 0$$

把第一式乘以2，再減去第二式，就得到

$$6 - \tfrac{9}{2}y = 0$$

所以 $y = \dfrac{4}{3}$。再代回第一式，求得 $z = 1$，並由約束方程式，可得 $x = 2$。所以這個箱子可能的最大體積為 V = $(2)(\dfrac{4}{3})(1) = \dfrac{8}{3}$，而此時的尺寸為 $2 \times \dfrac{4}{3} \times 1$。

感覺起來好像滿狹小的，不過時間久了，他就會習慣啦！嘿，人家皇室的家務事，我們小老百姓管得著嗎？

8.7 鏈鎖律

在我們講到多變數函數的鏈鎖律之前，讓我們先做一次悠閒的懷舊之旅，懷念一下單變數函數的鏈鎖律。你還記得它是怎麼一回事嗎？描述它的辦法有兩種。第一種是先設函數 w = f(u)，再設 u = g(x)，所以 w = f(g(x))；意思是說，w 間接受到 x 的控制，其間透過了 u。譬如 w = sin u，其中 u = x^2，所以事實上是 w = sin (x^2)。於是，我們得到：

單變數函數的鏈鎖律

$$\frac{d(f(g(x)))}{dx} = f'(g(x))g'(x)$$

另一種描述方式更是一目了然，那就是：

$$\frac{dw}{dx} = \frac{dw}{du}\frac{du}{dx}$$

其實這兩種方式根本就是同一回事，因為 $f'(g(x)) = \dfrac{dw}{du}$，而 $g'(x) = \dfrac{du}{dx}$。許多人都比較喜歡第二種方式，因為它看起來好像其中兩個 du 可以互相抵消，所以不容易記錯。

以剛才所舉的例子來看，$\dfrac{d(\sin(x^2))}{dx} = (\cos(x^2))(2x)$。

現在我們就要來談：

多變數函數的鏈鎖律

假如我們有個函數 $w = f(u, v)$，其中 $u = g(x, y)$，$v = h(x, y)$。所以 w 直接取決於 u 跟 v，而 u 跟 v 又跟 x 與 y 有直接關係。我們可以用圖 8.20 的圖解，來描述這些變數間的關係。

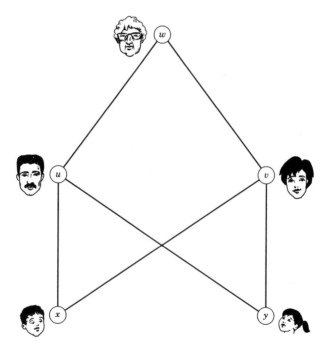

圖 8.20　各變數之間的相互關係

　　我們稱 w 為應變數，因為它直接取決於 u 跟 v，而又間接跟 x 跟 y 有關。變數 u 跟 v 則稱做中間變數。至於 x 跟 y，就是所謂的自變數，因為它們並沒有跟著其他變數而改變。

　　我們可以把這個情形，想成是豪門家族成員的經濟支援關係。身為祖父母的 w，拿錢支援當父母的 u 跟 v，然後 u 跟 v 再拿錢支援當子女的 x 跟 y。所以，養這些子女的錢事實上是從祖父母那兒來的。

　　現在，假如我們想要知道，這些當孫子的正以何種速率，花掉它們祖父母 w 的資產，那麼我們所關切的就是 $\dfrac{\partial w}{\partial x}$。

　　多變數函數的鏈鎖律如是說：

多變數函數的鏈鎖律

$$\frac{\partial w}{\partial x} = \frac{\partial w}{\partial u}\frac{\partial u}{\partial x} + \frac{\partial w}{\partial v}\frac{\partial v}{\partial x}$$

　　換句話說，w 在孫子 x 身上花掉的銀子，等於 w 為了 x 而在兒子 u 身上花掉的銀子，加上 w 為了 x 而在媳婦 v 身上花掉的銀子。

　　要怎麼記住這多變數函數的鏈鎖律呢？這兒有個方法你可以試試。歐美的有錢人經常去滑雪，所以我們可以把前面那個祖孫三代關係圖，改畫成雪山上的滑雪道圖，圖中的每一條滑雪道，都以相對應的偏導數來命名，所以從 u 滑到 x 的路徑，就叫做 $\dfrac{\partial u}{\partial x}$，以此類推。如果我們要知道 $\dfrac{\partial w}{\partial x}$，意思就是我們想從山頂上的 w 點，滑雪滑到山腳下的休息站 x（見次頁圖 8.21）。

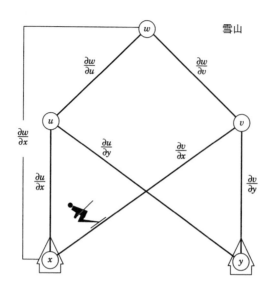

圖 8.21　滑雪滑出了鏈鎖律

　　有一點要特別記住！我們必須滑過每一條可能的滑雪道。在此例中，經過 u 的路徑是 $\dfrac{\partial w}{\partial u}\dfrac{\partial u}{\partial x}$，而經過 v 的路徑爲 $\dfrac{\partial w}{\partial v}\dfrac{\partial v}{\partial x}$，所以合起來我們得到

$$\frac{\partial w}{\partial x} = \frac{\partial w}{\partial u}\frac{\partial u}{\partial x} + \frac{\partial w}{\partial v}\frac{\partial v}{\partial x}$$

同理，我們若要從 w 點滑到另一處休息站 y，我們的路徑就是：

$$\frac{\partial w}{\partial y} = \frac{\partial w}{\partial u}\frac{\partial u}{\partial y} + \frac{\partial w}{\partial v}\frac{\partial v}{\partial y}$$

讓我們試一個例子，看看如何應用這個鏈鎖律。

範例 1　設 $w = u^2v + 7v - u$。如果 $u = 2x^2y$，$v = x + y^2$，試求 $\dfrac{\partial w}{\partial x}$。

解：依照滑雪道分析圖，我們知道

$$\frac{\partial w}{\partial x} = \frac{\partial w}{\partial u}\frac{\partial u}{\partial x} + \frac{\partial w}{\partial v}\frac{\partial v}{\partial x}$$
$$= (2uv - 1)(4xy) + (u^2 + 7)(1)$$

把 u 跟 v 分別用其含 x、y 的式子代入，讓上式完全以 x 跟 y 表示：

$$\frac{\partial w}{\partial x} = (2(2x^2y)(x + y^2) - 1)(4xy) + ((2x^2y)^2 + 7)$$
$$= 20x^4y^2 + 16x^3y^4 - 4xy + 7$$

當然，你也可以先把以 x 跟 y 表示的 u 跟 v，分別代進 w，使 w 變成 x 跟 y 的函數，然後再取偏導數 $\dfrac{\partial w}{\partial x}$。但是在許多情況下，這種做法窒礙難行；鏈鎖律的主要用途，就是在幫助我們打通這些阻塞情況。

嘿！好香啊，你在做鮭魚燒豆腐呀？

8.8　梯度與方向導數

現在我們要來見識見識這個叫做梯度的東西。其實它也沒啥了不起的地方，說穿了不過是用來標記兩個一階偏導數，故意取了一個很特殊的名稱。稍微高級些的服飾店最懂得這一招。一件牛仔襯衫，隨便放在一個普通塑膠袋裡，仍是牛仔襯衫。但是若肯花點工

夫，用幾根大頭針跟襯紙版，把它摺疊得整整齊齊，然後用柔軟的棉紙包好，放進黑色跟金色交錯的漂亮盒子裡，外面再飾以金色的緞帶，突然間，它就搖身一變，成了三倍價錢的Calvin Klein襯衫，雖然骨子裡仍然是原來那件襯衫。現在，我們也要來如法泡製，把一階偏導數用個漂亮的向量包裝起來。不過請讀者們儘管放心，我們保證不另外收費。

何謂梯度？

函數$f(x, y)$的梯度就定義為：

$$\nabla f = \left\langle \frac{\partial f}{\partial x}, \frac{\partial f}{\partial y} \right\rangle$$

我們也經常把它寫成：$\nabla f = \frac{\partial f}{\partial x}\mathbf{i} + \frac{\partial f}{\partial y}\mathbf{j}$。這種寫法看起來雖然累贅，但是待會兒你就會發現它真好用。

範例1　求$f(x, y) = x^2y^3 - 3x$的梯度。

解：這個容易。由於$\frac{\partial f}{\partial x} = 2xy^3 - 3$，及$\frac{\partial f}{\partial y} = 3x^2y^2$，所以

$$\nabla f = \langle 2xy^3 - 3, 3y^2x^2 \rangle$$

如果給你的函數有三個變數，即$f(x, y, z)$，那麼它的梯度也跟著多出一項：

$$\nabla f = \left\langle \frac{\partial f}{\partial x}, \frac{\partial f}{\partial y}, \frac{\partial f}{\partial z} \right\rangle$$

嘿，你通常都是用什麼拔雞毛的呀？

方向導數

前面講到爬山的時候，我們說 $\frac{\partial f}{\partial x}$ 跟 $\frac{\partial f}{\partial y}$ 分別是在 x 跟 y 方向上的切線斜率。但是 x 跟 y 只是無數多個方向的其中兩個，萬一我們對南南西方的地形變化率情有獨鍾，比別的方向更有興趣，那該怎麼辦？我們要如何求得這些其他方向上的斜率呢？

首先，在 xy 平面上取一個單位向量，並名之爲 $\mathbf{u} = \langle u_1, u_2 \rangle$。一般說來，取名爲 u 有些不太禮貌，因爲洋人習慣上不會直接用「Hey u!」來稱呼別人，但是爲向量取名字，就用不著計較那麼多。由於它是個單位向量，所以 $u_1^2 + u_2^2 = 1$，至於它的方向，則可以指向 xy 平面上的任何一個方向。

然後，我們把函數在 $\mathbf{u}$ 所指的方向上的變化率，定義爲方向導數，而以符號 $D_u f$ 表示之。換句話說，$D_u f$ 就是在包含 $\mathbf{u}$ 的垂直平面上的那條切線的斜率，如圖8.22所示（見次頁）。但是要如何求得這個斜率呢？

這兒是方向導數 $D_u f$ 的公式：

$$\boxed{D_u f = \nabla f \cdot \mathbf{u}}$$

如果把它展開，就得到

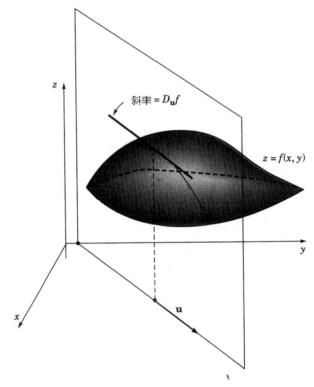

圖8.22　所謂方向導數，就是在包含 **u** 的垂直平面上的那條切線之斜率。

$$D_u f \;=\; \nabla f \bullet \mathbf{u} \;=\; \left\langle \frac{\partial f}{\partial x},\, \frac{\partial f}{\partial y} \right\rangle \bullet \langle u_1,\, u_2 \rangle$$

$$=\; \frac{\partial f}{\partial x} u_1 + \frac{\partial f}{\partial y} u_2$$

　　哇！通過同一點的切線何其多，然而有了上面這個公式之後，所有的切線斜率都可以用 $\dfrac{\partial f}{\partial x}$ 跟 $\dfrac{\partial f}{\partial y}$ 來表示。

那麼，這個公式又是從哪兒來的呢？它是取下面這個極限而得來的：

$$\lim_{t \to 0} \frac{f(x + tu_1, y + tu_2) - f(x, y)}{t}$$

所以你瞧，這個導數原來也是以一個極限來加以定義，就跟單變數函數的導數相同。但是也跟單變數函數的情況一樣，我們取偏導數時，幾乎從來不必用到這個極限公式。

方向導數 $D_u f$ 所衡量的物理量，就是當我們順著 **u** 的方向，以單位速率運動時，f 的變化率。

現在讓我們實地來試試好了。

範例2　如果我們在一座小山上，這座山各點的高度，可用函數 $f(x, y) = 3x^2 + 4y^2$ 來表示。已知我們現在所在的位置是(1, 2, 19)，試求在方向 a = $\langle 3, 4 \rangle$ 上的坡度（即方向導數）。（所有單位均為英尺。）

解：雖然 a = $\langle 3, 4 \rangle$ 給了我們一個在 xy 平面上的方向，但它並不是單位向量，所以我們得先把它改一下，換成：

$$\mathbf{u} = \frac{\mathbf{a}}{|\mathbf{a}|} = \frac{\langle 3, 4 \rangle}{\sqrt{3^2 + 4^2}} = \langle 3/5, 4/5 \rangle$$

同時，我們可以計算出梯度

$$\nabla f = \left\langle \frac{\partial f}{\partial x}, \frac{\partial f}{\partial y} \right\rangle = \langle 6x, 8y \rangle$$

由於我們只對我們所在的點(1, 2, 19)有興趣，所以

$$\nabla f(1, 2) = \langle 6, 16 \rangle$$

於是，

$$D_u f = \nabla f \cdot \mathbf{u} = \langle 6, 16 \rangle \cdot \langle {}^3\!/_5, {}^4\!/_5 \rangle = 16{}^2\!/_5$$

這表示這座山朝此方向非常陡峭；如果你想要向前跨出1英尺，高度就會上升超過16英尺。看來你的確需要一些登山裝備。

常犯的錯誤

1. 忘了把所給的方向向量改成單位向量。

2. 誤以為此類問題裡的梯度向量為一個三維向量；實際上它只是 xy 平面上的向量。

重回聖母峰　天氣迅速轉壞，沒多久，你就發現自己身處一場大風雪之中，能見度變得只能看到大約10英寸之內。芬蘭籍的隊長已經從高處攀爬到你身邊，雖然無法看得很真切，但直覺上你認為這傢伙不懷好意，八成是想把你推下山去，所以你死命抓住岩石不放，而他一面在你耳邊喊著你聽不懂的話，一面要把你的雙手掰開。為了保護小命，你非但不肯鬆手，還抽空踹了他幾腳。你心裡還一直後悔，這哪是你當初想像的快樂假期？

終於，這位隊長放棄了，把兩臂向上一舉，表示嫌惡，然後一腳踩出了山崖。接著你看見他一屁股往白雪覆蓋的陡坡上一坐，像溜滑梯一樣往下滑，這時你才醒悟過來，他剛才是一番好意，要你跟著他，趁著新下的雪，取山坡坡度最大的方向，一塊溜回營地

去，可惜語言不通，會錯了意。

這下子可好，你把人家踢走了，而且事出突然，能見度又差，你實在沒看清楚他是朝哪個方向溜走的，不知道哪個方向的坡度最大。好在你的微積分還沒完全還給老師，同時你也清楚記得，這座山在你所處的這一帶，差不多可以用函數$f(x, y) = y^3 - 3x^2y$來表示，而你的所在位置是$(2, 4, 16)$。你記得微積分課本上曾告訴你：

最速上升的方向跟∇f的方向一致，而且在此方向上，方向導數的大小為$|\nabla f|$。反之，最速下降的方向是$-\nabla f$的方向，而此方向上的方向導數等於$-|\nabla f|$。

不過，在這麼惡劣的情況下，你覺得還是想清楚一些，比較保險，至少要證明你沒把符號給弄顛倒了。

理由？ 你的目的是要找出能夠獲得最大方向導數$D_u f$的單位向量$\mathbf{u}$，原因是方向導數愈大，相對應的切線斜率也愈大。但是方向導數的定義是

$$D_u f = \nabla f \cdot \mathbf{u} = |\nabla f||\mathbf{u}|\cos\theta$$

其中的θ為$\mathbf{u}$跟∇f的夾角（見本書第5.4節）。

由於$\mathbf{u}$為單位向量，所以$|\mathbf{u}| = 1$，因而

$$D_u f = |\nabla f|\cos\theta$$

在這兒我們要找出一個$\mathbf{u}$，讓$D_u f$為最大。然而$|\nabla f|$不受$\mathbf{u}$的影

響，故對 $D_u f$ 來說，唯一能影響其大小的是 $\cos\theta$。每個人都知道，$\cos\theta$ 絕對不會大於 1，因此當 $\cos\theta = 1$（即 $\theta = 0$）時，$D_u f$ 爲最大值。而如果 **u** 跟 ∇f 的夾角等於 0，表示它們根本就是同一方向。因此，我們證明了，方向導數的最大值就發生在我們順著 ∇f 的方向時；這時，由於 $\cos\theta = 1$，我們得到 $D_u f = |\nabla f|$。

同理，如果我們想得到方向導數的最小值，我們就要取 $\cos\theta = -1$，故 $\theta = \pi$，意思就是 **u** 跟 ∇f 的方向正好相反，或是跟 $-\nabla f$ 同方向。這時，由於 $\cos\theta = -1$，故 $D_u f = -|\nabla f|$。

經過了這麼一番推敲之後，你確定你的記憶沒錯，於是你開始計算梯度：

$$\nabla f = \left\langle \frac{\partial f}{\partial x}, \frac{\partial f}{\partial y} \right\rangle = \langle -6xy, 3y^2 - 3x^2 \rangle$$

由於你的所在位置是(2, 4, 16)，所以會得到 $\nabla f = \langle -48, 36 \rangle$。但是這是最大的上坡方向，而你要找的卻是下坡方向，所以應該是

$$-\nabla f = \langle 48, -36 \rangle$$

計算完之後，你掏出指南針，對準了方向，也一屁股往地上一坐，開始往下溜。你實際上是坐在你那條高科技的登山褲褲襠上，雪花從你的褲襠中間不斷噴上來。一路上大部分時間都非常順暢過癮，只是偶爾有一兩個稍微大了點的石塊，雪沒能把它們完全覆蓋住，卻剛好打從你的胯下高速撞過，哎喲大叫一聲之外，還讓你不由得懷疑這輩子是否會因此斷了香火！

值得一提的是，對於變數更多的函數，梯度也一樣能告訴你坡度最大的上坡方向。

範例3　假設你是負責核反應爐的工程人員，某天在工作時喝百事可樂，一個不留神，把可樂潑到控制儀板上面，不料造成了嚴重的機件失控，有可能引發熔毀的大災難。於是你接到上級指令，趕緊穿上防護衣，進入反應爐的防護室，要去用手開啟失靈的遙控安全水閥。假定函數 $T(x, y, z) = 30x^2z - y + yz^3$ 代表著核反應爐裡任何一點(x, y, z)的溫度，而且已知你現在已經走到了座標位置$(1, 1, 2)$英尺，已經熱得叫你有些吃不消，試判定你下一步朝哪個方向走時，溫度增加得最快？

　　解：如果算出你現在位置的∇T，你就能知道在哪個方向溫度會增加得最快：

$$\nabla T = \left\langle \frac{\partial T}{\partial x}, \frac{\partial T}{\partial y}, \frac{\partial T}{\partial z} \right\rangle = \langle 60xz, \ -1 + z^3, 30x^2 + 3yz^2 \rangle = \langle 120, 7, 42 \rangle$$

　　這下子你就知道該避開哪個方向了。若往這個方向走，溫度的變化率會等於$|\nabla T| = \sqrt{120^2 + 7^2 + 42^2} \approx 127$度，意思是你要是往這個方向前進，每前進一步（約1英尺），溫度就會上升127度。所以你若不想變成一根核炸薯條，就切莫過去。

8.9　拉格朗日乘數

　　在真實世界裡，你最常遇到的問題類型之一，就是在受限於方程式 $g(x, y, z) = 0$ 給定的約束之下，求出函數 $f(x, y, z)$ 的最大值或最小值。

　　屬於這個情況的不同版本有：

1. 限定你必須吃掉離你嘴巴300公尺內的巧克力甜點，然後要求你仍舊能保持最輕的體重。

2. 你根本無法在上午11點之前上班，或是不能遲過下午3點才下班，而且希望午飯時段最好有2個小時——而你在上述條件之下，要求老闆給你最高薪資。

3. 在你能夠活超過30歲的條件下，看你最多能曬到多黑。

　　我們已經在第8.6節中，看到該如何在g(x, y, z) = 0約束之下，求f(x, y, z)的最大值。方法是先求解約束方程式裡的其中一個變數，譬如z，把它表示成其他兩個變數；然後把這個式子代入函數f，藉之消掉f(x, y, z)中的變數z，變成了f(x, y)。最後，取f(x, y)對x及對y的偏導數，並且令$f_x = 0$跟$f_y = 0$，由此求出臨界點。

　　可是，這個方法有個先決條件，那就是所給的約束方程式，其中的一個變數必須能夠表示成另外兩個變數。如果我們的約束方程式長得有如：

$$x^2y^3 - \sin(xyz) + e^{zy}y + \ln(2x^2 + y + z) = 0$$

　　那麼，你試都不用試，因為你根本不可能把式子中的x、y、z裡面的任何一個，用其他兩個變數來表示。這等於是叫你「挾泰山以超北海」，壓根兒辦不到的事情。

　　那麼你猜，一個當母親的人遇到了這個難題，會怎麼辦？

　　你別笑！生於義大利的十八世紀法國數學家拉格朗日（Joseph Louis Lagrange）的老媽就碰到了這樣的問題。某天，她轉頭問小拉格朗日說：「小路，你能想個辦法，解決這個問題嗎？」她其實是用法文問的，不過大意差不多同上。那個年紀的拉格朗日，還是個

乖兒子，爲了討母親高興，可以無所不用其極（譬如新創一個艱深的數學概念）。因此，拉格朗日回到房間，開始想辦法解決媽媽的問題。

　　20年後他再開房門走出來時，已經發明了一個方法：拉格朗日乘數。悲慘的是，在他獨自閉關的那些年，他的媽媽遇到了一位來自里昂的肉品店老闆，名叫傑克，此人竟然把老媽給拐跑了！所以當小拉格朗日開了房門走出來時，發現自己已是孑然一身。這故事挺傷感的，不過話說回來，至少後人沿用了他的姓氏，來稱呼他所發明的方法，可說他的二十年青春並未白忙一場！

〔英文版老編鄭重聲明：據我們所知，在上面這則故事中，除了拉格朗日的確發明了拉格朗日乘數之外，其他各情節純屬虛構。爲此我們深感抱歉！〕

　　言歸正傳。在受限於$g(x, y, z) = 0$的約束下，拉格朗日求$f(x, y, z)$最大值或最小值的方法是這樣的：

第*1*步：　一定要確定所給的約束方程式符合$g(x, y, z) = 0$的形式。所以，我們得把$x^2 + y^2 = z^2$改寫成$g(x, y, z) = x^2 + y^2 - z^2 = 0$。

第*2*步：　令$\nabla f = \lambda \nabla g$。

第*3*步：　解上述的方程式組，找出x、y跟z。

第*4*步：　判定第3步得到的解，究竟誰是最大值或最小值。

　　看起來滿簡單的。讓我們拿一個實際問題來，試試實效如何。

範例1 假設方程式 $x^2 + y^2 + z^2 = 1$ 表示地球的表面,且北極的座標位置爲(0, 0, 1),而厄瓜多爾的位置爲(1, 0, 0)。現在我們假設有某個外星種族,對著地球照射了一種增進心智能力的射線,而該射線的強度分布情形,可以用 $f(x, y, z) = xy + z$ 來表示。結果,住在該射線最強的地球表面的人們,個個都變成了愛因斯坦,而居住在該射線強度最弱區域的人們,智能變得跟鼻涕蟲差不多。試找出地球表面上遍地皆天才的座標位置在哪?

解:這時,咱們該求助於拉格朗日了。在這個題目,我們想求 $f(x, y, z)$ 的最大值,而約束方程式是 $x^2 + y^2 + z^2 = 1$。

第1步: 確定所給的約束方程式符合 $g(x, y, z) = 0$ 的形式。這是非常非常重要的一步,也是許多人最常犯的錯誤。在此例中,我們得把所給的方程式改成 $g(x, y, z) = x^2 + y^2 + z^2 - 1 = 0$。

第2步: 令 $\nabla f = \lambda \nabla g$。其實這個式子並沒有什麼玄機,不過就是:

$$f_x = \lambda g_x \qquad 因而 \quad y = \lambda 2x$$
$$f_y = \lambda g_y \qquad 因而 \quad x = \lambda 2y$$
$$f_z = \lambda g_z \qquad 因而 \quad 1 = \lambda 2z$$

第3步: 解上一步所得到的三個方程式(以及約束方程式),求 x、y 跟 z。這裡的四個方程式,牽涉到四個未知數,包括 λ,如果你想把它們四個都解出來,儘管解。方法不只一種。在此,我們將從第三個方程式 $1 = \lambda 2z$ 著手,求解 λ。由於 $1 = \lambda 2z$,我們知道 z 不等於 0,所以可以把等號兩邊同除以 $2z$,而得到

$$\lambda = \frac{1}{2z}$$

我們把它代入前兩個方程式，消掉其中的 λ：

$$y = \frac{x}{z}$$

$$x = \frac{y}{z}$$

其次，把 y 式代入 x，我們得到

$$x = \frac{x/z}{z}$$

$$xz^2 = x$$

所以有兩個可能的解：$z^2 = 1$，或 $x = 0$。但是若 $x = 0$，$y = x/z =$ 0，再把 x、y 代入約束方程式，結果得到 $z^2 = 1$。所以事實上，它們根本就是同一個解，都是 $z^2 = 1$。

由於 $z^2 = 1$，z 可以是 1，也可以是 -1，但不管是哪個情形，x 跟 y 都等於 0。所以我們得到兩個臨界點：$(0, 0, 1)$ 跟 $(0, 0, -1)$，前者是北極，後者則是南極。把這兩點分別代入 $f(x, y, z)$ 後，我們發現 $f(0, 0, 1) = 1$，而 $f(0, 0, -1) = -1$，由此看來，在不久的將來，北極會出現一些非常有智慧的北極熊，而目前正在南極做研究的科學家，個個都會變成白痴。至於住在兩極之間的你我，大概會維持老樣子，繼續熱中於觀賞電視上的職業摔角節目。

那麼，關於拉格朗日乘數的問題
究竟難在哪兒？

你可能以為，最不容易擺平的地方在於問題的設定階段。其實不然，問題的設定通常一點也不難對付。難纏的部分是在接下來的階段，當你開始解那四個帶有四個未知數 x、y、z 跟 λ 的方程式時。可有比較容易的解法嗎？

其實沒有什麼捷徑可言，不過倒是有兩個途徑，寫出來供大家參考。

方法1：逐次消掉變數，一次一個。你可以選其中一個方程式，解出 x，然後把它代進其他三個方程式，去把其中的 x 消掉，這樣一來，就剩下三個方程式跟三個未知數 y、z 跟 λ。重複以上步驟幾次，直到你得到一個帶有單一未知數的方程式，解出此未知數。

方法2：利用你得到的方程式，把三個變數 x、y、z 都寫成跟 λ 的關係式。接著，把這些式子代進約束方程式，求得一個只含未知數 λ 的方程式。最後求出 λ，再由此求得 x、y 與 z。

解方程式時常犯的錯誤

1. 我們經常看到，許多人一看到形式如 $h(x) = 0$ 跟 $k(x) = 0$ 的兩個方程式時，便貿然設定 $h(x) = k(x)$。殊不知他（她）這個看似無害的設定，讓許多資訊就此流失。怎麼說呢？讓我們打一個比方；好比你告訴大夥：「這隻牛是紫色的。」然後接著又說：「那匹馬是紫色的。」那麼會比你只用一句話告訴大夥：「這隻

牛跟那匹馬的顏色一樣。」要隱含更多的訊息，引發更多的好奇心。這裡也是同樣的道理。

2. 許多學生一遇到了 $x = \lambda x$，就會自動把等號兩邊的 x 相抵消，然後接著說：「$\lambda = 1$。」但實際上，此舉相當於等號兩邊同除 x，而這只能在你確知 $x \neq 0$ 的情況下才能實施。因而，可能的解不僅只有 $\lambda = 1$，還應該有 $x = 0$ 才對。

到此為止，我們總算把有關拉格朗日乘數的一切，交代得差不多了。嘿！有得吃就不錯啦，誰在乎這乳酪是怎麼存放的？

8.10 二階導數檢驗

你應該還記得，在討論單變數函數時，有個著名的二階導數檢驗，可用來判定最大值跟最小值。如果不記得了，我們現在就要喚起你的記憶。

函數 $f(x)$ 的二階導數檢驗

如果 a 是 $f(x)$ 的一個臨界點，亦即 $f'(a) = 0$，那麼：

1. 若 $f''(a) > 0$，則 $f(a)$ 為一局部極小值。
2. 若 $f''(a) < 0$，則 $f(a)$ 為一局部極大值。
3. 若 $f''(a) = 0$，則這個二階導數啥都沒告訴我們。

整個檢驗的結果，可濃縮成蜜妮跟麥斯威爾的小臉蛋，如圖

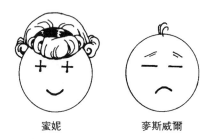

蜜妮　　　　　　麥斯威爾

圖8.23　蜜妮跟麥斯威爾的臉孔告訴我們，我們得到的是局部最小值
　　　　或是局部最大值。

8.23所示。他們兩人的眼睛，顯示了$f''(a)$的正負號。如果眼睛是兩
個正號，表示此人很快樂，露著一副笑臉，嘴角上翹，這就代表一
個局部極小值。反之，若眼睛是兩個負號，此人一定很悲傷，眉頭
緊皺，嘴角下彎，也就表示是個局部極大值。

　　現在，我們要來瞧瞧含兩個變數的函數了。假設我們已經在滿
足$\frac{\partial f}{\partial x} = 0$跟$\frac{\partial f}{\partial y} = 0$的平面上，找到了一個臨界點(a, b)，那麼我們該
如何決定，此臨界點究竟是局部極大值或局部極小值，抑或什麼都
不是呢？

　　首先，我們得用二階偏導數，來定義所謂的判別式。

函數 f 的判別式，就等於 $\Delta = f_{xx}f_{yy} - (f_{xy})^2$

　　以下這個檢驗，跟上述的二階導數檢驗類似，只是多了一維。

函數 $f(x, y)$ 的二階導數檢驗　若 (a, b) 是 $f(x, y)$ 的一個臨界點，則：

1. 如果 $\Delta > 0$，$f_{xx} > 0$，則 f 在點 (a, b) 有一局部極小值。
2. 如果 $\Delta > 0$，$f_{xx} < 0$，則 f 在點 (a, b) 有一局部極大值。
3. 如果 $\Delta < 0$，則 f 在點 (a, b) 既非極小值，也不是極大值，而是一個鞍點。
4. 如果 $\Delta = 0$，則此二階導數檢驗完全不能告訴我們任何訊息。

此處有兩件事情需要注意。第一，有些奇怪的是，做為關鍵角色的二階導數居然是 f_{xx}，而非 f_{yy}；但是事實上，在第1及第2部分，我們也可以用 f_{yy} 取代 f_{xx}，因為當 $\Delta > 0$ 時，f_{yy} 與 f_{xx} 的正負號相同。其次，剛才我們並沒有考慮到一種情形，那就是當 $\Delta > 0$，且 $f_{xx} = 0$ 時會是如何；但從 Δ 的定義來看，很容易看出此情形不可能發生。

當然，你心裡可能會直嘀咕：真要命，一會兒這個是正的，一會兒又是另一樣東西是正的，我哪記得住這四種可能的結果？哈！算你運氣不錯，因為我們也替它們搭配了四副臉譜，並分別取名叫蜜妮、麥斯威爾、糊塗豬，跟瘋狂小丑。

如圖8.24所示，每一副臉上的鼻子代表了判別式 Δ 的正負，而眼睛則代表了 f_{xx} 的正負。前兩副臉跟單變數函數版本裡的蜜妮跟麥斯威爾幾乎一樣，只是各多出一個帶正號的鼻子。糊塗豬的臉上有個帶負的豬鼻子（Δ），因此它的嘴形為馬鞍狀的。瘋狂小丑則有一個圓球狀的鼻子（$\Delta = 0$），而它的嘴形完全沒有透露任何訊息。

好啦！讓我們實際舉個例子試試。

蜜妮　　　麥斯威爾　　　糊塗豬　　　瘋狂小丑

圖8.24　適用於$f(x, y)$的二階導數檢驗結果。

範例1　試找出以下函數的所有臨界點，並一一分類：

$$f(x, y) = 2x^3 + y^3 - 3x^2 - 12x - 3y$$

解： 首先，取一階偏導數：

$$f_x = 6x^2 - 6x - 12$$
$$f_y = 3y^2 - 3$$

然後令它們為0：

$$6(x - 2)(x + 1) = 0$$
$$3(y - 1)(y + 1) = 0$$

所以，$x = 2$ 或 $x = -1$，以及 $y = 1$ 或 $y = -1$，由此得到四個臨界點，分別為$(-1, -1)$、$(-1, 1)$、$(2, -1)$，及$(2, 1)$。

再取二階偏導數，我們得到

$$f_{xx} = 12x - 6$$
$$f_{yy} = 6y$$
$$f_{xy} = 0$$

所以

$$\Delta = (12x - 6)(6y) - (0)^2 = 36y(2x - 1)$$

我們把該四個臨界點的所有有關訊息，表列於下：

臨界點	$f_{xx} = 12x - 6$	$\triangle = 36y(2x - 1)$	該點性質
$(-1, -1)$	-18	108	局部極大值
$(-1, 1)$	-18	-108	鞍點
$(2, -1)$	18	-108	鞍點
$(2, 1)$	18	108	局部極小值

嘿！這可不是矇著眼睛瞎唬爛，而是有憑有據的！

第 *9* 章

多重積分

　　費巴尼看起來的確很可疑。怎麼說呢？咱們且到學生法庭現場，聽聽學生法律事務檢察官的說法：「我基於以下證據，確實相信該生考試作弊。在他的微積分期中考考卷上，他寫的答案簡直可以說是無懈可擊，不但在極座標、柱面座標及球面座標上，毫無錯誤的算出二重積分跟三重積分，他居然還在考卷上，從黎曼和的觀點對二重積分的正式定義做了精闢的討論，而該次考試的試題中，壓根兒沒有這一題。然而事後我們發現，他不知道如何做直角座標上的簡單二重積分，更離譜的是，現在他連一個實體半球的質心在哪兒，都說不上來。這些矛盾的唯一解釋就是，該生考期中考時作弊。」

主持這場聽證會的教授轉向費巴尼說：「費同學，你對這項指控，有什麼話要說？」

「我有！」費巴尼慢條斯理、不慌不忙的回答。各位！他被控的罪名可是非常嚴重，一旦宣判成立，學校就會把他開除。這時候會場裡一片肅然，鴉雀無聲，連一個希臘字母掉到地板上都聽得見。「我確實沒有作弊。原因是，去考試的那個人根本不是我，而是我的另一重人格，他叫做福瑞德。福瑞德對二重積分跟三重積分非常在行，而我剛好相反。」

此語一出，法庭裡頓時議論紛紛，一片吵雜。最後，費巴尼被判為多重積分症。

為了確保這種糗事永遠不會發生在你的身上，讓我們來搞清楚多重積分這玩意兒。

究竟什麼是多重積分呢？簡單的說，多重積分就是一個黎曼和在平面或空間中一個區域上的極限。什麼？你說你像鴨子聽雷，有聽沒有懂？也許這個解釋太簡短了點。

我們先溫習一下積分是啥。其實僅僅用一個詞，就可以概括了，那就是乘積。原因是，我們用積分去計算的東西雖然林林總總、五花八門，然而總離不開乘積，諸如面積（寬×高）、功（力×距離）、收益（賣掉的單位數×單價）等等。你說乘積有啥稀奇？小學三年級時不就學過了？不錯，只是那時候學的，是兩個固定的數的乘積而已。

現在有了積分，我們可以計算一些更有趣的東西。就拿最簡單的面積（寬×高）來說，我們不再只是計算高固定不變時的面積，

而是高度可以變化時的面積；在我們計算所作過的功時，不再限定
需要固定不變的恆力，而且只能在一條直線上運動，而是不但作用
力可以隨時改變，位移的路徑也可以左彎右拐。這些要怎麼計算
呢？其實就是把所有的東西切成許多小段，讓上述的高、作用力或
運動的方向，在這些個別小段內近似常數，如此就可以用小學三年
級時學得的乘法，算出每一小段的面積或功等乘積，然後加總。最
後，我們取一個極限，看看切分得很細時會怎麼樣，而這個極限的
值就把總和變成了積分。

　　在此之前，我們看到這個方法用在單變數的函數$f(x)$上，其實同
樣的方法也可以用於多變數的函數，如$f(x, y)$或$f(x, y, z)$，所得到的
就是多重積分。

　　兩者之間的分野，最清楚的說明就是，前者是用在計算面積，
而後者是用在計算體積。求長方形面積的時候，我們把寬乘上高就
好。但要計算一條曲線$y = f(x)$下方、從$x = a$到$x = b$之間的面積時，
我們在第一學期的微積分已經看到，可以把區間$[a, b]$分成許多寬度
為Δx_i的小段，然後把每一小段畫成一個高為$f(x_i)$的長方形，而x_i即
為第i小段中的一點。這個長方形的面積就等於$f(x_i) \cdot \Delta x_i$。如圖9.1a
所示，當我們把所有分段裡的長方形面積全加起來，得到的就是該
曲線下方整個面積的近似值，而當我們讓分段數目趨近無窮大，並
取其極限時，得到的積分就是實際的總面積。

　　我們可以利用同樣的觀念去計算體積。就像總面積等於無數細
長的長方形面積之和的極限，總體積也會等於無數個細長的長方盒
體積和的極限。由於每一個長方盒的體積都等於它的底面積×高，

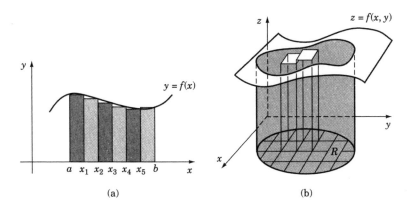

圖9.1 (a) 把面積切成細窄的長方形；(b) 把體積切成細瘦的長方盒。

所以若要計算出曲面 $z = f(x, y)$ 下方、並在 xy 平面上一區域範圍 R 內的體積，我們可以把區域 R 分割成許多大小為 $\Delta x \times \Delta y$ 的小長方塊，其面積為 $\Delta x \cdot \Delta y$，或簡寫成 ΔA。這樣一來，每個小長方塊的上方就有了一個長方盒，以小長方塊為底，以 $f(x, y)$ 為高，其中的 (x, y) 為長方塊上的某個點，於是，這個長方盒的體積就是 $f(x, y) \cdot \Delta A$。如圖9.1b所示，我們把所有細長長方盒的體積全加起來，就可以得到總體積的近似值；如果取長方盒數目趨近無窮大時的極限，得到的就是該曲面下所圍的實際體積。

同樣的觀念還可以進一步應用到其他許多數量的計算上，如總質量（體積×密度）、總雨量（面積×單位面積雨量）等等。多重積分背後的最主要觀念，就是把某個區域劃分成許多很小的區域，讓函數值在每個小區域中幾乎可以看成是常數，然後讓每塊小區域的面積乘以該區域的函數值。

　　當然除了觀念之外，我們還需要懂得實際的運算。這倒不難，譬如計算二重積分，不過是把我們已經熟知的積分，連續做兩次而已，而三重積分也只是連續做三次積分。除了一兩個技術問題可能需要顧及之外，多重積分的計算對我們來說，可說是駕輕就熟。

9.1　二重積分與極限：技術方面的東西

　　二重積分的精確意義，可以用一個黎曼和型式的公式表示：

$$\iint\limits_R f(x, y)\, dA = \lim_{n \to \infty} \sum_{i=1}^{n} f(x_i, y_i)\, \Delta A_i$$

　　看起來雖然嚇人，但它只是黎曼和這觀念的又一次套用而已。我們把區域 R（叫做底），劃分成許多面積各為 ΔA_i 的小長方塊，然後在每個小方塊上任選一點 (x_i, y_i)。每個小長方塊將成為一個細瘦長方盒的底。

　　函數 f 在點 (x_i, y_i) 的值分別為其對應長方盒的高，因此每個長方盒的體積為 $f(x_i, y_i)\Delta A_i$，而所有長方盒體積的總和就是

$$\sum_{i=1}^{n} f(x_i, y_i)\, \Delta A_i$$

這個總和給了我們一個近似值。如圖 9.2 所示，當這些長方盒的數目 n 相當大的時候，這個和也就近似於二重積分的值；而當 R 切得愈細、愈小，使得小方塊數目 n→∞，然後取極限，我們就能得到二重積分 $\iint\limits_R f(x, y)\, dA$。

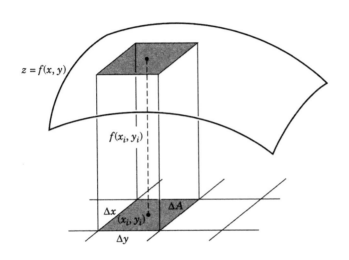

圖9.2　在每一個小長方塊上方，都有一個高爲$f(x_i, y_i)$的長方盒。

技術重點：有時候，如果函數$f(x, y)$非常難搞，或者積分區域R很古怪，此極限值有可能不存在。一般說來，$f(x, y)$若是連續函數，或是出現在初等微積分課本上的函數，這種找不到極限的情形不太會發生。還有一點，若要把二重積分解釋爲體積，你得先確定，在積分範圍上的$f(x, y)$爲正值。

到此，我們技術上已經知道二重積分是啥，剩下的部分就是：

✳　如何著手計算；
✳　它們的用途是什麼。

9.2　求二重積分

　　二重積分的求法可以用一個詞來概括，那就是：逐次積分。

　　區域 R 的最簡單類型，就是左右夾在兩條垂直線 $x = a$ 跟 $x = b$ 之間，上下以兩條函數曲線，$y = g_1(x)$ 跟 $y = g_2(x)$ 為界的面積，如圖 9.3a 所示。這種 R 我們稱為垂直簡單型。要成為一個垂直簡單型區域，有一點很重要，那就是在此區域內，兩條函數曲線的上下位置不得互換，以圖 9.3a 的例子來說，$g_2(x)$ 總是在 $g_1(x)$ 的上方。另一個說法就是，xy 平面上的所有垂直線，在這塊區域內都跟這兩條曲線各相交一次，而且若是沿著直線朝上走，我們總是先碰到曲線 $y = g_1(x)$，其次才碰到 $y = g_2(x)$。

　　垂直簡單型也可以像圖 9.3b 所顯示的那樣，a 跟 b 的值剛好是兩條函數曲線的交點。

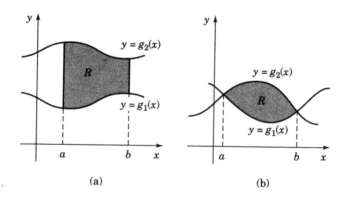

(a)　　　　　　　　　　　　(b)

圖 9.3　垂直簡單型

對這種類型的區域，我們就把二重積分寫成

$$\int_a^b \int_{g_1(x)}^{g_2(x)} f(x,y)\, dy\, dx$$

它的求法是連續做兩次積分，叫做逐次積分。

$$\int_a^b \left[\int_{g_1(x)}^{g_2(x)} f(x,y)\, dy \right] dx$$

上述寫法相當於先做括弧內的積分：

$$\int_{g_1(x)}^{g_2(x)} f(x,y)\, dy$$

這時，不要把 x 當做變數，而是看成四處徘徊的常數。等我們把括弧內的積分擺平之後，x 即刻又回復到變數的身分。既然 x 又成了變數，第一次積分得到的式子就成了 x 的函數，於是我們可以繼續下一步，對 x 進行積分。

記住，我們永遠是從最裡面的積分做起，一層層向外擴充。所以，解決多重積分問題，有點像減掉身上難看的肥肉，必須由裡而外才行。

寫在裡面積分符號上的積分極限，稱為內極限，而外邊積分符號上的積分極限則稱為外極限。

範例1　試計算 $\int_1^2 \int_x^{x^2} (4x + 10y)\, dy\, dx$ 。

解：我們想要積分的區域（R）位在 xy 平面上，它的下方邊界為 y

$=x$、上方邊界為$y=x^2$、左邊為$x=1$、右邊為$x=2$。如圖9.4所示。

當然，我們得先做內積分$\int_x^{x^2}(4x+10y)\,dy$。這時候，對y來說，$4x$是個常數，因而它的反導函數是$4xy$，而y仍然是變數，所以$10y$的反導函數是$5y^2$。因此

$$\int_1^2\int_x^{x^2}(4x+10y)\,dy\,dx = \int_1^2\left[4xy+5y^2\right]_{y=x}^{y=x^2}dx$$

（求內部的y積分）

$$= \int_1^2[4x(x^2)+5(x^2)^2]-[4x(x)+5(x)^2]\,dx$$

（分別代入y的積分極限）

$$= \int_1^2 4x^3+5x^4-9x^2\,dx$$

$$= \left[x^4+x^5-3x^3\right]_1^2 \text{（進行外部的x積分）}$$

$$= [2^4+2^5-3(2^3)]-[1^4+1^5-3(1^3)]$$

$$= 24-(-1)$$

$$= 25$$

常見錯誤 把兩個積分的先後次序弄顛倒，是一般人常犯的錯誤。如果你把次序搞錯了，最後得到的答案很可能不是一個數，而是有可能還會剩下一些x或y在裡面。所以千萬記住，一定要從最裡面的積分做起。

重要小事實 外極限永遠是常數。（所謂小事實，就是要嘛它確是事實，要嘛它應該是事實。）為什麼它們應該是常數呢？如果

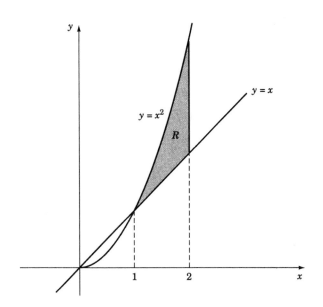

圖9.4 以 $y = x$ 跟 $y = x^2$ 爲邊界、且夾在 $x = 1$ 跟 $x = 2$ 之間的積分區域。

不是,那在做逐次積分之後,得到的結果有可能含有變數,因爲我
們最後是代入外極限。這樣一來,我們所得的答案可能不是一個
數。

　　有的時候,題目裡並沒有明確告訴我們a跟b在哪兒,而僅只提
到界定區域 R 的上下兩條曲線。

範例2 假定 R 是以曲線 $y = x^2$ 跟 $y = 2x$ 爲邊界的區域。若 $f(x, y) = 8x$
　　　$+ 10y$,試求 $\displaystyle\iint\limits_{R} f(x, y)\, dx\, dy$ 。

　　解: 這一回,題目裡沒給我們兩條垂直線 $x = a$ 跟 $x = b$,去限制

區域 R。但是如果我們畫出 R 的草圖（只要畫得出來，一定要記得畫圖），如圖 9.5 所示，我們就知道該怎麼找出 a 跟 b。

從圖上看來，xy 平面上的兩曲線 $y = x^2$ 跟 $y = 2x$，相交於 $(0, 0)$ 跟 $(2, 4)$ 兩點，而由兩曲線所圍出的有限區域，就只有夾在 $x = 0$ 跟 $x = 2$ 之間的那一塊，所以它就是我們所要的區域 R，而且屬於垂直簡單型，所以我們可以得到下列的二重積分：

$$\int_0^2 \int_{x^2}^{2x} (8x + 10y) \, dy \, dx$$

由內往外積分，就得到

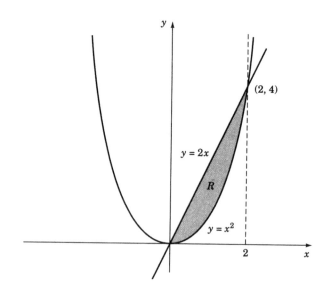

圖 9.5　以曲線 $y = x^2$ 跟 $y = 2x$ 為邊界的區域。

$$\int_0^2 \int_{x^2}^{2x} (8x + 10y)\, dy\, dx = \int_0^2 \left[8xy + 5y^2\right]_{y=x^2}^{y=2x} dx \quad (\text{求內部的 } y \text{ 積分})$$

$$= \int_0^2 ([16x^2 + 20x^2] - [8x^3 + 5x^4])\, dx$$

$$= \int_0^2 (36x^2 - 8x^3 - 5x^4)\, dx = \left[12x^3 - 2x^4 - x^5\right]_0^2$$

$$= \left[12(8) - 2(16) - 32\right] - [0] = 32$$

對某些積分區域來說，x 跟 y 所扮演的角色會互調。

範例3 已知區域 R 在 xy 平面上，且以 $y = 0$、$y = 1$、$x = -y^2 + 4$ 及 $x = y^2 - 4$ 為邊界，試求 $f(x, y) = y + 1$ 在 R 上的積分。

解：我們先把這個區域畫出來（次頁圖9.6）。與前兩個範例不同，這次的邊界曲線是把 x 寫成 y 的函數。再注意一點，在 y 介於 0 跟 1 之間時，$x = -y^2 + 4$ 的圖形都位於 $x = y^2 - 4$ 的右邊。換句話說，每一條通過該範圍的水平線，都一定是在左邊先與曲線 $x = y^2 - 4$ 相交，而後在右邊與 $x = -y^2 + 4$ 相交。這樣的積分區域就叫做水平簡單型）。拿人來說，水平的頭腦簡單者（沒有大腦的蠢蛋），其實就是垂直的頭腦簡單者躺下睡覺去了！然而對二重積分來講，水平簡單型跟垂直簡單型的分別，只是 x 跟 y 的角色互換了而已。

當 R 是一個水平簡單型區域，內積分會換成 x 積分。在此範例中，就是：

$$\iint\limits_R f(x, y)\, dA = \int_0^1 \int_{y^2-4}^{-y^2+4} (y + 1)\, dx\, dy$$

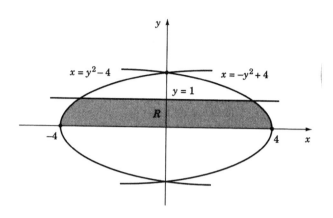

圖9.6　以 $y = 0$、$y = 1$、$x = -y^2 + 4$ 及 $x = y^2 - 4$ 為邊界的積分區域。

　　把 x 跟 y 的角色互換，沒啥了不起，不會產生很大的影響。就好像我們在切披薩時，原先我們直切，後來又改成了橫切，只要最後披薩全給吃了，那麼到底有多少乳酪進了肚子，跟直切或橫切完全無關。這個例子舉得有點爛，因為誰都知道，切披薩一般習慣上不會切成許多直條。

　　言歸正傳，咱們繼續求積分。先從裡面開始做起：

$$\int_0^1 \int_{y^2-4}^{-y^2+4} (y + 1)\, dx\, dy = \int_0^1 \left[yx + x \right]_{x = y^2 - 4}^{x = -y^2 + 4} dy \quad (\text{求內部的 } x \text{ 積分})$$

$$= \int_0^1 [y(-y^2 + 4) + (-y^2 + 4)] - [y(y^2 - 4) + (y^2 - 4)]\, dy$$

$$= \int_0^1 8y - 2y^3 - 2y^2 + 8\, dy$$

$$= \left[4y^2 - \frac{y^4}{2} - \frac{2y^3}{3} + 8y \right]_0^1 \quad (\text{求外邊的 } y \text{ 積分})$$

$$= 4 - \frac{1}{2} - \frac{2}{3} + 8$$
$$= 10\,\frac{5}{6}$$

在求二重積分的時候，比較難處裡的部分通常是在實際求積分之前，這時我們得正確描述出xy平面上的積分範圍R，並設定兩次積分的上下限。比較起來，這項準備工作在遇到R屬於垂直或水平簡單型的時候，還算是相當容易的呢！

但是，一個人要是稍微有點深度、有自己的想法，無論他是站著或躺下，都不會被人叫做頭腦簡單的蠢蛋。同樣的，複雜一些的積分區域也不叫做垂直或水平簡單型，若碰到這種非簡單型的區域，該怎麼辦？有句俗語說得好：「各個擊破。」我們可以把積分範圍切成一些段落，讓每個段落各自形成垂直或水平簡單型的範圍，然後分別去積分，最後再加在一起，求得答案。程序上麻煩了許多，但解題的基本方法未變。

範例4 已知某一區域R位於xy平面上的第一象限，並以$y = x^2$、$y = x^2/8$以及$y = 1/x$三條曲線為邊界，試求R的面積。

解：首先，把區域R畫出來（見次頁圖9.7）。請注意，在xy平面上的第一象限，只有一塊有限的面積被這三條曲線所圍，所以這塊區域必定就是我們所要的R。其次，找出曲線$y = x^2$跟$y = 1/x$的交點，得到：

$$x^2 = \frac{1}{x}$$

$$x^3 = 1$$

$$x = 1$$

所以(1, 1)就是這兩條曲線的交點。

接著，我們得找出曲線 $y = x^2/8$ 跟 $y = 1/x$ 的交點：

$$\frac{x^2}{8} = \frac{1}{x}$$
$$x^3 = 8$$
$$x = 2$$

所以(2, 1/2)就是這兩條曲線的交點。同理，曲線 $y = x^2$ 跟 $y = x^2/8$ 的交點為(0, 0)。

不幸的是，題目中所給的這個區域，既非垂直簡單型，也不是水平簡單型。但是如果我們沿著 $x = 1$，把 R 切成兩塊，一塊在 $x = 1$ 的左邊，另一塊在右邊，我們就得到了兩塊垂直簡單型區域。所以，R

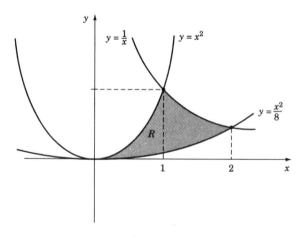

圖9.7　位於 xy 平面第一象限、並以 $y = x^2$、$y = x^2/8$ 及 $y = 1/x$ 為界的區域。

的總面積 A 就是這兩塊區域面積的和，而這兩塊區域的面積都是常數 1 的積分。又由於 1 dy $dx = dy$ dx，式子裡的 1 通常不用寫出來：

$$
\begin{aligned}
A &= \int_0^1 \int_{x^2/8}^{x^2} dy\, dx + \int_1^2 \int_{x^2/8}^{1/x} dy\, dx \\
&= \int_0^1 \left[y \right]_{x^2/8}^{x^2} dx + \int_1^2 \left[y \right]_{x^2/8}^{1/x} dx \\
&= \int_0^1 \left(x^2 - \frac{x^2}{8} \right) dx + \int_1^2 \left(\frac{1}{x} - \frac{x^2}{8} \right) dx \\
&= \left[\frac{x^3}{3} - \frac{x^3}{24} \right]_0^1 + \left[\ln x - \frac{x^3}{24} \right]_1^2 \\
&= \text{⅓} - \text{¹/₂₄} + [\ln(2) - \text{⅓}] - [\ln(1) - \text{¹/₂₄}] \\
&= \ln 2 \\
&\approx 0.693
\end{aligned}
$$

你瞧！問題不就解決了嗎？

9.3　二重積分與圖形下方的體積

現代人的話題，似乎都離開不了體重。你一天到晚都會聽到：「老天！我這兩天又胖了 2 公斤！」其實這句話並未表達出他們想說的；他們真正關心的，實際上是體積；如果數字增加之後，仍然看起來又瘦又健康、腹肌跟鐵一樣硬的話，即使重達 200 公斤，他們也不會擔心。

試想像這樣的人們：全身肌肉，卻不摻半點脂肪。他們很可能隨時穿上最小件的比基尼，故意走來走去，炫耀身材——這也不過

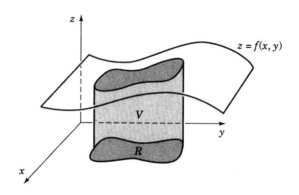

圖9.8　位於$f(x, y)$曲面下方，而在xy平面上區域R上方的立體V。

是人之常情，畢竟他們花了那麼多工夫鍛鍊、健身。不過，若他們的骨頭是鉛做的，讓他們的體重到達450公斤，他們會擔心嗎？我們猜，除非他們要去騎馬或搭電梯，而電梯裡明白標示著：「此電梯限重200公斤。」其他時候，他們才不會擔心呢！

　　因此，我們有興趣計算的是物品的體積，尤其是我們自己的體積。正如一個單獨的定積分能夠計算出在區間[a, b]上，正值函數$f(x)$下方所圍的面積一樣，二重積分則讓我們能算出一區域R上，正值函數$f(x, y)$下方所圍的體積，如圖9.8所示。

　　我們可以計算函數$f(x, y)$在區域R上方的二重積分，以此求得這個體積。

範例1（一個涼快的例子）　你的小舅子哈維，以替人鋪設限速路障為業，他的辦公室設在一個高速公路的陸橋下面。假設你要為他的辦公室買部冷氣機，你得知道辦公室的體積是多少。這兒有兩種型

號的冷氣機供他選擇，便宜的那一種適用於20立方公尺，貴的那一種則適用於30立方公尺。由於辦公室建在公路陸橋下面，房間的形狀很不方正，你測量（以公尺為單位）了一番之後發現，若以辦公室的地板做為 xy 平面上的區域 R，那麼它的四邊分別為 $y = x - 1$、$y = x + 1$、$x = 1$ 跟 $x = 2$，而天花板高度則可以用函數 $f(x, y) = 6xy$ 表示。請問這間辦公室的體積是多少？

解：首先，我們把辦公室的地面圖畫出來（如圖9.9）。面對形狀如此奇怪的房間，也許你想知道，為啥哈維會要這麼一間怪辦公室；原來，它的房租非常便宜，但是那跟我們要解決的問題無關。

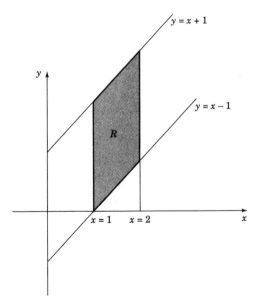

圖9.9 辦公室地面構成了區域 R。

跟問題有關的是,它的天花板一直保持在地面之上,也就是$f(x, y)$在區域R內都是正值,若非如此,我們就得先找出$f(x, y)$在哪裡為正,哪裡為負。不過我們知道,這塊區域R落在第一象限,$x \geq 0$,$y \geq 0$,所以函數$6xy \geq 0$。又由於這塊地面區域屬於垂直簡單型,因此我們可以直接求二重積分:

$$體積 = \int_1^2 \int_{x-1}^{x+1} 6xy \, dy \, dx$$

由內而外求積分,我們得到

$$\int_1^2 \int_{x-1}^{x+1} 6xy \, dy \, dx = \int_1^2 \left[3xy^2 \right]_{y=x-1}^{y=x+1} dx$$

$$= \int_1^2 [3x(x+1)^2] - [3x(x-1)^2] \, dx$$

$$= \int_1^2 [3x(x^2 + 2x + 1)] - [3x(x^2 - 2x + 1)] \, dx$$

$$= \int_1^2 12x^2 \, dx = \left[4x^3 \right]_1^2 = [32] - [4]$$

$$= 28$$

積分結果告訴我們,這間辦公室的體積(即空氣容積)為28立方公尺。題目裡提到,便宜的那款冷氣機的上限是20立方公尺,所以你得告訴哈維,貴的那款才夠用(即使他的辦公室在阿拉斯加)。

常犯的錯誤　在計算體積時,務必要確定$f(x, y)$在區域R內為正值。就跟我們在求曲線下方的面積時一樣。如果有部分曲面掉到xy

平面下方，在積分時，這部分的體積就會形同負的值，給加到總體積裡面，使得最後的結果不再代表實際的體積，而成了帶正負號的體積總和。

9.4　極座標中的二重積分

　　如果我們面對的區域是由圓所圍成的，那麼用極座標通常會比較容易一些。在這種安排下，所有的點都以 (r, θ) 表示，而不再是 (x, y)，而切分出的小區域面積不再是 $dx \cdot dy$，而變成了 $r\,dr\,d\theta$。用弧度為單位，有一個優點，那就是角度為 $\Delta\theta$ 的角所對的弧長（若圓半徑為 r），等於 $r\,\Delta\theta$。如圖9.10所示。當半徑從 r 變成了 $r + \Delta r$，角度從 θ 變成了 $\theta + \Delta\theta$ 時，多出來的小塊楔形面積就約略等於 $\Delta r \cdot r\,\Delta\theta$。

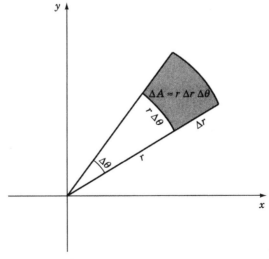

圖9.10　小塊楔形的面積大約等於 $r\Delta r\Delta\theta$。

為什麼中間會多出一個 r 呢？那是因為楔形的其中一邊是 $r\,\Delta\theta$，而不是 $\Delta\theta$。

所以，在換用極座標之後，二重積分的式子就變成了：

$$\iint_R f(x, y)\,dA \;=\; \iint_R f(r, \theta)\,r\,dr\,d\theta$$

> **必須記住的劍法祕訣**：只要用的是極座標，每一個二重積分，都得在 $dr\,d\theta$ 之外再另乘一個 r。

在極座標中計算二重積分，方法跟在直角座標中沒有兩樣，也是要逐次做兩個單獨積分。

範例1　已知一塊區域位於大小兩圓之間，兩圓均以原點為圓心，大圓半徑為 2，小圓為 1，試計算函數 $f(x, y) = x^2 + y^2$ 在這個區域上的積分。

解：極座標在此可真管用，若是仍然採用直角座標，要描述這題的區域 R（如圖 9.11 所示），真得大費周章呢！然而在極座標裡，R 不過就是 (r, θ)，其中

$$1 \le r \le 2 \qquad 0 \le \theta \le 2\pi$$

由於 $x^2 + y^2 = r^2$，因此題目所給的函數 $f(x, y) = x^2 + y^2$，在極座標裡就成了 $f(r, \theta) = r^2$。所以二重積分就變成：

$$\int_0^{2\pi} \int_1^2 r^2\, r\, dr\, d\theta = \int_0^{2\pi} \int_1^2 r^3\, dr\, d\theta$$

$$= \int_0^{2\pi} \left[\frac{r^4}{4}\right]_1^2 d\theta$$

$$= \int_0^{2\pi} {}^{15}\!/_4\, d\theta$$

$$= \left[({}^{15}\!/_4)\theta\right]_0^{2\pi}$$

$$= ({}^{15}\!/_4)(2\pi)$$

$$= ({}^{15}\!/_2)\pi$$

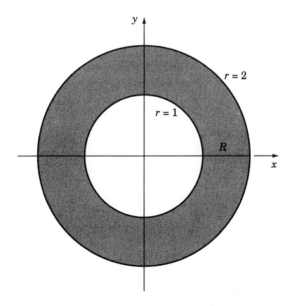

圖9.11　位於半徑爲1跟2的兩個同心圓之間的區域 R。

範例2　你剛成立了一間網路公司「亞當蘋果派」。在你還沒來得及搞清楚如何焙製蘋果派之前，訂單就如雪片般飛來。如果一個蘋果派需要150立方英寸的蘋果，而假如每一個蘋果的半徑都是2英寸，那麼做一個蘋果派需要多少個蘋果？記住，在做蘋果派之前，每個蘋果都得去果核，而所用的打洞去核器的半徑是1英寸。

　　解：我們需要算出，在蘋果打洞去核之後，還剩下多少體積。首先，假設每一個蘋果都是半徑2英寸的完美球形，然後從那個球裡，去掉一個半徑為1英寸的圓柱形果核部分（見圖9.12）。這顆蘋果的表面，可以用半徑2英寸的球面代表，該球面在直角座標裡的方程式是 $x^2 + y^2 + z^2 = 4$，轉換成極座標之後就變成了：

$$r^2 + z^2 = 4$$

解 z，我們得到：

$$z = \pm\sqrt{4 - r^2}$$

方程式 $z = \sqrt{4 - r^2}$ 代表了上半個球，而 $z = -\sqrt{4 - r^2}$ 則代表了下半球。

　　接著，讓我們用二重積分去算出上半個去核蘋果的體積，然後把結果乘以2，就得到整個去核蘋果的體積。依題意，我們的積分區域為 xy 平面上夾在 $r = 2$ 跟 $r = 1$ 兩圓之間的部分，所以上半個去核蘋果的體積，就等於曲面 $z = \sqrt{4 - r^2}$ 下方、而在這個積分區域上方的體積，也就是不包括果核的部分。所以，整個去核蘋果的體積就是

$$2\int_0^{2\pi}\int_1^2 (\sqrt{4 - r^2})\, r\, dr\, d\theta$$

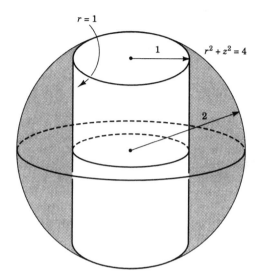

圖9.12 求一個去核蘋果的體積。

內部的 r 積分可以用代換法，讓 $u = 4 - r^2$，於是

$$體積 = 2 \int_0^{2\pi} \int_1^2 (\sqrt{4 - r^2})\, r\, dr\, d\theta$$

$$= 2 \int_0^{2\pi} \left[-\frac{(4 - r^2)^{3/2}}{3} \right]_1^2 d\theta$$

$$= 2 \int_0^{2\pi} [-0] - \left[-\frac{3^{3/2}}{3} \right] d\theta$$

$$= 2 \int_0^{2\pi} \sqrt{3}\, d\theta$$

$$= 2 \left[\sqrt{3}\theta \right]_0^{2\pi} = 4\sqrt{3}\pi$$

$$\approx 21.8 \ 立方英寸$$

　　由於每一個蘋果派需要150立方英寸的去核蘋果肉，看來你得用將近7個去核蘋果，才能做一個派。別哀嘆啦，蘋果相當便宜，說不定你能成為靠電子商務賺到錢的第一人！

9.5　三重積分

　　比芙莉在大一那年，對積分產生了濃厚的興趣，她覺得計算各種不同的面積很有趣，尤其是在學到分部積分之後，更是樂此不疲。但是過了一陣子，由於失去了新鮮感，她就變得沒有剛開始時那般熱中了，甚至連反雙曲函數的反導函數，她也覺得有些膩了。失望的感覺使得她考慮轉念物理，甚至心理學。這時，一位三年級的學長，把二重積分介紹給她，結果她又拾回對微積分的興趣，又再度沉迷在計算面積、體積跟質量的樂趣之中。不過好景不長，過了不多久，她又玩膩了。

　　其實她早已聽說，有某樣東西比她學過的這些更刺激，但是很危險。第一學期微積分的任課老師，就曾用鼻音很重的聲音警告過她：「別靠近那玩意兒！一旦上癮，你將永遠不能自拔！」這哪裡是警告？說它是誘惑還差不多，所以比芙莉決定，即使是上刀山、下火海，說什麼她也得去實地瞧瞧、親自試試。

　　那棟屋子座落在城裡一個破落的地區，她看到幾個助教跟博士後研究生，歪歪斜斜的躺在走道裡，身邊亂七八糟堆放著草稿紙跟破舊的微積分教科書。地址是一位四年級學長給她的，這位學長有著一雙怒目，模樣很衰老，很可能一畢業就會直升研究所，除非他短期內被送進精神療養院。這次他還跟著她一起來，在她身後賊頭賊腦的看著她。她把身上剩下的幾塊錢塞進門上的投幣口，然後興

奮的踏出她這趟旅程的最後一步：三重積分。

　　好啦！也許我們有點誇大，也許積分還不至於使人為了它去鋌而走險，用快艇走私，但是三重積分的確是繼承了二重積分的觀念，而更上一層樓。三重積分是在三維空間中的區域上求積分，所以方法同前，只是再多做一次積分。

　　在 xyz 座標裡，三重積分就寫成：

$$\iint\limits_{V}\int f(x,y,z)\, dV \qquad \text{或} \qquad \iint\limits_{V}\int f(x,y,z)\, dx\, dy\, dz$$

　　它們的定義是從下面的黎曼和得來的：

$$\iint\limits_{V}\int f(x,y,z)\, dV = \lim_{n\to\infty}\sum_{i=1}^{n} f(x_i, y_i, z_i)\,\Delta V_i$$

其中的 V 是三維空間中的立體區域，而 V_i 則是體積為 ΔV_i 的小方盒。

　　要把這個立體 V 畫出來，有時還真不容易，但是若要決定出正確的積分極限，還是少不了要畫圖。

　　如次頁圖9.13所示，立體 V 最基本的類型，是夾在兩個曲面之間，且這兩個曲面分別為平面上某區域 R 上方的函數圖形。V 的上下界，分別由兩函數表示，且 $h_1(x,y) \le z \le h_2(x,y)$，而平面上的區域 R，則由 $g_1(x) \le y \le g_2(x)$ 跟 $a \le x \le b$ 來描述。像這樣的立體，我們稱為 z 簡單型，原因是對三維空間裡、且通過該區域的任何一條垂直線來說，當我們沿著直線往上，都會先與該立體相交於曲面 $z = h_1(x, y)$，然後才穿過曲面 $z = h_2(x, y)$，由此離開立體。

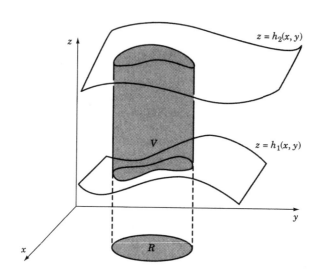

圖9.13　一個三維空間中的立體 V；它是以兩個函數在 xy 平面上一區域 R 上方的圖形為邊界。

對這種三維空間裡的區域，三重積分的逐次計算順序是：

$$\int_a^b \left[\int_{g_1(x)}^{g_2(x)} \left[\int_{h_1(x,\,y)}^{h_2(x,\,y)} f(x, y, z)\, dz \right] dy \right] dx$$

可以拿來求三重積分的最簡單的函數，或許就是常數函數 $f(x, y, z) = 1$。求這個函數在三維空間中一區域上的積分，就可以算出該區域的體積，這正是三重積分的一個用途。

$$\iiint\limits_{V} 1\ dx\, dy\, dz = 體積\ (V)$$

範例1（不太小的小雞） 著名的藝術家兼治療師薇諾蒂雅身負一項任務，要為全國小雞協會製作一座青銅雕塑作品。她的構想是利用抽象派手法，做出一個代表小雞的形像，外形看似界於 xy 平面上方、拋物面 $z = 9 - x^2 - y^2$ 下方的實心體。這隻後現代的小雞形像，將展示在協會總部大門前。這座雕塑將命名為「這是啥款？」已知全國小雞協會撥給她的經費預算，足夠她買下130立方公尺的青銅，試問她這項設計的體積是否會超過預算？

　　解： 看吧，就算你學的是藝術，你還是需要懂微積分。此外，由於你的藝術天分，你絕對比微積分課堂上的其他同學更快畫出像樣的立體圖（見圖9.14）。

　　我們可以從圖上看出，她設計的這個立體屬於 z 簡單型，而且也

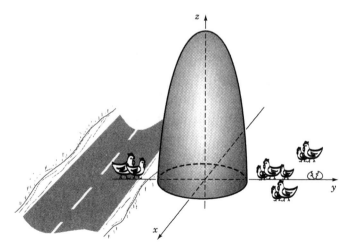

圖9.14　在平面 $z = 0$ 上方、拋物面 $z = 9 - x^2 - y^2$ 下方的後現代小雞雕塑。

很容易看出，平面 $z = 0$ 跟曲面 $z = 9 - x^2 - y^2$ 相交於一個圓。解 $9 - x^2 - y^2 = 0$，可得 $x^2 + y^2 = 9$，表示這個圓的半徑為3公尺。

所以，在 xy 平面上且位於此圓內的區域，就成為這個實心雕塑的底。解 $x^2 + y^2 = 9$ 求 y，可得

$$y = \pm \sqrt{9 - x^2}$$

所以位於半徑為3的圓內的區域，可以描述成：

$$-\sqrt{9 - x^2} \le y \le \sqrt{9 - x^2}$$
$$-3 \le x \le 3$$

依題意，這尊雕塑位於 $z = 9 - x^2 - y^2$ 之下以及 $z = 0$ 之上，而題目問的是體積，所以我們用 $f(x, y, z) = 1$ 當做被積函數，求它在小雞實心雕塑上的三重積分（亦即雕塑的體積）：

$$V = \int_{-3}^{3} \int_{-\sqrt{9-x^2}}^{\sqrt{9-x^2}} \int_{0}^{9-x^2-y^2} 1 \, dz \, dy \, dx$$

到此，我們已經描述了該立體的外形，並寫出了積分式子，接下來就是實際計算了。三重積分的做法，跟二重積分原則上沒有分別，同樣是從最裡面的積分做起；在這兒是先做 z 積分。在做積分的時候，記得把被積函數中的 x 跟 y，都當成常數看待。

$$\int_{-3}^{3} \int_{-\sqrt{9-x^2}}^{\sqrt{9-x^2}} \int_{0}^{9-x^2+y^2} 1 \, dz \, dy \, dx = \int_{-3}^{3} \int_{-\sqrt{9-x^2}}^{\sqrt{9-x^2}} [z]_{0}^{9-x^2+y^2} \, dy \, dx$$

$$= \int_{-3}^{3} \int_{-\sqrt{9-x^2}}^{\sqrt{9-x^2}} 9 - x^2 - y^2 \, dy \, dx$$

上面這個二重積分，是在半徑為3的圓形區域上做積分，所以若是改換成極座標，做起來就非常容易。要如何改呢？首先，半徑為3的圓，可以改用 $0 \le r \le 3$ 及 $0 \le \theta \le 2\pi$ 代表，函數 $9 - x^2 - y^2$ 變成了 $9 - r^2$，而 $dy\, dx$ 則變成了 $r\, dr\, d\theta$。於是我們得到

$$
\begin{aligned}
\int_0^{2\pi} \int_0^3 (9 - r^2)\, r\, dr\, d\theta &= \int_0^{2\pi} \int_0^3 (9r - r^3)\, d\theta \\
&= \int_0^{2\pi} \left[\frac{9r^2}{2} - \frac{r^4}{4} \right]_0^3 d\theta \\
&= \int_0^{2\pi} 81/4 \, d\theta \\
&= 81/4 (2\pi) \\
&= 81/2 (\pi) \\
&\approx 127.2
\end{aligned}
$$

看起來這座雕塑似乎沒有超出預算。

附記 這個問題其實並不需要用到三重積分，直接求函數 $9 - x^2 - y^2$ 的二重積分就成了。理由是，被積函數 $f(x, y, z) = 1$ 為常數。但在我們計算一些如質量中心等其他東西時，被積函數不見得是常數，這時我們就非用三重積分不可了。

範例2 有塊楔形的乳酪，它的三個面的方程式分別為 $y = 0$、$z = x^2$ 以及 $y + z = 1$。試求其體積。

解：首先，我們分別作出這三個曲面的圖形。方程式 $y = 0$ 就是 xz 平面，方程式 $z = x^2$ 是坐在 y 軸上的雨水槽形曲面，而方程式 $y + z$

= 1則是與 x 軸不相交、但分別通過 y 軸和 z 軸上的 +1 單位處的傾斜平面（見圖9.15a）。

這三個曲面所圍成的有限體積部分，就只有圖9.15b所示的楔形。雖然此立體是一個 z 簡單型，它同時也是一個 y 簡單型，而且在把它當做 y 簡單型時，所謂的「底」比較容易捉摸。

注意，這個立體在 xz 平面上的投影，長得真像一個鞋跟印子（圖9.15c），它是由 $z = x^2$ 跟 $z = 1$ 圍成的。xz 平面上的這個區域，是

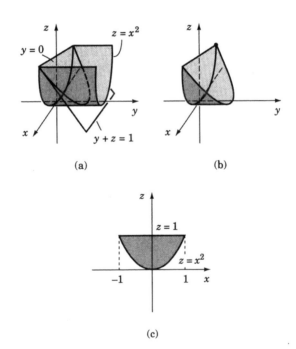

(a)　　　　　　　　(b)

(c)

圖9.15　一塊楔形的乳酪

個垂直簡單型的區域，可表示成$-1 \leq x \leq 1$跟$x^2 \leq z \leq 1$，而對這個鞋跟形狀區域內的任何一點 (x, z)，立體內的所有y值永遠滿足$0 \leq y \leq 1 - z$。因而這塊乳酪的體積，就等於下面的三重積分：

$$V = \int_{-1}^{1} \int_{x^2}^{1} \int_{0}^{1-z} dy\ dz\ dx$$

由於我們把這個立體視為y簡單型，所以y積分要放在積分式子的最裡邊。現在，我們由內而外逐次積分：

$$\begin{aligned}
\int_{-1}^{1} \int_{x^2}^{1} \int_{0}^{1-z} dy\ dz\ dx &= \int_{-1}^{1} \int_{x^2}^{1} \Big[y \Big]_{0}^{1-z} dz\ dx \\
&= \int_{-1}^{1} \int_{x^2}^{1} 1 - z\ dz\ dx \\
&= \int_{-1}^{1} \left[z - \frac{z^2}{2} \right]_{x^2}^{1} dx \\
&= \int_{-1}^{1} \left[1 - \frac{1}{2} \right] - \left[x^2 - \frac{x^4}{2} \right] dx \\
&= \int_{-1}^{1} \frac{1}{2} - x^2 + \frac{x^4}{2}\ dx = \left[\frac{x}{2} - \frac{x^3}{3} + \frac{x^5}{10} \right]_{-1}^{1} \\
&= \left[\frac{1}{2} - \frac{1}{3} + \frac{1}{10} \right] - \left[\frac{-1}{2} - \frac{(-1)^3}{3} + \frac{(-1)^5}{10} \right] \\
&= 1 - \tfrac{2}{3} + \tfrac{2}{10} \\
&= \tfrac{8}{15}
\end{aligned}$$

嘿！你還沒有暈頭轉向吧？

9.6　柱面座標與球面座標

假設你約一位朋友，去試吃最近新開張的老張牛肉麵，你得告訴他麵館在哪兒。這時，說法有好幾種，你可以告訴朋友：「咱們在緯線40度45分、經線74度13分的老張牛肉麵碰面。」對於這種方位，除非你的朋友當過海軍或是跑過船，否則他壓根兒不清楚你在說啥！

或者你可以說：「從你現在所在的位置，沿著中正路朝南走，不久你會看到一間加油站。從加油站數起，繼續往前再走三個紅綠燈，中間經過兩個閃黃燈的不算。在第三個紅綠燈右轉，前面遇到路邊第二棵鳳凰木時再向左偏轉（不是左轉到底的那條路），你就到了中山路。前面左手的第二家餐館，就是老張牛肉麵。」以上兩種完全迥異的說法，講的是同一個地點，只是用的座標系不一樣。

同樣的，描述三維空間中的一點，說法也不只一種。我們對直角（或笛卡兒）座標系已經習以為常，但有的時候，若能換用其他的座標系，譬如我們前面提過的極座標，會讓問題即刻大幅簡化。

你也許會問：「幹嘛挑這個時候插上這麼一段？現在我好不容易對直角座標系得心應手，覺得滿高興的，你是不是不想讓我過好日子呀？」如果你真的這麼想，那就是狗咬呂洞賓，不識好人心。你可傷了我們的心啦。

嘿！我們寫這本書時，可說是晝夜不分，長時間斟酌該如何把它寫得更清楚、更容易理解。下面要討論的柱面座標與球面座標，會讓讀者你的日子更好過一些，絕不是我們要找你麻煩。待會兒你就會知道，在許多節骨眼，你會非常慶幸有這些座標系在場幫忙，搞不好還會感激得跪下來親吻它們的腳——假如它們有腳的話。

柱面座標

　　柱面座標相當容易,它只是在平面的極座標之外,加上我們的老朋友z座標。在柱面座標裡,一點的位置成了(r, θ, z),其中的r跟θ告訴我們它在xy平面上的投影位置,而z座標則顯示它是在xy平面上方或是下方,以及離xy平面有多遠。所以舉例來說,點$(r, \theta, z) = (2, \pi/4, 3)$的位置就如圖9.16所示。

　　用來換算直角座標跟柱面座標的方程式,與換算直角座標跟極座標的方程式完全相同:

$$x = r \cos \theta$$
$$y = r \sin \theta$$
$$r^2 = x^2 + y^2$$
$$z = z$$

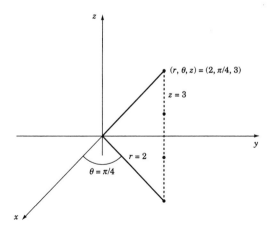

圖9.16　點$(r, \theta, z) = (2, \pi/4, 3)$

　　因為在兩種座標系中，z仍為同一個變數，所以z實際上並不需要一個方程式。我們多此一舉的把它列了出來，只是表示沒把它忘掉而已。

　　某些形狀若用柱面座標來表示，要比用直角座標容易得多，特別是柱面，另外還有圓錐、拋物面，以及其他可描述成跟某直線維持固定距離的區域。所以如果你是在計算導線周圍的電場、流經管道的油料，或者在啤酒杯裡打轉的啤酒等等，你碰到的都是的柱面，而用柱面座標會讓你的日子好過許多！

範例1　試描述柱面座標中的方程式$r = 3$所代表的曲面。

　　方程式$r = 3$代表一個長度無限、半徑為3、以z軸為軸心的垂直柱面。我們如何看出來是這樣呢？

　　首先，讓我們看看它在xy平面上，也就是$z = 0$時，是什麼樣子呢？$r = 3$代表在該平面上、以原點為圓心、半徑為3的圓。由於z沒有出現在方程式中，它可以等於任何值，換言之，與xy平面平行的任何一個平面上，都同樣有一個以z軸為圓心、半徑為3的圓。這些圓一個個連接起來，就形成了圖9.17中所示，長度無限延伸的垂直柱面。

　　上例是r固定，那麼如果把θ固定，我們又會得到什麼呢？第290頁的圖9.18顯示$\theta = \pi/4$所代表的曲面（平面）。

範例2　試作出$z = r^2$的圖形。

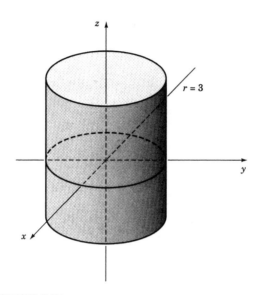

圖9.17 $r = 3$ 所描述的曲面

祕訣 如果方程式裡面缺 θ，那可是個好兆頭，表示作圖一定不難。怎麼說呢？讓我們瞧瞧這個範例。

解：注意，當我們在 yz 平面上任取一點 $(0,\ y,\ z)$，則該點的 y 跟 r 相等，因爲兩個都是該點跟 z 軸的距離。換言之，對 yz 平面上的各點，題目裡給的方程式 $z = r^2$ 就等價於方程式 $z = y^2$，於是我們可以在 yz 平面上，先把拋物線 $z = y^2$ 畫出來。好啦，由於方程式 $z = r^2$ 中沒有 θ，表示 θ 可以是任何值，因而我們只要把剛才在 yz 平面上畫好的拋物線，繞著 z 軸轉一整圈，所經過的軌跡就構成了一個曲面，曲面上的每一點，都應該跟它在 yz 平面上對應的那一點，有同樣的 r 值跟 z

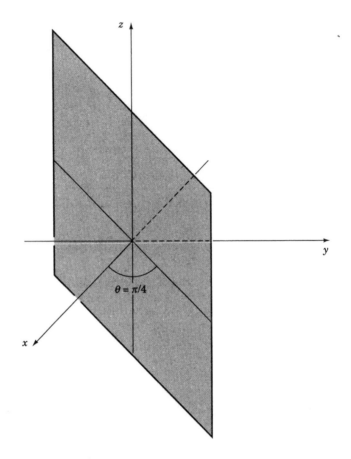

圖9.18　$\theta = \pi/4$ 所描述的曲面

值，所以也會滿足方程式 $z = r^2$。結果如圖9.19所示，是個碗狀的曲面，事實上，我們對它並不陌生──它就是那個最標準的拋物面。

　　還有一個方法可以讓我們看出，$z = r^2$ 所描述的就是標準拋物面，那就是用 $x^2 + y^2$ 取代式中的 r^2，得到：$z = x^2 + y^2$，這恰好是最標準的拋物面的方程式。

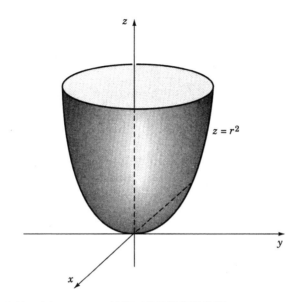

圖9.19　在柱面座標上，$z = r^2$ 的圖形就是這個拋物面。

柱面座標上的積分

對於圓柱面、圓錐面這類區域上的三重積分問題，通常最好改用柱面座標，計算起來會簡單得多。

由於柱面座標不過是極座標加上了 z 座標，所以小盒子的體積是它在 $r\theta$ 平面上的面積乘以它的高。在取極限時，這就表示 $dV = r\, dr\, d\theta\, dz$。所以：

在柱面座標裡，函數 f 在立體區域 V 上的積分公式就是

$$\iiint_V f(r, \theta, z)\, r\, dr\, d\theta\, dz$$

範例3 試計算 $f(x, y, z) = \sqrt{x^2 + y^2}$ 在下列立體S上的積分：S位於平面 $z = 0$ 之上、曲面 $z = 1 - \sqrt{x^2 + y^2}$ 之下。

解：曲面 $z = 1 - \sqrt{x^2 + y^2}$ 是一個尖端朝上的圓錐面。題目裡所說的立體S，看起來如圖9.20所示。

不小心讓冰淇淋掉到地上的工程師、物理學家以及小朋友，經常必須面對這樣的計算問題。那麼我們該如何著手呢？如果待在原來的笛卡兒座標裡做計算，結果到處都是根號，式子會變得非常複雜。但是若改用了柱面座標，一切麻煩完全消失，因為原先看起來叫人頭大的 $f(x, y, z) = \sqrt{x^2 + y^2}$，搖身一變之後成了 $f(r, \theta, z) = r$，而立體的上界曲面 $z = 1 - \sqrt{x^2 + y^2}$ 也變成了 $z = 1 - r$。於是，整個立體可以用下列三個不等式來表示：

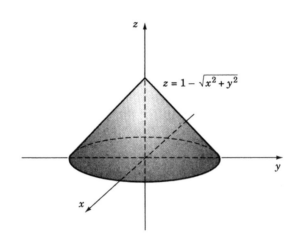

圖9.20　在 $z = 1 - \sqrt{x^2 + y^2}$ 下方的區域。

$$0 \leq z \leq 1-r$$
$$0 \leq r \leq 1$$
$$0 \leq \theta \leq 2\pi$$

所以，這個問題的三重積分式子就可寫成：

$$\int_0^{2\pi} \int_0^1 \int_0^{1-r} rr \, dz \, dr \, d\theta$$

逐次積分三次，當然又是由內而外，計算如下：

$$
\begin{aligned}
\int_0^{2\pi} \int_0^1 \int_0^{1-r} r^2 \, dz \, dr \, d\theta &= \int_0^{2\pi} \int_0^1 \left[r^2 z \right]_{z=0}^{z=1-r} dr \, d\theta \\
&= \int_0^{2\pi} \int_0^1 r^2(1-r) \, dr \, d\theta \\
&= \int_0^{2\pi} \int_0^1 (r^2 - r^3) \, dr \, d\theta \\
&= \int_0^{2\pi} \left[\frac{r^3}{3} - \frac{r^4}{4} \right]_0^1 d\theta \\
&= \int_0^{2\pi} (\tfrac{1}{3} - \tfrac{1}{4}) \, d\theta \\
&= \tfrac{1}{12} \left[\theta \right]_0^{2\pi} \\
&= \frac{\pi}{6}
\end{aligned}
$$

球面座標

　　柱面座標滿有意思的,但是它只不過是極座標的延伸版本,觀念上沒啥新奇可言。你可能正在抱怨說:「教我一個真正的新座標系好嗎?好讓我拿去唬一唬剛認識的心上人。」你的運氣不壞,我們正好有個現成的。

　　如果要用這個新座標,來表示三維空間中的一點,我們得把它跟原點用一條直線連接起來,如圖9.21所示。這根連接線段的長度叫做 ρ (rho ,讀做row),希臘字母總是用在讓人印象較深刻的座標系。另外,這條線跟正 z 軸所夾的角叫做 ϕ (phi ,讀做fee);如果 $\phi = 0$,該點就高高的位於正 z 軸上,若 $\phi = \pi$,則該點低低的位於負 z

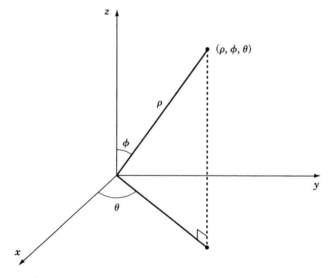

圖9.21　球面座標

軸上;如果 $\phi = \pi/2$,則這條線跟 z 軸垂直,而該點就位在 xy 平面上。現在,把線段投影到 xy 平面上,然後定義該投影跟正 x 軸之間的夾角爲 θ;這個 θ 跟前述的柱面座標裡的 θ,其實是同樣的東西。

一般說來,當我們用這三個座標來指定一個點時,ρ 不會取爲負值,ϕ 取在 0(北極)到 π(南極)之間,而 θ 則可以在 0 到 2π 之間。這樣的三個座標值(ρ, ϕ, θ)就足以用來描述空間中的任何一點,而這就是所謂的球面座標。其中 θ 跟 ϕ 兩個角度,決定了從原點到該點的方向,或決定出球面上的一點,而球面的半徑 ρ,則決定了從原點到球面上一點的距離。

警告 有些人在寫球面座標符號時,會把 ρ 誤寫成 r,甚至也有可能把 ϕ 跟 θ 的意義顛倒,而把(ρ, ϕ, θ)寫成了(ρ, θ, ϕ)。但是我們在這兒介紹的記法,是最常用的一種。

這種座標最適用於球面等東西上。當然,它們也可以用在一些其他形狀,諸如橢球面,但總不及球面來得合適。近年來,球面的計算愈來愈多,因此球面座標也愈來愈常用到。在計算粒子周圍的電場、行星周圍的重力場,以及水球的質量時,你都會遇到它們。

以下的幾個簡單法則,適用於把球面座標轉換成直角座標的情形:

$$
\begin{aligned}
x &= \rho \sin\phi \cos\theta \\
y &= \rho \sin\phi \sin\theta \\
z &= \rho \cos\phi
\end{aligned}
$$

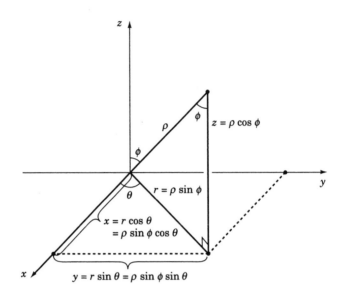

圖9.22　把球面座標轉換成直角座標。

方框裡的這三個方程式，都可以從圖9.22中讀出來。

請注意，角 ϕ 不只可以是我們所定義的那個角，從初等幾何可推知，它也等於垂直面上那個直角三角形的頂角。而且從那個直角三角形，我們馬上可以得到 $z = \rho\cos\phi$，以及 $r = \rho\sin\phi$。於是

$$x = r\cos\theta = (\rho\sin\phi)\cos\theta$$
$$y = r\sin\theta = (\rho\sin\phi)\sin\theta$$

範例4　已知一點的球面座標為 $(10, \pi/3, \pi/2)$，試求其直角座標。

解：我們只要把題目所給的球面座標，代入剛學到的公式：

$$x = \rho \sin \phi \cos \theta = (10)\left(\sin \frac{\pi}{3}\right)\left(\cos \frac{\pi}{2}\right) = (10)\left(\frac{\sqrt{3}}{2}\right)(0) = 0$$

$$y = \rho \sin \phi \sin \theta = (10)\left(\frac{\sqrt{3}}{2}\right)(1) = 5\sqrt{3}$$

$$z = \rho \cos \phi = (10)\left(\cos \frac{\pi}{3}\right) = (10)\left(\frac{1}{2}\right) = 5$$

所以，同一點的直角（或笛卡兒）座標就是$(0, 5\sqrt{3}, 5)$。

以上是把球面座標轉換成直角座標，很直截了當。但是反過來，要把直角座標轉換成球面座標時，就稍微麻煩一點了。假設我們知道直角座標的(x, y, z)，想轉換成球面座標的(ρ, ϕ, θ)，那麼首先，我們得由以下的方程式求得ρ：

$$\rho^2 = x^2 + y^2 + z^2$$

這是從原點到點 (x, y, z) 的距離公式。有了ρ之後，咱們就可以利用$z = \rho \cos\phi$求出ϕ，因為這時候我們知道z跟ρ。等有了ϕ之後，我們可以利用$x = \rho \sin\phi \cos\theta$，進一步求出$\theta$，因為這時候我們已經知道除了$\theta$以外的所有座標。在做這最後一步時，得特別注意要把$\theta$放進正確的象限裡面。

範例5 已知一點的直角座標為$(1, 1, \sqrt{2})$，請問它的球面座標是什麼？

解：第一步，計算ρ：

$$\rho^2 = x^2 + y^2 + z^2 = 1^2 + 1^2 + 2 = 4$$

所以 $\rho = 2$。其次，利用 $z = \sqrt{2}$ 求出 ϕ：

$$z = \rho \cos \phi$$
$$\sqrt{2} = 2 \cos \phi$$
$$\cos \phi = \frac{\sqrt{2}}{2} = \frac{1}{\sqrt{2}}$$
$$\phi = \frac{\pi}{4}$$

最後，我們得由 $x = \rho \sin\phi \cos\theta$ 來計算 θ：

$$1 = 2\left(\frac{\sqrt{2}}{2}\right)\cos \theta$$
$$\cos \theta = \frac{1}{\sqrt{2}}$$
$$\theta = \frac{\pi}{4}$$

〔在最後這一步，我們必須小心選擇 θ，因為滿足 $\cos\theta = 1/\sqrt{2}$ 的 θ 也可以等於 $7\pi/4$。但是從 x 座標跟 y 座標皆為正值看來，θ 應該落在第一象限。〕

所以，該點的球面座標是 $(\rho, \phi, \theta) = (2, \pi/4, \pi/4)$。

球面座標上的積分

要在球面座標上計算三重積分，我們需要知道，直角座標裡的 $d\mathrm{V} = dx\, dy\, dz$ 在球面座標中會轉換成什麼。我們的解法是，把三個球面座標值都改變一點點，然後看看得到的立體可用什麼式子來代

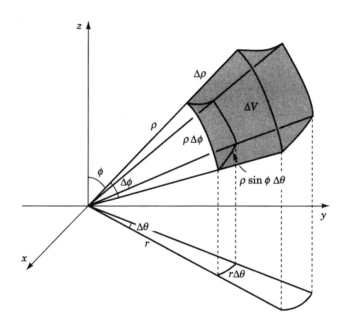

圖9.23 把球面座標的三個座標都改變一點。

表。如圖9.23所示,同時讓 ρ 改變一點 $\Delta\rho$, ϕ 改變一點 $\Delta\phi$, θ 改變一點 $\Delta\theta$,我們就得到了一個立體 ΔV。

這個立體差不多是個方盒子,其寬為 $r\Delta\theta = \rho\ \sin\phi\ \Delta\theta$,徑向的長度為 $\Delta\rho$,而縱深為 $\rho\ \Delta\phi$ 因而它的體積大約為:

$$\Delta V \approx (\rho \sin\phi\ \Delta\theta)(\Delta\rho)(\rho\ \Delta\phi)$$

$$\approx \rho^2 \sin\phi\ \Delta\rho\ \Delta\phi\ \Delta\theta$$

若取極限,也就是把上述立體愈切愈小之後,所得到的近似值

也就愈來愈靠近實際值。所以

$$\iiint\limits_{V} f(x, y, z) \, dV = \iiint\limits_{V} f(\rho, \phi, \theta) \, \rho^2 \sin \phi \, d\rho \, d\phi \, d\theta$$

每當我們求球面座標上的積分，我們就自動用 $\rho^2 \sin\phi \; d\rho \; d\phi \; d\theta$ 來取代 dV。

範例6（消除空氣污染）　一種叫做「載提普拉茲」的外星人，由於自己居住的星球上缺氧，打算把地球的大氣層搬回家。當然它們得先算出整個大氣層的質量，以便進一步計算要花多少時間達成任務。大略估計，它們假定地球是個半徑為6,400,000公尺的球，而在距離地面 h 公尺處的空氣密度，為每立方公尺 $\dfrac{10^6}{6{,}400{,}000 + h}$ 公斤。
（注意！千萬別把這個函數貿然拿到氣象學上去用，它跟實際數據差得很遠。嘿，它們是外星人，所以你就別管它們怎麼想出這些函數的。）如果它們計劃取走離地20公里內的所有空氣，那麼它們得搬回家的空氣總質量應該是多少？

　　解：我們可以求大氣層密度的積分，來計算大氣層的總質量。
（下一節還會有進一步的討論。）根據這題目的情況，我們最好採用球面座標來做計算，所以，我們的積分區域可以寫成

$$6{,}400{,}000 \leq \rho \leq 6{,}420{,}000$$

（從地心量起的距離是6,400到6,420公里）

$$0 \leq \phi \leq \pi$$

以及

$$0 \leq \theta \leq 2\pi$$

又由於 $h = \rho - 6,400,000$，所以我們的被積函數是

$$f(\rho, \phi, \theta) = \frac{10^6}{6,400,000 + (\rho - 6,400,000)}$$

$$= \frac{10^6}{\rho}$$

這個函數給出了任何一點 (ρ, ϕ, θ) 上的空氣密度。於是，我們所要的三重積分式子就為

$$\int_0^{2\pi} \int_0^{\pi} \int_{6,400,000}^{6,420,000} \frac{10^6}{\rho} \, \rho^2 \sin\phi \, d\rho \, d\phi \, d\theta$$

記住，計算積分時要由內而外，所以得到：

$$\int_0^{2\pi} \int_0^{\pi} \int_{6,400,000}^{6,420,000} \frac{10^6}{\rho} \rho^2 \sin\phi \, d\rho \, d\phi \, d\theta = 10^6 \int_0^{2\pi} \int_0^{\pi} \int_{6,400,000}^{6,420,000} \rho \sin\phi \, d\rho \, d\phi \, d\theta$$

$$= 10^6 \int_0^{2\pi} \int_0^{\pi} \left[\frac{\rho^2}{2} \right]_{6,400,000}^{6,420,000} \sin\phi \, d\phi \, d\theta$$

$$\approx 10^6 \int_0^{2\pi} \int_0^{\pi} 1.282 \times 10^{11} \sin\phi \, d\phi \, d\theta$$

$$= 1.282 \times 10^{17} \int_0^{2\pi} \int_0^{\pi} \sin\phi \, d\phi \, d\theta$$

$$= 1.282 \times 10^{17} \int_0^{2\pi} \left[-\cos\phi \right]_0^{\pi} \, d\theta$$

$$= 1.282 \times 10^{17} \int_0^{2\pi} [-(-1) - (-1)]\, d\theta$$

$$= 1.282 \times 10^{17} \left[2\theta \right]_0^{2\pi}$$

$$= 1.282 \times 10^{17} (4\pi)$$

$$\approx 1.611 \times 10^{18} \ \text{kg}$$

要送走這麼多的質量,時間上來得及嗎?沒問題,外星人說,我們用的是航空郵件!

9.7 質量、質心、矩

在數學跟物理上,我們為了計算上方便省事,經常把一個明明是有模有樣的物體,假裝視為一點。譬如我們突發奇想,要用一具彈射器把一頭牛彈射到田野的另一頭,而且想確定最後的落點是在水塘裡,而不是本地人們聚集的菜市場,那麼我們是否把這頭牛假設為一點(即牠的質量中心),大概都不會造成什麼差異。真正的重點是這頭牛的總質量,以及所謂的質心。

質量

首先,我們來瞧瞧如何求出這頭牛的質量 V〔此 V 不代表體積,而是代表 veal(小牛肉)〕?假設那頭牛的密度並不均勻,有些部位的密度大些。再假設牠身上各點 (x, y, z) 的密度,可以由函數 $\sigma(x, y, z)$ 來表示。所以,如果我們把該頭牛切成許多很小的立方塊(這只是打個比方,不是真的動手這麼幹,我們又不是供應生鮮小牛肉的廠商),那麼每一個小立方塊的質量,差不多等於該塊肉上一點的密度,乘以它的體積。然後,把這些小立方塊的質量加起來,再

讓小立方塊數增加、體積變小，最後取其極限，結果就得到了一個三重積分：

$$\iiint\limits_V \sigma(x, y, z)\, dx\, dy\, dz$$

注意，當密度 $\sigma(x, y, z) = 1$ 時，質量就剛好等於體積。

質心

質心又稱為形心，要弄清楚質心是什麼，讓我們回憶一下童年時在遊樂場上嬉戲的日子。想當年，你還是個小不點，最喜愛的遊戲就是爬上蹺蹺板的一頭，另一頭坐著隔壁家的阿明，一面慢慢的上下上下，一面高興的叫著笑著。突然，你趁著他高高在上的一刹那，滑下蹺蹺板，然後興奮的看著阿明臉上閃過驚慌失措的表情，接著啪咧一聲，他那一頭重重摔到地上，於是兩個人都樂不可支的開懷大笑起來。啊！童年就是這麼美好，在一連串的惡作劇跟歡笑聲中，不知不覺的溜走。

童年時坐蹺蹺板的經驗，無形中啟發了你對平衡、支點等等力學概念，同時也讓阿明很早就體驗到人性中黑暗的一面。但是現在我們只專心談談你所學到的觀念。

蹺蹺板理論

假如我們有一個加強過的超堅固蹺蹺板，在其中一邊的點 x_1，坐著一位「綠灣包裝人隊」的球員，而在蹺蹺板另一邊的點 x_2，坐著一位紐約市立芭蕾舞團的團員。坐過蹺蹺板的人都知道，蹺蹺板

若要平衡 $\bar{x}$，上述情況的平衡點一定比較靠近那位美國職業足球明星（請看圖9.24）。

說得更精確一些，如果 $\bar{x}$ 是平衡點，則

$$m_1(\bar{x} - x_1) = m_2(x_2 - \bar{x})$$

在平衡點的兩邊，質量與該質量距平衡點的距離的乘積會相等。

解上式求 $\bar{x}$，我們可得

$$m_1\bar{x} - m_1x_1 = m_2x_2 - m_2\bar{x}$$
$$m_1\bar{x} + m_2\bar{x} = m_1x_1 + m_2x_2$$
$$(m_1 + m_2)\bar{x} = m_1x_1 + m_2x_2$$

$$\boxed{\bar{x} = \frac{m_1x_1 + m_2x_2}{m_1 + m_2}}$$

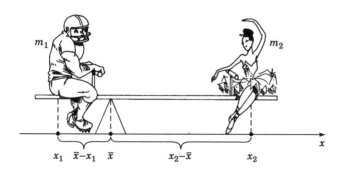

圖9.24　蹺蹺板

換句話說，平衡點的座標，就等於加權質量和除以總質量。這裡的質量如何加權呢？就是拿質量乘以它的座標。

如果有許多個質點，譬如說n個點，上述公式就變成：

$$\bar{x} = \frac{\sum_{i=1}^{n} m_i x_i}{\sum_{i=1}^{n} m_i} = \frac{m_1 x_1 + m_2 x_2 + \cdots + m_n x_n}{m_1 + m_2 + \cdots + m_n}$$

上面這個公式只是在一條直線上，但是當我們的質點是散布於空間中，同樣的法則也適用於 y 座標軸跟 z 座標軸上。即：

$$\bar{y} = \frac{\sum_{i=1}^{n} m_i y_i}{\sum_{i=1}^{n} m_i}$$

$$\bar{z} = \frac{\sum_{i=1}^{n} m_i z_i}{\sum_{i=1}^{n} m_i}$$

綜合上面的三個座標，所得的點$(\bar{x}, \bar{y}, \bar{z})$就稱為這n個質點的形心或質心。

我們的下一個目標，是要想辦法求出任何一個立體V的質心。我們要用的觀念是把這個立體切成許多碎塊，我們想求的就是這些碎塊的質心。要計算出區域內每個小盒子的質量，我們需要知道該區域內的質量分布情形，也就是密度函數$((x, y, z)$所透露的資訊。我們把該區域的體積（取極限之後為$dx\ dy\ dz$）乘以密度$\sigma(x, y, z)$，就得出了以下三個積分公式：

$$\bar{x} = \frac{\iiint_V \sigma(x, y, z) \, x \, dx \, dy \, dz}{\iiint_V \sigma(x, y, z) \, dx \, dy \, dz}$$

$$\bar{y} = \frac{\iiint_V \sigma(x, y, z) \, y \, dx \, dy \, dz}{\iiint_V \sigma(x, y, z) \, dx \, dy \, dz}$$

$$\bar{z} = \frac{\iiint_V \sigma(x, y, z) \, z \, dx \, dy \, dz}{\iiint_V \sigma(x, y, z) \, dx \, dy \, dz}$$

　　請注意，上面三個積分公式的分母都一樣，都是立體 V 的質量。由這些公式得到的點 $(\bar{x}, \bar{y}, \bar{z})$，即是該立體的質心，如果我們用一根繩子把它吊起來，只要吊的位置是在質心，整個立體就會處於平衡狀態。

　　而在上述三式的分子，由於被積函數為密度乘以 x、y 或 z 的一次方，所以分子的積分稱為該立體的一次矩。

　　祕訣　在計算質心（形心）時，我們經常可以利用對稱性來簡化問題。如果你面對的物體，在你把 x 以 $-x$ 取代之後看起來仍舊相同，而且函數 σ 也並未因此而改變，那麼質心的 x 座標必定是 0。對 y 跟 z 來說也是一樣。

範例 1　假設某立體的密度為一常數 $\sigma(x, y, z) = 1$，而且以 $z = x^2 + y^2$ 跟 $z = 4$ 的圖形為界，試求該立體的形心。

　　解：首先畫出這個立體，如圖 9.25 所示。我們發現，若以 $-x$ 取代 x，該立體的本身跟密度函數皆維持不變，而以 $-y$ 取代 y 時亦然，因而我們知道，$\bar{x} = 0$，$\bar{y} = 0$。但是以 $-z$ 取代 z 時，積分區域會改變，所以我們必須求幾個積分，找出 $\bar{z}$：

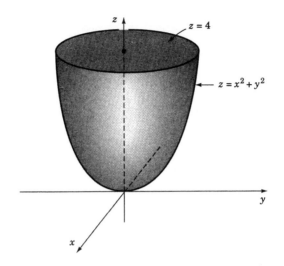

圖9.25 求質心

$$\bar{z} = \frac{\iiint_V \sigma(x, y, z)\, z\, dx\, dy\, dz}{\iiint_V \sigma(x, y, z)\, dx\, dy\, dz}$$

讓我們分開來計算分子跟分母。首先看分母，它所代表的是該立體的總質量。由於這個立體的形狀，我們將選用柱面座標，於是積分區域可描述成：

$$r^2 \leq z \leq 4$$
$$0 \leq r \leq 2$$
$$0 \leq \theta \leq 2\pi$$

所以，計算總質量的三重積分（即分母）為：

$$\int_0^{2\pi} \int_0^2 \int_{r^2}^4 r\, dz\, dr\, d\theta$$

我們由內而外做逐次積分：

$$
\begin{aligned}
質量 &= \int_0^{2\pi} \int_0^2 \int_{r^2}^4 r \, dz \, dr \, d\theta \\
&= \int_0^{2\pi} \int_0^2 \left[rz \right]_{z=r^2}^{z=4} dr \, d\theta \\
&= \int_0^{2\pi} \int_0^2 [4r - r^3] \, dr \, d\theta \\
&= \int_0^{2\pi} \left[2r^2 - \frac{r^4}{4} \right]_0^2 d\theta \\
&= \int_0^{2\pi} 4 \, d\theta \\
&= 8\pi
\end{aligned}
$$

接下來求分子：

$$
\begin{aligned}
\int_0^{2\pi} \int_0^2 \int_{r^2}^4 zr \, dz \, dr \, d\theta &= \int_0^{2\pi} \int_0^2 \left[\left(\frac{z^2}{2} \right) r \right]_{z=r^2}^{z=4} dr \, d\theta \\
&= \int_0^{2\pi} \int_0^2 \left[8r - \frac{r^5}{2} \right] dr \, d\theta \\
&= \int_0^{2\pi} \left[4r^2 - \frac{r^6}{12} \right]_0^2 d\theta \\
&= \int_0^{2\pi} \frac{32}{3} \, d\theta \\
&= \frac{64}{3}\pi
\end{aligned}
$$

最後，讓分子、分母歸隊：

$$\bar{z} = \frac{(64/3)\pi}{8\pi} = \frac{8}{3}$$

因此質心的位置是在 (0, 0, 8/3)。

範例2 假設一顆球的半徑爲 1，球心在原點，而密度可以用函數 $\sigma(x, y, z) = 3x^2 + 2y^4 + z^6$ 表示。試求它的質心位置。

解：沒問題。我們發現，在 (x, y, z) 跟 $(-x, y, z)$，這顆球還是同一顆球，而且密度依然相同，所以我們可以確定 $\bar{x} = 0$。同理，我們得知 $\bar{y} = 0$，$\bar{z} = 0$。所以質心位在 $(0, 0, 0)$，也就是球心的位置上。

慣性矩（轉動慣量）

慣性矩是啥？照它的英文 moment of inertia 字面來看，意思就是「遲鈍的那一刻」。當你的暗戀對象突然出現在走廊裡，對著你迎面走過來，而且正目不轉睛的盯著你，彷彿直視到你的心靈深處，你馬上意識到這個千載難逢的機會，要是能好好掌握，很可能就此與她共騎一輛單車，攜手度過此生。你很想告訴她：「嗨！我剛才整堂課都盯著你的後腦勺瞧……」但是從你嘴巴裡吐出來的，卻是：「呃……」然後你只能眼睜睜的，望著你的心上人跟你擦身而過，還一臉迷惘的回過頭來瞄了你一眼，讓你夢中的雙人單車，一頭栽進了路邊水溝。這就是你的「遲鈍的一刻」，理工科系的男同學多半有過類似的際遇。

但是我們現在要談的，卻是另外一種解釋：慣性矩。

劍法示範　兩兩一組,請你把你的夥伴打橫扛在肩上,然後在原地打轉。注意要抓牢,不能放手。開始轉的時候會有些困難,但是等你順利轉動之後,就沒那麼難了。慣性矩就是在衡量身體開始轉動時所受的阻力。

對於粒子(或質點),它的慣性矩等於 mr^2,其中 m 為質量,而 r 則是該粒子(或質點)跟轉動中心之間的距離。由於質量是乘以 r 的二次方,所以慣性矩又稱做二次矩。

要計算一個物體(已知它充滿某個立體 V)的慣性矩,我們同樣要把它切成許多很小的方塊或小盒子。一點上每單位體積的質量,可寫成一個叫做質量密度的函數,因而每個小盒子的質量,約略等於它的體積乘以質量密度,於是它的慣性矩,就等於它的質量乘以它跟轉軸距離的平方。就如同先前的例子,我們得到一個積分。

比方說,我們繞著 z 軸轉,那麼跟轉軸間的距離的平方,就等於 $x^2 + y^2$,而質量密度為 $\sigma(x, y, z)$ 的立體 V 的慣性矩就等於

$$\iiint_V \sigma(x, y, z)(x^2 + y^2)\, dx\, dy\, dz$$

換成柱面座標則是:

$$\iiint_V \sigma(r, \theta, z)(r^2)\, r\, dr\, d\theta\, dz$$

慣性矩很重要，除了可用來計算引擎發動所需的能量，還可以用來研究動物的翻轉。

範例3（旋轉雞） 薇諾蒂雅完成了她的小雞雕塑之後（前情請見第9.5節），把它安置在一根兩公尺高的細鋼柱上，因而這件作品所占的區域，位於 $z = 2$ 之上跟 $z = 11 - x^2 - y^2$ 之下。薇諾蒂雅還決定，要讓她這隻小雞像陀螺般旋轉，並且把作品名稱從原來的「這是啥款？」改成「旋轉雞」（其他工作人員給它取了一個綽號：「燒烤架上的雞」）。為了確定它能夠旋轉順暢，試計算出這隻雞繞著 z 軸的慣性矩是多少。（已知青銅的密度是8900公斤／立方公尺，即 $\sigma(x, y, z) = 8900$。）

解：這隻雞繞著 z 軸的慣性矩，就等於下列的柱面座標積分：

$$\int_0^3 \int_0^{2\pi} \int_2^{11-r^2} (8900) r^2 r \, dz \, d\theta \, dr$$

注意！我們的積分次序是先對 z、其次對 θ、最後對 r 積分。其實我們可以選擇任何次序，只是上述次序對這個問題最適合。

因此，上述的積分結果為：

$$\int_0^3 \int_0^{2\pi} \int_2^{11-r^2} (8900) r^3 \, dz \, d\theta \, dr = \int_0^3 \int_0^{2\pi} (8900)[r^3 z]_{z=2}^{z=11-r^2} \, d\theta \, dr$$

$$= \int_0^3 \int_0^{2\pi} (8900)(9r^3 - r^5) \, d\theta \, dr$$

$$= \int_0^3 (2\pi)(8900)(9r^3 - r^5)\, dr$$

$$= (2\pi)(8900)\left[\frac{9r^4}{4} - \frac{r^6}{6}\right]_0^3$$

$$= (2\pi)(8900)\left[\frac{9(3^4)}{4} - \frac{3^6}{6}\right]$$

$$\approx 3.4 \times 10^6$$

哇！這隻雞的慣性大得驚人——如果薇諾蒂雅要讓它順利旋轉，最好安裝一些塗滿潤滑油的軸承，以防轉不動，呆若木雞！

9.8 座標變換

在此之前，我們已經陸續瞭解如何在極座標、柱面座標及球面座標裡，計算多重積分。但是座標系有無數種，你甚至可以創造出你自己的座標系。問題是，在隨意換用一個座標系時，我們應該用什麼去取代 $dV = dx\, dy\, dz$？若要在這些新座標系裡做積分，我們就需要知道這問題的答案。運氣很好的是，有個簡單的公式可以告訴我們。

假如在某個新的座標系中，描述空間中一點的三個座標變成 u、v、w，而不是常用的 x、y、z。再假設這套座標跟 x、y、z 之間的關係式為 $x = x(u, v, w)$、$y = y(u, v, w)$ 以及 $z = z(u, v, w)$。這時，函數 $f(x, y, z)$ 的三重積分公式，$\iiint_v f(x, y, z)\, dV$，就會換成 $\iiint_v f(u, v, w)\, dV$。

我們必須做的，就是把 dV 以新的座標來表示，也就是要找出在 $u - v - w$ 座標系裡，一個小盒形狀區域的體積。現在，設向量 $\mathbf{r}$ 為 $x\mathbf{i} + y\mathbf{j} + z\mathbf{k}$，於是 $r = x(u, v, w)\mathbf{i} + y(u, v, w)\mathbf{j} + z(u, v, w)\mathbf{k}$。那麼，在 u

－v－w座標中，那個盒狀區域的體積，差不多跟以下三個向量的純量三重積相等：

$$\frac{\partial \mathbf{r}}{\partial u}, \frac{\partial \mathbf{r}}{\partial v}, \text{及} \frac{\partial \mathbf{r}}{\partial w}$$

也就是說，求dV的公式就等於這三個向量的純量三重積，即：

$$dV = \begin{vmatrix} \dfrac{\partial x}{\partial u} & \dfrac{\partial y}{\partial u} & \dfrac{\partial z}{\partial u} \\[2mm] \dfrac{\partial x}{\partial v} & \dfrac{\partial y}{\partial v} & \dfrac{\partial z}{\partial v} \\[2mm] \dfrac{\partial x}{\partial w} & \dfrac{\partial y}{\partial w} & \dfrac{\partial z}{\partial w} \end{vmatrix} \, du \, dv \, dw = \left| \frac{\partial(x, y, z)}{\partial(u, v, w)} \right| \, du \, dv \, dw$$

第二個等號右邊的式子，只是一種縮寫方式。上面這個行列式有個特殊的名稱，叫做雅可比行列式，它代表了u、v、w座標跟x、y、z座標之間的體積伸縮因子。

有了雅可比行列式，u－v－w座標中的三重積分就可以寫成：

$$\iiint\limits_{V} f(u, v, w) \left| \frac{\partial(x, y, z)}{\partial(u, v, w)} \right| \, du \, dv \, dw$$

積分符號底下的 V，相當於我們的積分區域，這時是以u、v、w座標來表示——雖然仍舊是同一個區域，但是它的敘述方式已經與原來的x、y、z座標敘述有所不同。

範例1（英尺跟碼座標）　宿舍寢室裡臭氣沖天，原因是昨天晚上大夥吃了太多宵夜，還把吃剩下的垃圾塞在隔壁寢室同學的抽屜裡。現在大夥決議，每個人都得按照他（或她）的寢室大小（以立方英

尺計），買足夠的空氣清新劑，來共同除去臭味。除臭效果最強的空氣清新劑，價錢是每立方英尺美金$5，所以絕大多數的室友都以英尺爲單位，丈量自己的寢室，並用$f(x, y, z) = 5$做爲被積函數，以各自的寢室爲積分區域，去求他們該出的錢。

艾咪喜歡標新立異，這回也不例外，她一向堅持用碼爲度量單位，而不用英尺。她的那間寢室S，若按照一般的x、y、z英尺座標來算，就是區域$0 \leq x \leq 6$、$0 \leq y \leq 6$、$0 \leq z \leq 6$（一個正立方體），但是按照碼座標(u, v, w)來算的話，由於$x = 3u$、$y = 3v$，而$z = 3w$，因此她丈量的結果是描述成$0 \leq u \leq 2$、$0 \leq v \leq 2$、$0 \leq w \leq 2$。試用u、v、w座標，寫出三重積分式，並算出艾咪的寢室除臭費用。

解：首先，我們要算出把碼座標(u, v, w)換成英尺座標(x, y, z)的雅可比行列式。由於兩者間只有倍數3的關係，所以我們得到

$$\mathbf{r} = x(u, v, w)\mathbf{i} + y(u, v, w)\mathbf{j} + z(u, v, w)\mathbf{k} = 3u\mathbf{i} + 3v\mathbf{j} + 3w\mathbf{k}$$

然後我們算出：

$$\frac{\partial \mathbf{r}}{\partial u} = 3\mathbf{i}$$

$$\frac{\partial \mathbf{r}}{\partial v} = 3\mathbf{j}$$

$$\frac{\partial \mathbf{r}}{\partial w} = 3\mathbf{k}$$

雅可比行列式就等於這三個向量的純量三重積，即：

$$\begin{vmatrix} 3 & 0 & 0 \\ 0 & 3 & 0 \\ 0 & 0 & 3 \end{vmatrix} = 27$$

由於 u、v、w 座標中的積分區域 S 是 $0 \leq u \leq 2$、$0 \leq v \leq 2$、$0 \leq w \leq 2$，所以三重積分式就是

$$\iiint_S f(u, v, w) \left| \frac{\partial(x, y, z)}{\partial(u, v, w)} \right| du\, dv\, dw = \int_0^2 \int_0^2 \int_0^2 5 \cdot 27 \, du\, dv\, dw$$

算出來的結果是美金 $1080，還眞貴呢！這個數字跟用 x、y、z 座標算出來的一樣，所以就算改用英尺座標，該繳的錢還是不會少一些。希望她打工所得的薪水夠付這筆費用。

範例2（從直角座標到球面座標）　試計算出把直角座標 (x, y, z) 換到球面座標 (ρ, ϕ, θ) 的雅可比行列式，並利用此結果，算出球面座標裡一顆半徑爲 R 的球的體積。

解：我們已經知道，這兩個座標系之間的轉換公式爲 $x = \rho \sin\phi \cos\theta$、$y = \rho \sin\phi \sin\theta$、$z = \rho \cos\phi$，所以

$$\mathbf{r} = \rho \sin\phi \cos\theta \mathbf{i} + \rho \sin\phi \sin\theta \mathbf{j} + \rho \cos\phi \mathbf{k}$$

分別取偏導數，我們得到

$$\frac{\partial \mathbf{r}}{\partial \rho} = \sin\phi \cos\theta \mathbf{i} + \sin\phi \sin\theta \mathbf{j} + \cos\phi \mathbf{k}$$

$$\frac{\partial \mathbf{r}}{\partial \phi} = \rho \cos\phi \cos\theta \mathbf{i} + \rho \cos\phi \sin\theta \mathbf{j} - \rho \sin\phi \mathbf{k}$$

$$\frac{\partial \mathbf{r}}{\partial \theta} = -\rho \sin \phi \sin \theta \mathbf{i} + \rho \sin \phi \cos \theta \mathbf{j}$$

雅可比行列式等於這三個向量的純量三重積,即

$$\begin{vmatrix} \sin\phi\cos\theta & \sin\phi\sin\theta & \cos\phi \\ \rho\cos\phi\cos\theta & \rho\cos\phi\sin\theta & -\rho\sin\phi \\ -\rho\sin\phi\sin\theta & \rho\sin\phi\cos\theta & 0 \end{vmatrix} = \rho^2 \sin\phi$$

嘿,我們在討論球面座標內的三重積分時,就見過這個式子嘛!用不同的方法,得到了相同的結果,這不是更加確定了數學的一致性嗎?

這個雅可比行列式,,在區域 $0 \le \rho \le R$、$0 \le \phi \le \pi$、$0 \le \theta \le 2\pi$ 上的積分,就等於半徑為 R 的球的體積;也就是:

$$\begin{aligned} \int_0^{2\pi} \int_0^{\pi} \int_0^R \rho^2 \sin\phi \, d\rho \, d\phi \, d\theta &= \int_0^{2\pi} \int_0^{\pi} \frac{R^3}{3} \sin\phi \, d\phi \, d\theta \\ &= \int_0^{2\pi} \frac{R^3}{3} [-\cos\phi]_0^{\pi} \, d\phi \, d\theta \\ &= \int_0^{2\pi} \frac{2R^3}{3} \, d\theta \\ &= \frac{4}{3}\pi R^3 \end{aligned}$$

你瞧!這不就是我們熟知的球體積公式嗎?

嘿,你幹嘛點頭又搖頭,有什麼問題嗎?

第 10 章

向量場與
格林─斯托克斯幫

10.1 向量場

　　前面說過，每個向量就像一枝箭。但是如果一位農夫用一種基因改造小麥，在田地裡種出一枝枝箭來，那麼他那塊地就可稱為一個向量場。我們再假定田裡長出來的這些箭都非常重，沒辦法保持直立站著，所以它們全躺在地上，於是，一個平面上的向量場就形成了，而在該平面上的每一點，都有一個二維的向量。

　　在我們的日常經驗中，最簡單的二維向量場例子就是風。比方在一個刮風的日子裡，我們走在農場上，這時不管在農地上的哪一點，我們都可以感覺到風吹，而且有特定的風速跟風向。由於向量

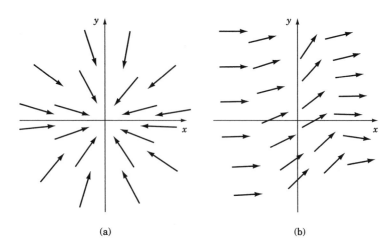

圖10.1　平面上的向量場。

包含了方向跟速率，所以我們可以在農場的每個地點，畫一個二維向量，來同時表示該處的風向跟風速。如果把這個畫面，畫成一張圖，得到的就像圖10.1。

若用方程式表示向量場，可以寫成：

$$\mathbf{W}(x, y) = P(x, y)\mathbf{i} + Q(x, y)\mathbf{j}$$

上面這個向量場，給了 xy 平面上的每一點一個二維向量。注意，我們在這兒用 $\mathbf{i}$、$\mathbf{j}$ 表示向量，這是因爲物理學家偏愛這些記號，而物理學又是向量場的大本營。

如果你現在的位置是在 $(x, y) = (3, 1)$（在風城新竹的某處），而該處的風向量場表示爲：

$$\mathbf{W}(x, y) = (x^2 - 5y)\mathbf{i} + (6y - x)\mathbf{j}$$

那麼在你所站的位置，感覺到的風就是向量 4**i** + 3**j**。這個向量的大小等於 $\sqrt{4^2 + 3^2} = 5$，表示你所站的那點上的風速，而風的方向就是向量 4**i** + 3**j** 所指的方向。如果你被風吹倒，你的身體會跟它同一方向。

不但平面上有向量場，空間裡也可以有向量場。這個向量場，會給三維空間裡的各點 (x, y, z) 一個三維的向量 **F**(x, y, z)。這就像你坐在飛機上四處遨遊，這時，整個風向量場可由一個函數表示，而此函數包括了分別在 x、y、z 方向上的座標，看起來就像：

$$\mathbf{F}(x, y, z) = P(x, y, z)\mathbf{i} + Q(x, y, z)\mathbf{j} + R(x, y, z)\mathbf{k}$$

除了表示風，向量場也可用來描述各種作用力，諸如電力、重力及磁力等等。力這玩意兒，就像恃強凌弱的惡勢力，會把你隨便推來推去（倘若你讓它們予取予求的話）。對空間中的每一點，受力的強度跟方向取決於一個向量，所以力的本身就是一個向量場。

範例（重力向量場）　假設地心位於原點 $(0, 0, 0)$，而地球的重力把周圍一切物質都吸向地心──這就是為什麼澳洲人不會從地球表面往「下」掉到太空裡，而干擾到通訊衛星正常運作的原因。地球的重力場可以表示為：

$$\mathbf{F}(x, y, z) = \left(\frac{-cx}{(x^2 + y^2 + z^2)^{3/2}}\right)\mathbf{i} + \left(\frac{-cy}{(x^2 + y^2 + z^2)^{3/2}}\right)\mathbf{j} + \left(\frac{-cz}{(x^2 + y^2 + z^2)^{3/2}}\right)\mathbf{k}$$

其中的 c 是常數，它的值隨著我們所用的單位而異。這個式子看起來真是一團糟，但是跟你一個不小心，失手讓熟透了的番茄或生雞蛋掉到地上所造成的結果比較起來，可算不了什麼。尤其是，它可以告訴我們，一切物質所受的重力為何，不論它們位於何方。譬如

說，有一單位質量位於點(0, 10,000, 0)上，那麼重力場就給了它一個力，也就是下面這個向量：

$$F(0, 10,000, 0) = \frac{-c(0)}{((0)^2 + (10,000)^2 + (0)^2)^{3/2}}\mathbf{i}$$

$$+ \frac{-c(10,000)}{((0)^2 + (10,000)^2 + (0)^2)^{3/2}}\mathbf{j}$$

$$+ \frac{-c(0)}{((0)^2 + (10,000)^2 + (0)^2)^{3/2}}\mathbf{k}$$

$$= \frac{-c(10,000)}{(10,000)^3}\mathbf{j} = \frac{-c}{(10,000)^2}\mathbf{j}$$

這就證明了重力的平方反比性質：重力會隨著距離增加的平方而減弱；當距離增加一倍，重力就減為原先的四分之一。

梯度場

要製造向量場，有一種方法是取一個函數的梯度。在每一點上，該函數都有一個梯度向量，綜合起來就形成了一個向量場。比方說函數 $\mathbf{F}(x, y) = xy - x^2$，我們取它的梯度，就可以得到下面的向量場：

$$\nabla f = \frac{\partial f}{\partial x}\mathbf{i} + \frac{\partial f}{\partial y}\mathbf{j} = (y - 2x)\mathbf{i} + (x)\mathbf{j}$$

由這種方式得到的向量場，叫做保守向量場，這倒不是指它們只穿灰色西服，或是扣子一直扣到領口的蕾絲女襯衫。待會你就會明白，在保守力場裡面兜一圈後回到原來的位置，不會消耗能量，因而也沒作任何淨功。每個人都嚮往不用作功的工作，所以我們不難瞭解，為何保守向量場會這麼受歡迎。

若取一個函數的梯度之後，可獲得一個保守向量場，這個函數就稱為位勢函數（potential function）。所以當你的籃球教練告訴你：「你很有潛力（potential）。」他的意思可能只是，如果要取梯度、坐冷板凳，你是個很好的選擇。位勢函數在物理學中是一項了不起的學問，物理學家花費許多時間，研究電位勢這類事物。重力也是保守場的一種，它是由一個函數取梯度的結果，而這個函數的負值就叫做重力位勢，在我們的範例中，就是

$$f(x, y, z) = \frac{c}{\sqrt{x^2 + y^2 + z^2}}$$

這個函數的梯度，就是我們在前面看到的重力場。

你找到吃泡麵的筷子了嗎？沒筷子，兩支筆也可以。

10.2　認識散度跟旋度

想像你自己在一個刮風天裡，站在高樓的屋頂上。你跑上去幹嘛？別人覺得奇怪，你也在問自己。原因也許是，你剛被你最愛的她甩了，而且前兩天才砸在「一路發」汽車零件網路公司股票上的一大筆血汗錢，居然一夕之間全泡了湯，更慘的是，一個小時前，你接到牙醫師緊急通知你，她上星期替你裝好的牙套材料裡，赫然發現含有一種慢性毒物。所以，你跑到屋頂上，希望能找到新的人生方向。

現在你站在屋頂上，卻被這上面奇妙的風力震懾住了。乖乖不得了！屋頂上的風真大，而且變化多端，你往旁邊挪開一步，風居

然改從另一個角度向你吹過來，而且風力也不相同！這究竟是怎麼回事？突然間，你開悟了，你發現了一個繼續活下去的理由——你立志今後要試圖去瞭解，當你四處移動時，風的速度向量場 **W** 在做何種變化？

散度儀

　　風速的散度，即 div **W**，是度量空氣朝向我們聚集或離我們而去的速度。如果我們打了一個大噴嚏，一些空氣疾速離我們而去，那麼 **W**（我們的嘴所在的位置）的散度是正值；相對的，若吸進一大口氣，空氣朝我們聚集過來，那麼這個散度就成了負值。

　　為了度量散度，我們可以利用一種專門用來進行生物試驗的生物，稱做「散度儀」。此種散度儀是由一隻小小的變形蟲組成，這隻變形蟲本來活得很快樂，像其他變形蟲一樣隨著外來刺激晃來晃去。為了得知一個向量場中某一定點的散度，我們把這隻變形蟲放在該點上，然後透過顯微鏡，仔細觀察牠的動靜。向量場中的向量，代表著某東西在各個點上受到推擠的情形。

　　如果我們看到變形蟲膨脹伸展開來，表示該點的散度為正值；如果我們看到，牠的手腳上有許多細小的部分朝四面八方飛散出去，那絕對顯示散度為正的。另一方面，如果變形蟲看起來受到擠壓，那麼該處的散度為負值；換言之，如果看到牠正逐漸縮小，而且小眼睛還暴了出來，那麼我們可以確定散度為負。如果看到這隻變形蟲悠然自得，既不脹也不縮，那麼我們知道該點的散度為0。

（本書英文版老編啓事：你說對了！變形蟲哪來的手腳跟眼睛？在此謹代表本出版社的全體同仁，向「單細胞生物之友」致歉。另外，

也請不要寫信來抗議。）

　　讓我們來瞧瞧，向量場 **F** 的散度的正式公式：

$$\operatorname{div} \mathbf{F} = \frac{\partial P}{\partial x} + \frac{\partial Q}{\partial y} + \frac{\partial R}{\partial z}$$

　　不錯，散度只是向量場的 x 分量對 x 的偏導數，加上 y 分量對 y 的偏導數，再加上 z 分量對 z 的偏導數，也就是上述三個偏導數的和。它之所以叫做散度，原因是如果這個向量場代表一種正在流動的流體（譬如熱巧克力糖漿）的速度向量，它的散度就告訴我們，這巧克力糖漿從某一定點發散開（或向它聚集而來）的淨速率。注意，在空間中任一點，$\operatorname{div} \mathbf{F}$ 是一個數，不是向量，所以 $\operatorname{div} \mathbf{F}$ 只是三維空間上的一般函數。

範例1　如果 $\mathbf{F} = 3x^3z\mathbf{i} + 4xyz\mathbf{j} + yz^2\mathbf{k}$，那麼 $\operatorname{div} \mathbf{F}$ 為何？

　　解：

$$\operatorname{div} \mathbf{F} = \frac{\partial(3x^3z)}{\partial x} + \frac{\partial(4xyz)}{\partial y} + \frac{\partial(yz^2)}{\partial z} = 9x^2z + 4xz + 2yz$$

　　讓我們在三維空間中隨便選取一點，譬如(1, 2, –3)，看看在這點上的 $\operatorname{div} \mathbf{F}$ 是多少。把座標代入上式，得到 $\operatorname{div} \mathbf{F} = -27 - 12 - 12 = -51$。所以如果你把變形蟲放在點(1, 2, –3)，牠會被壓得向內縮、被壓扁，就像一隻……一隻變形蟲般。

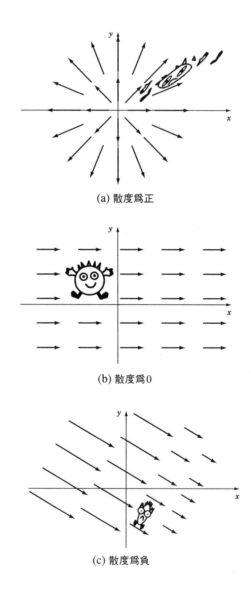

(a) 散度為正

(b) 散度為0

(c) 散度為負

圖 10.2　在這三個點上，散度各是多少？

　　常犯的錯誤　當題目是在求 div F 時，大部分的學生經常畫蛇添足，把各種不同的 **i**、**j** 等等東西丟進答案裡。一定要記得，div F 在任何點上都只是一個數，不要想盡辦法把它變成向量場。

範例 2　試從變形蟲的反應，判定圖 10.2 所示的各個向量場中，這隻變形蟲所在位置的散度為正？為負？抑或為 0？

　　解：在圖 10.2a 中，我們看到變形蟲不斷拉長，所以該點的散度為正值。在圖 10.2b 中，雖然變形蟲可能被推往向量場的方向，但是牠既未被拉長、也未壓扁，所以該點的散度為 0。至於圖 10.2c 的變形蟲，顯然被壓扁變小，所以該點的散度應為負值。

　　有一個巧妙的方法，可以幫助你記住散度的計算公式。我們製造一個類似向量的怪物，並把它命名為「del」，以符號 ∇ 表示之：

$$\nabla = \frac{\partial}{\partial x}\mathbf{i} + \frac{\partial}{\partial y}\mathbf{j} + \frac{\partial}{\partial z}\mathbf{k}$$

雖然它的三個分量不是數值，使得它不能算是一個純正的向量，但是我們還是把它當做向量，對它禮遇有加。我們也把 ∇ 叫做算子（operator），因為它本身不具意義。就如同外科大夫，無論他或她技術多麼高明，必須有病人需要他或她開刀（operate）治病才行。一旦沒有病人，外科大夫就根本不能叫做外科大夫；沒有了病人，當然就沒有收入來源，也沒有了保時捷，沒有地位，沒有以他（或她）為榮的老媽，沒有了海邊的豪華別墅。有了 ∇ 之後，散度的計算公式就變成了：

F 的散度計算公式

$$\text{div } \mathbf{F} = \nabla \cdot \mathbf{F}$$

為什麼呢？我們只要把等號右邊的點積乘開便知：

$$\nabla \cdot \mathbf{F} = \left(\frac{\partial}{\partial x}\mathbf{i} + \frac{\partial}{\partial y}\mathbf{j} + \frac{\partial}{\partial z}\mathbf{k} \right) \cdot (P\mathbf{i} + Q\mathbf{j} + R\mathbf{k}) = \frac{\partial P}{\partial x} + \frac{\partial Q}{\partial y} + \frac{\partial R}{\partial z}$$

用旋度計測量旋度

風向量場 **W** 的旋度，記為 curl **W**，計量的是該向量場的旋轉效能，它告訴我們，這陣風試圖讓你旋轉得多快，以及是繞著哪一根軸旋轉。curl **W** 是一個向量場，跟你的旋轉軸同方向或平行，它的大小則指出旋轉效能的強度有多大。

我們可以用一種改造過的紙風車（不是小朋友玩的那種），來測量旋度，我們稱這種測量裝置為「旋度計」。旋度計上的葉片是平平直直的，有些像水車上葉片。我們要講一個製做旋度計的（痛苦）辦法，我們不建議你照著做，不過你聽過之後，就會理解其中的觀念，而且難以忘懷。這辦法就是：把旋度計的葉片裝在一根銳利的大頭針上，然後插在你的手指尖上（見圖 10.3）。（這樣才是名副其實的「指」風車[註]嘛。）

〔英文版老編啟事：拜託拜託！請你改用膠帶把那根大頭針綁在你的手指頭上，免得你手指受到感染，結果上法院告我們。[註]譯注：紙風車的英文是 pinwheel，而 pin 又有「大頭針」的意思。中文版小編啟事：美國大學生比較幼稚，所以英文版老編常需要如此耳提面命，深怕他們誤入歧

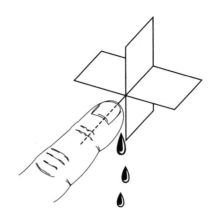

圖10.3　旋度計——用來測量旋度的裝置。

途。我們台灣的大學生可聰明機靈多了，哪裡需要我們這般嘮叨？何況台灣的律師都操勞國事去了，誰理你這食指小事，幫你寫訴狀？所以啦，我們整本書就只刊登這麼一個啟事而已，拜拜！〕

　　旋度計不像紙風車，遇風就會轉動。如果對著它的轉軸方向吹氣，這玩意兒根本就不會轉動，你吹出的熱氣只是拂過它的葉片。如果你把旋度計拿到穩定無變化的風中，它仍然不會轉動，為什麼呢？因為葉片在順時鐘方向上所受的風力，剛好跟反時鐘方向上受的風力一樣，互相抵消了。所以都是白費勁！

　　但是你可別就此放棄，試多了之後你就會發現，在某些狀況，它的確會旋轉。當風向量場會隨著位置而改變，而且其中一方所受的風力比另一方要強時，它就會像樂儀隊指揮手中的指揮棒一樣旋轉。試試看！你若從其中一側對著它的葉片吹氣，它就會轉得很好。它這一旋轉，就轉出了旋度，所謂旋度，就是向量場讓它繞著軸轉動的傾向。

在那些能夠讓它轉動的風向量場中，轉動的情況並非處處相同，在有的位置它會轉得快，在另一些位置則可能根本不會轉。

下面就是如何使用旋度計，來測量某一定點上的旋度：把旋度計的中心，也就是你的指尖，伸到你要測量的點上，然後轉動你的手，直到找出能讓旋度計轉得最快的軸的方向。注意，在你變動方向時，旋度計的中心位置不變。（如果在轉動手的過程中，你發覺全身僵直，則應該馬上中斷實驗，儘快查明你上回注射破傷風預防針是什麼時候的事。）風向量場 **W** 的旋度，是一個新的向量場，curl **W**。curl **W** 這個向量場，告訴我們那個旋度計到底在幹嘛：curl **W** 的大小告訴我們旋度計會轉多快，curl **W** 的方向就是你手指頭所指的方向。

我們漏掉了一個小細節，那就是：你所要找的方向，是使旋度計在「反時鐘方向」轉得最快的方向。若不這麼規定，可能會造成不必要的困擾，譬如你跟你的老哥一起進行這項實驗時，很可能你們其中一人倒立著大叫道：「我找到啦！」而另外一人卻站得好端端的，大聲說：「是我找到啦！」。為避免這種誤會，咱們就先約定好，以反時鐘方向為準。

為什麼選反時鐘方向呢？這是有道理的：因為用「右手拇指定則」比較好記。這個定則是說，當你讓右手拇指指向 curl **W** 的方向，其他指頭指向的方向就是向量場轉動的方向。有個方法可以幫你記住：把旋度計從你的指尖上拔出來，改插在你的右手拇指尖上。現在，改變拇指的方向，讓你的其他指頭指向使旋度計轉得最快的方向，這時，你的拇指所指的就是 curl **W** 的方向。好啦，實驗做完了，你可以把大頭針拔出來了。

所以，如果我們有一個向量場 $\mathbf{F}(x, y, z) = P(x, y, z)\mathbf{i} + Q(x, y, z)\mathbf{j} +$

R(x, y, z)**k**，那麼該怎麼算出 **F** 在某一點(x_0, y_0, z_0)的旋度呢？由於旋度是含有三個分量的向量，所以它的計算公式有些複雜：

$$\text{curl } \mathbf{F} = \left(\frac{\partial R}{\partial y} - \frac{\partial Q}{\partial z}\right)\mathbf{i} + \left(\frac{\partial P}{\partial z} - \frac{\partial R}{\partial x}\right)\mathbf{j} + \left(\frac{\partial Q}{\partial x} - \frac{\partial P}{\partial y}\right)\mathbf{k}$$

幸好我們有條捷徑，可以幫助我們記住這個式子。利用 ∇：

$$\nabla = \frac{\partial}{\partial x}\mathbf{i} + \frac{\partial}{\partial y}\mathbf{j} + \frac{\partial}{\partial z}\mathbf{k}$$

取 ∇ 跟 **F** 的叉積，我們就可以得到 curl **F**：

$$\text{curl } \mathbf{F} = \nabla \times \mathbf{F} = \begin{vmatrix} \mathbf{i} & \mathbf{j} & \mathbf{k} \\ \frac{\partial}{\partial x} & \frac{\partial}{\partial y} & \frac{\partial}{\partial z} \\ P & Q & R \end{vmatrix}$$

範例3 試求向量場 $\mathbf{F}(x, y, z) = 3x^2z\mathbf{i} + 4xyz\mathbf{j} + yz^2\mathbf{k}$ 的旋度。

解：

$$\begin{aligned} \text{curl } \mathbf{F} = \nabla \times \mathbf{F} &= \begin{vmatrix} \mathbf{i} & \mathbf{j} & \mathbf{k} \\ \frac{\partial}{\partial x} & \frac{\partial}{\partial y} & \frac{\partial}{\partial z} \\ P & Q & R \end{vmatrix} \\ &= \left(\frac{\partial R}{\partial y} - \frac{\partial Q}{\partial z}\right)\mathbf{i} + \left(\frac{\partial P}{\partial z} - \frac{\partial R}{\partial x}\right)\mathbf{j} + \left(\frac{\partial Q}{\partial x} - \frac{\partial P}{\partial y}\right)\mathbf{k} \\ &= (z^2 - 4xy)\mathbf{i} + (3x^2 - 0)\mathbf{j} + (4yz - 0)\mathbf{k} \\ &= (z^2 - 4xy)\mathbf{i} + 3x^2\mathbf{j} + 4yz\mathbf{k} \end{aligned}$$

哇！你的指揮棒玩得眞棒！

10.3　線積分陣容

一般的積分都是在某個區間 [a, b] 上做積分，而（曲）線積分則是在空間中的曲線做積分。線積分又稱爲路徑積分，而路徑也可以叫做曲線。起始點與終點在同一點的路徑，我們稱爲閉路（loop）或封閉曲線（closed curve）。

線積分有好幾種。第一種是沿著曲線去積分一個函數。你應該還記得，在第6.2節裡，我們是怎麼找出要如何計算曲線C的弧長，其中的曲線是用參數形式 $\mathbf{r}(t) = \langle x(t), y(t), z(t) \rangle$ 來描述的，參數t的變化範圍則是從$t = a$到$t = b$。求弧長的辦法是，先把曲線切成許多小段，並讓它們短到幾乎是直線線段，因而每段的長度，就大約等於速率$|\mathbf{r}'(t)|$乘以時間間隔Δt。其次，把這些小段的長度全加在一起，再取讓$\Delta t \to 0$時的極限，就會得到一個表示弧長的積分：

$$長度 = \int_C ds = \int_a^b \sqrt{[x'(t)]^2 + [y'(t)]^2 + [z'(t)]^2}\, dt$$

但是，現在我們也許想求取弧長之外的數量，譬如說，我們可以積分一條彎曲金屬線的密度函數，以求出它的總質量。同樣的，每一小段金屬線的質量，差不多等於那一小段的長度，乘上該段上任何一點的密度$\sigma(x, y, z)$，即$\sigma\, ds$。於是，這條金屬線的總質量可以由下式求得：

$$質量 = \int_C \sigma\, ds = \int_a^b \sigma(x(t), y(t), z(t)) \sqrt{[x'(t)]^2 + [y'(t)]^2 + [z'(t)]^2}\, dt$$

範例（總質量）　藝術家伊麵先生設計了一條項鍊。這條項鍊的外形是一條金屬線，纏繞成一個半徑為 1 英尺的圓。已知它在點(x, y)的密度為每英尺 $\sigma(x, y) = 3 + 2y$ 磅，試求這條項鍊的總質量。

解：首先，我們把這個單位圓表示成參數形式，$\mathbf{r}(t) = \langle \cos 2\pi t,$ $\sin 2\pi t \rangle$, $0 \le t \le 1$。其次，我們要算出 ds。由於 $x(t) = \cos 2\pi t$，$y(t) = \sin 2\pi t$，而且沒有 $z(t)$ 這一項，所以

$$ds = \sqrt{[2\pi(-\sin 2\pi t)]^2 + [2\pi(\cos 2\pi t)]^2}\, dt = 2\pi\, dt$$

同時，我們把密度函數改成一個 t 的函數：

$$\sigma(x, y) = 3 + 2y = 3 + 2\sin 2\pi t$$

因而，求總質量的積分變成了：

$$\begin{aligned}
\text{質量} = \int_C \sigma\, ds &= \int_0^1 [3 + 2\sin 2\pi t]2\pi\, dt \\
&= \int_0^1 6\pi + 4\pi \sin 2\pi t\, dt \\
&= [6\pi t - 2\cos 2\pi t]_0^1 \\
&= [6\pi - 2\cos 2\pi] - [-2\cos 0] \\
&= 6\pi \\
&\approx 18.85 \text{ 磅}
\end{aligned}$$

乖乖！好重的項鍊呀！

10.4　向量場的線積分

　　無論是粒子也好，鋼琴也罷，我們移動任何東西時所作的功，都等於這件東西移動了多遠，乘上我們在推它時需花費的力氣。這就是為什麼搬家公司要多收大筆額外費用，才願意幫你把鋼琴搬到沒有電梯的五層大樓上。

　　換言之，作用力（譬如重力）使粒子作直線運動時，所作的功，就等於力向量 **F** 與位移向量 **D** 的點積 **F・D**。所謂位移向量，就是指該粒子從一點移到另一點時，所構成的向量；由此可推知，當你使出了吃奶的力氣，扛著笨重的鋼琴爬了四層樓梯後，重力對鋼琴所作的功是負值，但是就你的肌肉來說，所作的功則是正值。如果你到了五樓之後，把鋼琴從窗口推了出去，那麼在它掉落的過程中，重力所作的功就變成了正值。在這趟「上下」搬運過程中，重力對鋼琴作的淨功為 0。

　　現在，再假設我們移動一顆粒子時沒走直線。說實在的，在日常生活經驗裡，走直線的位移真是少之又少，通常都是一路上東拐西繞的；比方說，老闆有事要你上樓去見他，因此你得走出自己的辦公室、穿過走道、拐幾個彎、上樓、再拐上幾個彎。所以，假設我們讓一顆粒子沿著一條曲線移動。那麼力向量呢？如果我們所施的力在不同的位置有不同的方向跟大小，該怎麼辦？這時，我們需要用一個向量場來代表力向量，向量場裡各個向量的方向與大小，取決於粒子在曲線上各點的位置。

　　為了計算所作的功，我們得把曲線切成許許多多小段，使得每小段都幾乎是一條直線。同時，也由於每段的距離很短，力向量在每一小段上的變化很小，因此我們可以假設每小段上的力向量固定

不變。因而，我們可以算出這個固定的力向量，跟那一小段直線位移向量的點積，來當做我們使粒子沿著那一小段運動時所作的功。把整條曲線上的所有小片段上作的功全加起來，就可以得到我們對該粒子行經整條曲線所作的功的近似值。隨著曲線愈切愈細，我們得到了一個極限，這極限會把總和變成積分。為了計算這類積分，我們可以利用一個向量值函數 $\mathbf{r}(t)$，把曲線 C 表示成參數形式，然後把力向量與位移向量，都改寫成 t 的函數，接著取點積，最後，我們就寫出了一個從 $t = a$ 積分到 $t = b$ 的一般積分式子：

$$功 = \int_C \mathbf{F} \cdot d\mathbf{r} = \int_a^b \mathbf{F}(r(t)) \cdot \mathbf{r}'(t)\, dt$$

範例1（熱水澡盆裡的冰涼汽水）　網路零售商「處處汽水公司」正在設計一個新潮的熱水澡盆，來推銷該公司的汽水。在澡盆裡循環的水力可以用向量場 $\mathbf{F}(x, y) = x^2\mathbf{i} - 2xy\mathbf{j}$ 來表示。該澡盆附有一台電視，而觀賞電視的最佳座位是在 $(0, 1)$。澡盆的另一個附帶設備，是一台裝著冰鎮汽水的冷藏箱，位置是在 $(1, 0)$（請見次頁圖10.4）。

據市調結果顯示，為了取用冷飲，目標顧客的手會不斷從座位循一直線移動到冷藏箱，一個下午下來，來回的次數可以多至數十次。試問，該顧客每次從座位移動到存放汽水的位置，他需要作多少功？

解：這題所求的是計算功的線積分，亦即 $\int_C \mathbf{F} \cdot d\mathbf{r}$ 。首先我們要寫出一個參數曲線 $\mathbf{r}(t)$，可以描述出我們要積分的曲線或路徑 C。題目已經告訴我們，這路徑是條直線，所以我們可以把它寫成 $\mathbf{r}(t) = (1 - t)\mathbf{A} + (t)\mathbf{B}$，其中的 $\mathbf{A}$ 跟 $\mathbf{B}$ 分別為起始位置向量跟終點位置向

圖10.4　一個與向量場有關的喝飲料問題

量，所以

$$\mathbf{r}(t) = (1 - t)\langle 0, 1\rangle + (t)\langle 1, 0\rangle = \langle t, 1 - t\rangle = (t)\mathbf{i} + (1 - t)\mathbf{j}$$

其中 $0 \le t \le 1$。其次，我們要算出 $\mathbf{F}(t)$，也就是 $\mathbf{F}(\mathbf{r}(t))$：

$$\mathbf{F}(\mathbf{r}(t)) = \mathbf{F}(t, 1 - t) = t^2\mathbf{i} - 2t(1 - t)\mathbf{j} = t^2\mathbf{i} + (2t^2 - 2t)\mathbf{j}$$

接下來，取 $\mathbf{r}(t)$ 的導數：

$$\mathbf{r}'(t) = (1)\mathbf{i} + (-1)\mathbf{j} = \mathbf{i} - \mathbf{j}$$

於是我們所要的點積就是：

$$\begin{aligned}
\mathbf{F}(\mathbf{r}(t)) \cdot \mathbf{r}'(t) &= [(t^2)\mathbf{i} + (2t^2 - 2t)\mathbf{j}] \cdot [\mathbf{i} - \mathbf{j}] \\
&= t^2 - (2t^2 - 2t) \\
&= 2t - t^2
\end{aligned}$$

由於行經路徑 $\mathbf{r}(t)$ 的方式，是取所有 $0 \leq t \leq 1$ 的 t 值，所以每次沿此路徑走一次所作的功，就等於下面這個積分的結果：

$$\int_0^1 2t - t^2\, dt = \left[t^2 - \frac{t^3}{3} \right]_0^1 = \frac{2}{3}$$

我們在這兒看到了，循環水力所作的功是個正值，所以這位坐在澡盆裡的顧客事實上不必使力，而是由澡盆裡不斷攪拌的水流，把他的手推向那些冷飲。（當力跟位移發生在同一直線上，而它們之間的內積或點積爲正值，就表示這個力所作的是正功。）此產品推出之後，這家網路公司的汽水大賣，所以當初設計這個澡盆的工程師，得到了公司的許多股票選擇權。

那個 $Pdx + Qdy$ 是啥玩意兒？

線積分也經常寫成下面的形式：

$$\int_C P\, dx + Q\, dy$$

　　這種形式的積分出現時，都是在算讓一顆粒子沿著一條路徑移動需作的功。式子裡的 $Pdx + Qdy$，不過是把積分拆成 x 跟 y 兩個分量。當我們有一個向量場

$$\mathbf{F} = P(x, y)\mathbf{i} + Q(x, y)\mathbf{j}$$

以及一條參數（化）曲線

$$\mathbf{r}(t) = x(t)\mathbf{i} + y(t)\mathbf{j} \qquad a \leq t \leq b$$

那麼

$$\mathbf{r}'(t) = \frac{dx}{dt}\mathbf{i} + \frac{dy}{dt}\mathbf{j}$$

$\mathbf{F}$ 跟 $\mathbf{r}'(t)$ 的點積為

$$\mathbf{F}(r(t)) \cdot \mathbf{r}'(t) = \left(P\frac{dx}{dt} + Q\frac{dy}{dt} \right)$$

於是所作的功就等於：

$$W = \int_C \mathbf{F}(r(t)) \cdot \mathbf{r}'(t)\, dt = \int_C \left(P\frac{dx}{dt} + Q\frac{dy}{dt} \right) dt = \int_C P\, dx + Q\, dy$$

　　當我們求的是曲線 $y = f(x)$ 上的線積分時，$Pdx + Qdy$ 這種形式特別管用。曲線 $y = f(x)$ 本身就已經是一個參數曲線，其中 $x = t$，而 $y = f(t)$，所以我們在求線積分時，可以把它當成積分區間為 $a \leq x \leq b$ 的標準積分來計算。

範例2　已知曲線 C 為 $y = x^2 - x$ 的一部分，區間是 $1 \leq x \leq 2$，試計算 $\mathbf{F} = 2x\mathbf{i} - 6x^2\mathbf{j}$ 沿著曲線 C 上的線積分。

解： $\mathbf{F} = P(x, y)\mathbf{i} + Q(x, y)\mathbf{j} = 2x\mathbf{i} - 6x^2\mathbf{j}$，即 $P = 2x$，$Q = -6x^2$。而 $y = x^2 - x$，故 $dy = (2x - 1)dx$。所以

$$\int_C P\, dx + Q\, dy = \int_1^2 (2x)\, dx + (-6x^2)(2x - 1)\, dx$$

到此它已是一個非常標準的積分了。繼續做積分：

$$\int_1^2 2x - 12x^3 + 6x^2\, dx = [x^2 - 3x^4 + 2x^3]_1^2 = -28$$

10.5　保守向量場

有的時候，把向量場沿著曲線做線積分，計算起來還可以更簡單。這種情況就發生在，當我們的向量場是一個函數的梯度時，其中最常見的情況，就是在研究電力跟重力的時候。

函數 f 在區域 R 上的梯度，為一保守向量場。

這情況有些類似我們在《微積分之屠龍寶刀》討論過的微積分基本定理。這個定理告訴我們，如果 $g(x) = G'(x)$，則 $\int_a^b g(x)\, dx = G(b) - G(a)$，這就讓積分的計算變得容易多了。同樣的，當曲線 C 為區域 R 內一條從 A 所給定的點，延伸到由 B 所給的點，而在 R 上，$\mathbf{F} = \nabla f$，那麼我們就會有一個簡單的方法，可計算 $\int_C \mathbf{F} \cdot d\mathbf{r}$。

當 $\mathbf{F} = \nabla f$,

$$\int_C \mathbf{F} \cdot d\mathbf{r} = \int_C \nabla f \cdot d\mathbf{r} = f(\mathbf{B}) - f(\mathbf{A})$$

我們可以把它想成是微積分基本定理的向量版本。現在就讓我們瞧瞧,這方法對於保守場的線積分計算有多容易:

範例1 檢驗 $\mathbf{F} = (2x + 3y)\mathbf{i} + (3x - 2y)\mathbf{j}$ 是否為保守場,然後計算線積分 $\int_C \mathbf{F} \cdot d\mathbf{r}$,其中的積分路徑 C 為單位圓的四分之一,以反時鐘方向從點 $(1, 0)$ 到 $(0, 1)$。

解:如果我們能夠找到一個函數 $f(x, y)$,滿足 $\mathbf{F} = \nabla f$,就能證明 $\mathbf{F}$ 是保守場。這兒就有一個:

$$f(x, y) = x^2 + 3xy - y^2$$

這個函數在所有的點 (x, y) 的梯度都與 $\mathbf{F}$ 相等。

但是我們是如何找到這個函數的呢?方法是這樣的:由於 $\nabla f = \mathbf{F}$,所以下式一定成立:

$$\frac{\partial f}{\partial x} = 2x + 3y$$

把上式對變數 x 積分,我們得到 $f(x, y) = x^2 + 3xy + g(y)$,其中的 $g(y)$ 是一個只隨著 y 變化、而不隨著 x 變化的函數,因此在對 x 做偏積分時,該項會變成 0 而消失。接著,我們把 $f(x, y)$ 對 y 做偏積分,得到:

$$\frac{\partial f}{\partial y} = 3x + g'(y)$$

它應該跟 **F** 的第二個分量(3x − 2y)相等，因而我們得知

$$g'(y) = -2y$$

$$g(y) = -y^2 + K$$

由於我們計算的是定積分，常數 K 的大小不會影響結果，所以可以把它設為0。因而，就得到了

$$f(x, y) = x^2 + 3xy - y^2$$

其 $\nabla f = \mathbf{F}$。實際上，$f(x, y) = x^2 + 3xy - y^2 + K$（K 可以為任何常數），也同樣能滿足 $\nabla f = \mathbf{F}$。

好了！我們已經證實 **F** 的確是保守的。也正因為如此，它的線積分計算變得非常簡單；我們不需要把積分路徑換成參數形式，也不需取任何點積，我們只要算出：

$$\int_C \mathbf{F} \cdot \mathbf{d}r = \int_C \nabla f \cdot \mathbf{d}r = f(0, 1) - f(1, 0) = (-1) - (1) = -2$$

如果我們沿著這個圓整整繞了一圈的話，那麼起始點 **A** 跟結束點 **B** 就合而為一，亦即 **A** = **B**。意思就是，任何一個保守向量場沿著一封閉曲線的線積分，都等於 $f(\mathbf{B}) - f(\mathbf{A}) = f(\mathbf{A}) - f(\mathbf{A}) = 0$。你說像這樣的計算，夠不夠簡單？

保守向量場的重要性質

1.　求保守向量場沿著一條曲線的線積分時，只需要取該曲線兩端

點的位勢函數差，即可得到。

2. 若一個向量場在某區域上為保守的，則它在該區域上某條曲線的線積分結果，與所用的參數曲線無關，而僅與曲線的起點跟終點有關。換言之，它與路徑無關。

3. 一區域上的保守向量場，若沿著該區域上的一條封閉曲線做線積分，則線積分的結果等於0。（保守向量場繞了一圈，什麼都做不成；相對的，非保守向量場繞了一圈之後，就會產生赤字。）

那麼，我們要如何辨別一個向量場是否為保守的？這問題並不好回答，我們乾脆先瞧瞧如何辨別一個向量場「不是」保守的。範例1已經指出，如果向量場 $\mathbf{F} = P\mathbf{i} + Q\mathbf{j}$ 為保守的，那麼就能找出一個函數 $f(x, y)$，使得 $\mathbf{F} = \nabla f$，而 $P = \partial f/\partial x$，$Q = \partial f/\partial y$。現在，如果我們把 P 對 y 做偏微分，會發現

$$\frac{\partial P}{\partial y} = \frac{\partial}{\partial y}\left(\frac{\partial f}{\partial x}\right) = \frac{\partial^2 f}{\partial y\,\partial x} = \frac{\partial^2 f}{\partial x\,\partial y} = \frac{\partial}{\partial x}\left(\frac{\partial f}{\partial y}\right) = \frac{\partial Q}{\partial x}$$

此結果告訴我們：

任何一個保守向量場永遠滿足

$$\frac{\partial P}{\partial y} = \frac{\partial Q}{\partial x}$$

換言之，如果這兩個偏導數不相等，或是在某個區域中的某些地方不存在，那麼該向量場在這個區域中就不是保守的。

範例2　$\mathbf{F} = x^2 y\mathbf{i} + x^3\mathbf{j}$ 是否為保守向量場？

解：$\partial P/\partial y = x^2$，$\partial Q/\partial x = 3x^2$，所以 $\partial P/\partial y \neq \partial Q/\partial x$，表示這個向量場「不是」保守的。（你可不能就此認為它既然不保守，就一定是左派或自由派；若真要歸類，它比較像是中間路線的。）

要是 $\partial P/\partial y = \partial Q/\partial x$ 呢？我們可以下結論說，該向量場一定是保守的嗎？我們一定能找到一個 $f(x, y)$，滿足 $\nabla f = \mathbf{F}$？不盡然。要能找到一個位勢函數 $f(x, y)$，使得 $\nabla f = \mathbf{F}$，我們還需要一個條件，那就是 $\mathbf{F}$ 的定義域上沒有任何洞，也就是所謂的單連通區域。在次頁圖10.5所顯示的三個區域中，R 跟 S 是單連通的，而看起來不大高興的 T 並不是。

> 如果在一個單連通區域 R 上，$\partial P/\partial y = \partial Q/\partial x$，則對 R 上的某個函數 $f(x, y)$，$\mathbf{F} = \nabla f$，因而 $\mathbf{F}$ 在 R 上為保守的。

常犯的錯誤　若要向量場 $\mathbf{F} = P\mathbf{i} + Q\mathbf{j}$ 為保守的，在一個單連通區域內，$\partial P/\partial y = \partial Q/\partial x$ 一定要處處成立。若僅是沿著某一路徑或閉路，此等式皆能成立，還不足以保證 $\mathbf{F}$ 為保守的。以閉路為例，我們還得證明在閉路所圍起來的區域上的所有點，$\partial P/\partial y = \partial Q/\partial x$ 也要成立，然後我們才能確定，存在 f 使得 $\nabla f = \mathbf{F}$，而 $\mathbf{F}$ 沿著該閉路的線積分為 0。

範例3　設 $\mathbf{F}$ 為如下的向量場：

$$\mathbf{F} = \frac{y}{x^2 + y^2}\mathbf{i} + \frac{-x}{x^2 + y^2}\mathbf{j}$$

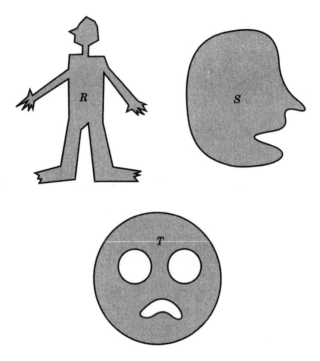

圖 10.5　中間沒有洞的區域（例如 R 跟 S，但 T 不是），稱爲單連通區域。

試計算沿著路徑 C 的線積分 $\oint_C \mathbf{F} \cdot d\mathbf{r}$，其中的路徑 C 爲反時鐘方向繞單位圓一圈，起點跟終點都在點 $(1, 0)$。

　　附記　我們在這兒用了另一種積分符號 $\oint$，中間畫了一個小圓圈，這表示我們在繞著一個閉路做線積分，我們的積分路徑是個起點跟終點相同的封閉曲線。

解：首先，檢查一下 **F** 是否為保守向量場，如果是，問題就簡單了，因為我們的積分路徑是一個閉路，而保守向量場在任一閉路上的線積分等於0。

所以讓我們算算看。利用商法則：

$$\frac{\partial P}{\partial y} = \frac{(x^2+y^2)(1)-(2y)(y)}{(x^2+y^2)^2} = \frac{x^2-y^2}{(x^2+y^2)^2}$$

$$\frac{\partial Q}{\partial x} = \frac{(x^2+y^2)(-1)-(2x)(-x)}{(x^2+y^2)^2} = \frac{x^2-y^2}{(x^2+y^2)^2}$$

它們兩個相等，那麼我們是不是可以接著說：**F** 為保守向量場呢？不行。這裡面有個問題，就是 **F**、$\partial P/\partial y$ 跟 $\partial Q/\partial x$ 在原點(0, 0)上，都是被0除的分數，因而沒有定義，換言之，$\partial P/\partial y$ 跟 $\partial Q/\partial x$ 相等的區域並未包括點(0, 0)在內，表示這個區域並非單連通的。所以事實上，**F** 在包含該閉路的區域內並非保守的，因此，梯度等於 **F**、而定義域包含整個曲線C的函數 $f(x, y)$ 並不存在。

既然 **F** 不是保守向量場，我們當然不能走捷徑，只能乖乖的按規矩來做線積分。首先，我們得把積分路徑C寫成參數曲線：

$$\mathbf{r}(t) = \cos t\mathbf{i} + \sin t\mathbf{j} \qquad 0 \le t \le 2\pi$$

這是單位圓的參數表示。現在，我們知道 $x = \cos t$，$y = \sin t$，所以 $x^2 + y^2 = 1$，而 **F** 也可以化簡成：

$$\mathbf{F} = \sin t\mathbf{i} - \cos t\mathbf{j}$$

又因為

$$\mathbf{r}'(t) = -\sin t\mathbf{i} + \cos t\mathbf{j}$$

於是

$$\mathbf{F} \cdot \mathbf{r}'(t) = -\sin^2 t - \cos^2 t = -1$$

因此

$$\oint_C \mathbf{F} \cdot d\mathbf{r} = \int_0^{2\pi} -1 \, dt = -2\pi$$

瞧，答案並不是0，進而證實 $\mathbf{F}$ 的確不是一個保守向量場。好險！幸好我們剛才夠仔細，考慮到了點(0, 0)的情況。

10.6　格林定理

假如 $\partial P/\partial y$ 跟 $\partial Q/\partial x$ 不相等，那麼 $\mathbf{F}$ 一定不是保守的，而線積分的結果就跟所取的路徑有關，因此沿著一個閉路做線積分之後，結果很可能不是0。格林定理就在告訴我們，如何計算任何一個向量場在某一閉路上的線積分。為了讓格林定理的結果可行，我們在沿著閉路前進時，一般得順著反時鐘方向才行。換言之，當我們沿著邊界曲線 C 走下去時，邊界所圍的區域 D 必須一直在我們的左手邊（請看圖10.6）。我們把反時鐘方向定為「正定向」。

（平面上的）格林定理　如果 C 是一個正定向的閉路，D 為 C 所包圍的區域，而且 $\mathbf{F} = P\mathbf{i} + Q\mathbf{j}$ 為 D 上的一個向量場，則

$$\oint_C P \, dx + Q \, dy = \iint_D \left(\frac{\partial Q}{\partial x} - \frac{\partial P}{\partial y} \right) dx \, dy$$

在 $\mathbf{F}$ 是保守向量場的情況下，這個方程式的等號兩邊都等於0。

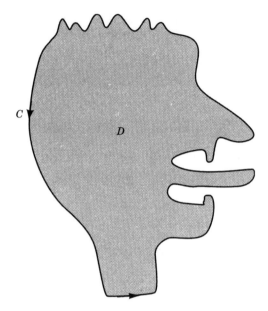

圖 10.6　格林定理是說，在曲線 C 上所做的線積分，等於在區域 D 上所做
　　　　的積分。

　　如果你肯仔細想想，就會覺得上面這個等式還真是個異數，因
為等號右邊是一個對整個區域做的二重積分，而左邊是一個僅僅順
著該區域邊界所做的線積分，而兩邊居然會相等！這有些像是你光
看書的外貌，來評鑑書裡的所有內容──對向量場來說，你的確能
以貌取「人」。

　　重要劍法　在格林定理以及其他的積分定理中，向量場 **F** 及出
現的其他函數，如 $\partial P/\partial y$ 及 $\partial Q/\partial x$，都必須是連續的，否則我們就會
遇到如第 10.5 節範例 3 裡，所看到的類似問題。

範例1 試計算線積分 $\oint_C -y\,dx + x\,dy$，其中的 C 是平面上一個半徑為 R 的圓，圓心在 $(0,0)$，而前進的方向為反時鐘方向。

解：由格林定理，我們知道，這個線積分就等於對圓裡面的區域（我們令它為 D）所做的積分。在這兒，$P = -y$，$Q = x$，所以 $(\partial Q/\partial x - \partial P/\partial y) = 1 - (-1) = 2$，於是

$$\oint_C -y\,dx + x\,dy = \iint_D 2\,dx\,dy = 2\,(\text{面積}(D)) = 2\pi R^2$$

所以，此線積分剛好等於這個圓餅面積的兩倍，這結果與圓餅的位置無關。其實，就算這條封閉曲線不是圓的，$-ydx + xdy$ 在上面的線積分仍然是該封閉曲線所圍面積的兩倍。

範例2 試計算下列線積分

$$\oint_C (x^3 \sin x - 5y)\,dx + (4x + e^{y^2})\,dy$$

其中 C 是平面上一個半徑為 2 的圓，圓心在 $(0, 0)$，而前進的方向為反時鐘方向。

解：我們以前的辦法是先把 C 用參數形式表示，然後進行計算，但是格林定理提供了一個容易得多的方法。我們知道 $P = x^3\sin x - 5y$，$Q = 4x + e^{y^2}$，就可算出：

$$\frac{\partial Q}{\partial x} = 4 \qquad \text{and} \qquad \frac{\partial P}{\partial y} = -5$$

所以

$$\left(\frac{\partial Q}{\partial x} - \frac{\partial P}{\partial y}\right) = 4 + 5 = 9$$

於是

$$\oint_C (x^3 \sin x - 5y)\, dx + (4x + e^{y^2})\, dy = \iint_D 9\, dx\, dy$$

9在D上的積分（D就是C所圍的區域），就等於D的面積的9倍，即$9\pi r^2$，而 r = 2。

$$9\pi(2)^2 = 36\pi$$

還有什麼比這更簡單的？對了，你做好防颱措施了嗎？泡麵買了沒？記得再買兩支筆，不會漏墨水的。

10.7　散度定理：求散度的積分

格林定理有一個表兄弟，是在告訴我們，把函數的散度拿來積分之後，究竟會發生什麼事。這位表兄弟名字滿長的，叫做足夠適當散度定理，而且有兩個版本，一個用在平面上，另一個用在空間上。

你應該還記得，散度就是計量在向量場內某一點上的流入或流出淨值。當我們做散度在某一區域上的積分時，會得到這整個區域內多出來或消失了的量。當然，世界上沒有任何東西會平白多出來或不見，所以這些量的變化，會等於從這個區域的邊界流入或流出的量，而這正是散度定理要告訴我們的訊息。

範例1（一個有毒的例子） 某個棣屬於超基金（Superfund，美國為防止化學廢棄物污染而設置的特別基金）組織的有毒廢棄物淺埋場，四周建有圍牆，其中貯存的有毒廢棄物事實上並非靜止不動，而是正在到處流竄。比方說，在某些點（破漏的廢料桶）上，廢棄物正不斷進入該淺埋場，這些點叫做「源」，散度為正；而另外有些點叫做「壑」，廢棄物在這些點上被吸收，因而散度為負值。這些有毒廢棄物在該淺埋場內到處遊蕩，形成了一個速度向量場，此速度向量場就告訴我們，廢棄液體（或爛泥，或各種多氯聯苯）在這淺埋場上的每一點，正以何種方向跟速率移動著。

其中一部分會流出淺埋場的圍牆，進入附近居民的家裡，因此居民們最想知道的問題就是：「這些廢氣物對此地的房地產價格有什麼影響？」或者換句話說：「究竟有多少流到外面來，以鄰為壑？」散度定理就是要告訴我們這個問題的答案。

解：我們把這個速度向量場的散度加總起來（做積分），就可以得到流出圍牆的總量。

範例2（派對線積分*） 有間大廳裡正在進行一個喧囂的派對，一大堆人在大廳裡各處遊走、進進出出。這些參加派對的人的動向，構成了一個派對速度向量場。（社會學家在派對結束之後，通常都會仔細研究殘留在地上的口水跟啤酒痕跡，來分析這類向量場。）派對上，有些人像是磁鐵，把其他人都吸引到他們身邊，有時是因為他們口若懸河的言論，有時則是因為他們穿的無袖T恤特別好看，以致於受到崇拜者的層層包圍。雖然他們自己從未如此承認過，他們就是我們所說的「壑」。

另外有些人剛好相反,簡直是驅散劑,避之唯恐不及。原因?有時是因為他們見人只能談最近牙醫替他做的根管治療,有時則是因為他們穿的無袖T恤特別不雅。派對上的人見到他們,都會不約而同的希望能在無傷大雅之下,爭相走避。這些人物即是我們所說的「源」。然而,派對中絕大多數的其他人既不是源、也不是壑,他們只是人潮的一部分,隨波逐流而已。

散度定理告訴我們的,就是這些個別源跟壑之間的關係,以及走進跟離開這間大廳的總人數。它是說,如果我們把上述派對向量場的散度找出來,然後求積分,我們就可以得到進入跟離開的總人數,包括那些偷溜進來的白吃白喝專家,以及從陽台上掉進下面游泳池的非正式離開人員。

*這則範例是由 J. Kasdan 提供給我們的,謹此致謝。

用散度定理來做計算

假設 D 是平面上一個區域,它的邊界是曲線 C;在範例2中,這個區域就是大廳的地板。又假設 F 是定義在 D 上的向量場,為了用散度定理來做計算,我們得算出究竟有多少東西流過了區域的邊界,也就是去積分向量場 F 跨越邊界 C 的流量,亦即計算所謂的「通量」。

要計算東西被推越過邊界曲線的總量,我們可以先算出每一小段曲線上通過的量,然後加總,最後取極限,獲得一個積分。那麼應該如何計算一小段曲線上通過的量呢?假設某一小段長度為ds,那麼通過該小段的量,應該等於 F 垂直於那一小段的部分,乘以長度ds(因為 F 平行於該段曲線的部分,並不能把任何東西推出去)。

而 F 垂直於曲線 C 的分量，就等於 F 跟 C 的單位法向量 **n**（長度為 1）的點積（見圖 10.7）。

單位法向量通常以 **n** 來表示。對於平面上的任一曲線 $\mathbf{r}(t) = \langle x(t), y(t) \rangle$，它的 **n** 可以由下面的公式求出：

$$\mathbf{n} = \frac{y'(t)}{|\mathbf{r}'(t)|}\mathbf{i} + \frac{-x'(t)}{|\mathbf{r}'(t)|}\mathbf{j}$$

其中 $|\mathbf{r}'(t)| = \sqrt{(x'(t))^2 + (y'(t))^2}$。這是一個長度為 1 的向量，它跟

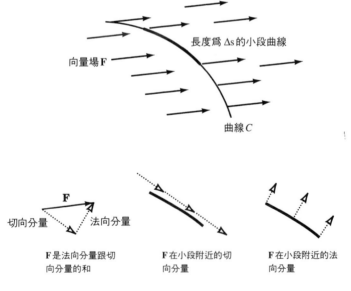

圖 10.7　向量場 F 通過曲線 C 一小段的量，等於該段曲線的長度，乘以 F 垂直於該段的分量的長度（大小）。

同一曲線的切向量 $x'(t)\mathbf{i} + y'(t)\mathbf{j}$ 的點積為 0。

於是，通量就定義為：

$$通量 = \oint_C \mathbf{F} \cdot \mathbf{n}\, ds$$

散度定理是在說，這個計算通量的積分式子，實際上也等於 $\mathbf{F}$ 的散度（$\nabla \cdot \mathbf{F}$）在區域 D 內的積分，而 D 為曲線 C 所圍的區域。曲線 C 必須表示成參數形式，使得當我們沿著 C 走時，區域 D 維持在我們的左手邊。散度定理跟前述的格林定理非常相似，兩者的差異在於，被積分的東西稍有不同。在格林定理之中，做線積分的是向量場沿著邊界曲線的切向分量，然而在散度定理中，做線積分的部分則是向量場沿著邊線的垂直分量。

以下就是散度定理的本尊：

（平面上的）散度定理

$$\oint_C \mathbf{F} \cdot \mathbf{n}\, ds = \iint_D \operatorname{div} \mathbf{F}\, dx\, dy$$

（$\mathbf{F}$ 跟 $\operatorname{div} \mathbf{F}$ 在 D 上都必須是連續的。）

範例3　試計算向量場 $\mathbf{F} = x\mathbf{i} + y\mathbf{j}$ 通過一個半徑為 3、圓心位於 $(0, 0)$ 的圓的通量。

解：散度定理讓這題變得非常容易。

$$\text{div } \mathbf{F} = \nabla \cdot \mathbf{F} = \frac{\partial P}{\partial x} + \frac{\partial Q}{\partial y} = 1 + 1 = 2$$

由散度定理，我們知道

$$\text{通量} = \iint_D \text{div } \mathbf{F} \, dx \, dy = \iint_D 2 \, dx \, dy = 2(\text{面積}(D)) = 2\pi(3)^2 = 18\pi$$

所以，正在流出這個圓的通量，等於這個圓的面積的兩倍，在這一題就是18π。如果這個向量場描述的是你家附近的有毒廢棄物掩埋場，要嘛趕緊把房子賣掉，搬離此地，要嘛就跟你的鄰居組織起來，上法院控告他們。如果這個向量場代表你家的派對，看來似乎有不少客人，從二樓陽台上摔進你的游泳池了。

10.8　面積分

現在，你可能希望知道怎麼算出曲面上的積分。為什麼？因為你未來賴以維生的行業，有可能是在專門負責用紅色的石蠟把艾登（Edam）乳酪包裝起來，因而你需要知道，外形不同的乳酪，各需要準備若干石蠟。或是你正面對一個曲面，曲面各處密度不同，而你需要計算它的總質量。如果你想求出空間中任一曲面 S 上的積分，就必須把 S 以方程式表示出來。

前面我們已經講過一個描述這種曲面的方法，這方法適用於方程式 $z = f(x, y)$ 的圖形。但是它並不是唯一的辦法，現在我們來瞧瞧另一種。

就像我們可以把曲線化成參數形式 $\mathbf{r}(t)$，我們也可以把曲面參數

化，成為$\mathbf{r}(u, v)$。所不同的是，這回的定義域內有u跟v兩個變數，因為我們面對的是兩維的東西。就像要描述我們在地球表面上的位置，必須同時標示出經度跟緯度，所以要確定曲面上一點的位置，必須有兩個座標。因而，描述參數（化）曲面的方程式有如下式：

$$\mathbf{r}(u, v) = x(u, v)\mathbf{i} + y(u, v)\mathbf{j} + z(u, v)\mathbf{k}$$

對不同的u跟v，$\mathbf{r}(u, v)$代表的都是空間中一點。比方說，我們選了$u = 2$跟$v = 5$，那麼$\mathbf{r}(u, v)$這個點的x座標是$x(2, 5)$，y座標是$y(2, 5)$，而z座標就是$z(2, 5)$。

　　由$z = f(x, y)$的函數圖形所成的曲面，是其中的特殊情況。若改寫成向量形式，上式就變成了：

$$\mathbf{r}(x, y) = x\mathbf{i} + y\mathbf{j} + f(x, y)\mathbf{k}$$

式子裡的z座標，成了x座標跟y座標的函數，這是因為，在x跟y值決定之後，z值也跟著決定了，而且是唯一的。這樣的公式最適宜用來代表屋頂或馬戲團的帳篷，因為它們最多只有一個制高點。

參數曲面及其面積

　　跟前面談過的許多情形一樣，用來求參數曲面面積的積分，也是從取極限的程序得來的。為了得到所要的計算公式，我們首先得算出一個小平行四邊形的面積，這個平行四邊形的兩條鄰邊，是由向量A跟B代表，正如我們在第5.5節見過的，

$$面積（平行四邊形）= |\mathbf{A} \times \mathbf{B}|$$

　　現在，假定$\mathbf{r}(u, v)$是描述該曲面的參數式。如次頁圖10.8所示，

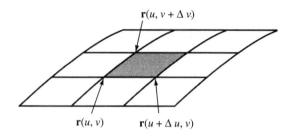

圖 10.8　曲面上那個小小平行四邊形的面積，大約等於
$\left\|[\mathbf{r}(u + \Delta u, v) - \mathbf{r}(u, v)] \times [\mathbf{r}(u, v + \Delta v) - \mathbf{r}(u, v)]\right\|$。

我們把 u 跟 v 稍微挪動一點距離 Δu 跟 Δv，亦即從 $\mathbf{r}(u, v)$ 到 $\mathbf{r}(u + \Delta u, v)$ 以及從 $\mathbf{r}(u, v)$ 到 $\mathbf{r}(u, v + \Delta v)$，就形成了一個小平行四邊形，其面積大約等於

$$\text{面積}\,(\text{平行四邊形}) = \left\|(\mathbf{r}(u + \Delta u, v) - \mathbf{r}(u, v)) \times (\mathbf{r}(u, v + \Delta v) - \mathbf{r}(u, v))\right\|$$

這塊面積就等於

$$\left\|\left(\frac{\mathbf{r}(u + \Delta u, v) - \mathbf{r}(u, v)}{\Delta u}\right) \times \left(\frac{\mathbf{r}(u, v + \Delta v) - \mathbf{r}(u, v)}{\Delta v}\right)\right\| \Delta u \, \Delta v$$

取極限之後，就變成

$$dS = |\mathbf{r}_u \times \mathbf{r}_v|\, du\, dv$$

其中的 $\mathbf{r}_u = \partial\mathbf{r}/\partial u$，$\mathbf{r}_v = \partial\mathbf{r}/\partial v$。我們把 dS 稱做曲面面積元，並且把它想成非常非常小的一塊曲面的面積。

把所有這些小面積（透過積分）全加起來，就得到整個曲面的面積：

$$\text{面積} = \iint\limits_S dS = \iint\limits_S |\mathbf{r}_u \times \mathbf{r}_v|\, du\, dv$$

有一個特別簡單的情況值得一提。若 S 可用方程式 $z = f(x, y)$ 的圖形表示（其中各點 (x, y) 都落在 xy 平面上的區域 D 上），這時，S 的一種參數表示是 $x = u$，$y = v$，以及 $z = f(x, y)$，也就是 $\mathbf{r}(x, y) = \langle x, y, f(x, y)\rangle$。於是，$\mathbf{r}_u = \mathbf{r}_x = \langle 1, 0, \partial f/\partial x\rangle$，$\mathbf{r}_v = \mathbf{r}_y = \langle 0, 1, \partial f/\partial y\rangle$，所以 $\mathbf{r}_u \times \mathbf{r}_v = \langle -\partial f/\partial x, -\partial f/\partial y, 1\rangle$，而 S 上的小塊 dS 的面積就為

$$dS = |\mathbf{r}_u \times \mathbf{r}_v|\, du\, dv = \sqrt{1 + \left(\frac{\partial f}{\partial x}\right)^2 + \left(\frac{\partial f}{\partial y}\right)^2}\, dx\, dy$$

整個曲面 S 的面積，可以從上式積分而獲得。

在 xy 平面上的區域 D 上，曲面 $z = f(x, y)$ 的面積為：

$$\text{面積} = \iint\limits_D \sqrt{1 + \left(\frac{\partial f}{\partial x}\right)^2 + \left(\frac{\partial f}{\partial y}\right)^2}\, dx\, dy$$

範例1（圓柱面的面積）　已知一半徑為3、以z軸為柱心、且夾在$z = 0$跟$z = 10$之間的圓柱面。試找出該圓柱面的參數表示，並計算其面積。

　　解：我們可以把半徑為3的圓（在xy平面上）表示成以下的參數形式：

$$\mathbf{C}(\theta) = \langle 3\cos\theta, 3\sin\theta \rangle \qquad 0 \le \theta \le 2\pi$$

由此，我們可以先用一個π值，確定一點在圓上的位置，然後再加上一個z值，告訴我們該點的高度，這樣就定出了圓柱面上的一點了。所以，這個圓柱面的一種參數表示就是

$$\mathbf{r}(\theta, z) = \langle 3\cos\theta, 3\sin\theta, z \rangle \qquad 0 \le \theta \le 2\pi, \ \ 0 \le z \le 10$$

換成向量形式，上式可寫成：

$$\mathbf{r}(u, v) = 3\cos u\,\mathbf{i} + 3\sin u\,\mathbf{j} + v\,\mathbf{k} \qquad 0 \le u \le 2\pi, \ \ 0 \le v \le 10$$

　　為了計算S的面積，我們首先得知道$r_u \times r_v$。

$$\mathbf{r}_u = -3\sin u\,\mathbf{i} + 3\cos u\,\mathbf{j} + 0\,\mathbf{k}$$

以及

$$\mathbf{r}_v = 0\,\mathbf{i} + 0\,\mathbf{j} + 1\,\mathbf{k}$$

於是

$$\mathbf{r}_u \times \mathbf{r}_v = 3\cos u\,\mathbf{i} + 3\sin u\,\mathbf{j}$$

而

$$|\mathbf{r}_u \times \mathbf{r}_v| = \sqrt{(3\cos u)^2 + (3\sin u)^2} = 3$$

所以

$$\text{面積}\,(S) = \iint\limits_{D} 3\;du\;dv = \int_0^{10}\int_0^{2\pi} 3\;du\;dv = \int_0^{10}\Big[3u\Big]_0^{2\pi}\,dv$$

$$= \int_0^{10} 6\pi\;dv = \Big[6\pi v\Big]_0^{10} = 60\pi$$

這其實就等於圓周長 6π，乘上圓柱面的高 10，跟我們在中學裡背過的面積公式不謀而合。

求函數在空間曲面上的積分

我們曾經提過，許多情況之下，我們會需要對空間中曲面上的函數做積分。譬如說，我們有可能想知道一個曲面的總質量，而該曲面的密度（也就是每單位面積的質量），會隨著曲面上位置不同而有差別。最常見的例子是復活節前後，西方人買來吃的空心巧克力兔，整隻兔子表面的巧克力厚度不一。若是有一個函數能夠告訴我們，表面上任何一點的巧克力密度的話，我們就可以拿這個密度函數做被積函數，求它在兔子表面上的積分，而得到兔子的總質量，看看我們共吃下去了多少巧克力。

若轉換成數學，我們就說：已知一個曲面 S 的密度函數為 $\sigma(x, y, z)$，那麼它的總質量，就等於每一小塊曲面的密度，乘以各個小塊的

面積，再加總起來。所以，它的總質量就等於：

$$總質量 = \iint_S \sigma(x, y, z) \, dS$$

下一步該如何計算，得看曲面S是以什麼方式來描述。如果S表示成參數形式 $\mathbf{r}(u, v) = \langle x(u, v), y(u, v), z(u, v) \rangle$，那麼我們從前面已經知道，$dS = |\mathbf{r}_u \times \mathbf{r}_v| \, du \, dv$，所以，密度函數 $\sigma(x, y, z)$ 在曲面S上的積分公式就為

$$\iint_S \sigma(x(u, v), y(u, v), z(u, v)) \, |\mathbf{r}_u \times \mathbf{r}_v| \, du \, dv$$

範例2（蓋屋頂的微積分） 建築師圖先生為新建的數學大樓，設計了一個特別高聳的壯觀屋頂，這個屋頂用的是最頂尖的太空時代建材，各處密度都不一樣。假設此屋頂外觀可以用函數 $z = 10 + 2x + 2y$，$0 \le x \le 20, 0 \le y \le 15$ 的圖形來描述（單位為公尺），而在點 (x, y, z) 的密度函數為 $\sigma(x, y, z) = (100 - z)$ 公斤／平方公尺。如果屋頂的總質量超過了60,000公斤，新大樓就會被它壓垮，這間大學就不再開任何數學課程了；倘若總質量不到40,000公斤，一旦刮風，屋頂就會被吹走。

試求屋頂的實際質量，並預測往後是否還有人繼續請圖先生設計建築物。（對於這個問題，我們必須假設，如果屋頂壓垮整個數學系，學生們會非常生氣，而非高興都來不及。）

解： 由於屋頂就是 $f(x, y) = 10 + 2x + 2y$ 的函數圖形，所以它的質量就等於

$$\text{質量} = \iint\limits_{S} \sigma(x, y, 10 + 2x + 2y) \sqrt{1 + \left(\frac{\partial f}{\partial x}\right)^2 + \left(\frac{\partial f}{\partial y}\right)^2} \, dx \, dy$$

$$= \int_{0}^{15} \int_{0}^{20} [100 - (10 + 2x + 2y)] \sqrt{1 + (2)^2 + (2)^2} \, dx \, dy$$

$$= \int_{0}^{15} \int_{0}^{20} 270 - 6x - 6y \, dx \, dy$$

$$= \int_{0}^{15} \left[270x - 3x^2 - 6xy \right]_{x=0}^{x=20} \, dy$$

$$= \int_{0}^{15} 4200 - 120y \, dy$$

$$= \left[4200y - 60y^2 \right]_{x=0}^{x=15}$$

$$= 49{,}500 \ \text{公斤}$$

所以，屋頂的質量既沒有過重、也沒有過輕，表示它會完好無恙的待在原處。然而不幸的是，圖先生在設計這棟建築物時，居然沒有想到要設計洗手間，以致於新落成的漂亮大樓周圍得放置好些個流動廁所。看樣子，他要找到下一個差事，只怕有點問題。

通過空間曲面的通量

我們可以計算出，向量場 **F** 通過空間中一曲面 S 的通量，方法跟平面上曲線的情形，沒什麼兩樣。

這個曲面積分，或稱 **F** 通過 S 的通量，就定義爲：

$$\text{通量} = \iint\limits_{S} \mathbf{F} \cdot \mathbf{n} \, dS$$

n是垂直於S的單位法向量場。此積分求得的通量，就等於**F**通過曲面S的流量。

讓我們再仔細瞧瞧式子中的**n** dS。假設曲面S可以寫成平面上一區域D上的參數表示，而因為$\mathbf{r}_u \times \mathbf{r}_v$即該曲面的法向量，因此它等於單位法向量**n**乘上它的長度$|\mathbf{r}_u \times \mathbf{r}_v|$，即

$$\mathbf{r}_u \times \mathbf{r}_v = |\mathbf{r}_u \times \mathbf{r}_v|\mathbf{n}$$

所以

$$\mathbf{n} = \frac{\mathbf{r}_u \times \mathbf{r}_v}{|\mathbf{r}_u \times \mathbf{r}_v|}$$

由於$dS = |\mathbf{r}_u \times \mathbf{r}_v|\, du\, dv$，因而

$$\mathbf{n}\, dS = (\mathbf{r}_u \times \mathbf{r}_v)\, du\, dv$$

所以我們得知

$$通量 = \iint_S \mathbf{F} \cdot \mathbf{n}\, dS = \iint_D \mathbf{F} \cdot (\mathbf{r}_u \times \mathbf{r}_v)\, du\, dv$$

相較之下，向量$\mathbf{r}_u \times \mathbf{r}_v$在計算上要簡便多了。

範例3（蜜蜂通量）　在我們爬山的途中，看到一個鐵絲網做的籠子，裡面躺著一個蜂窩，這個籠子的表面可以用方程式$x^2 + y^2 + z^2 =$

1來描述。等我們經過時，有人不小心驚動了這蜂窩，蜜蜂從裡面飛出來的速度，可以表示成速度向量場 $\mathbf{F}(x, y, z) = x\mathbf{i} + y\mathbf{j} + z\mathbf{k}$。鐵絲網籠子上的洞太大，關不住蜜蜂，所以蜜蜂能夠自由出入，而 $\mathbf{F}$ 在籠子表面的通量，告訴我們究竟有多少蜜蜂穿過鐵絲網，飛出籠子。試計算此通量。

解：從題目所給的方程式來看，我們知道這個籠子是一個半徑為1的球面。我們必須把球面的參數表示找出來，而且動作要快！既然是球面，那我們最好使用球面座標 (ρ, ϕ, θ)，由第9.6節，可知 $x = \rho \sin\phi \cos\theta$，$y = \rho \sin\phi \sin\theta$，$z = \rho \cos\phi$。由於這兒的球面半徑為1，可設 $\rho = 1$。所以該球面可寫成：

$$\mathbf{r}(\phi, \theta) = (\sin\phi \cos\theta)\mathbf{i} + (\sin\phi \sin\theta)\mathbf{j} + (\cos\phi)\mathbf{k}$$

$$0 \leq \phi \leq \pi, \ 0 \leq \theta \leq 2\pi$$

在此處，ϕ 跟 θ 所扮演的角色，分別是前面公式中的 u 跟 v，於是我們可算出：

$$\mathbf{r}_\phi \times \mathbf{r}_\theta = \begin{vmatrix} \mathbf{i} & \mathbf{j} & \mathbf{k} \\ \cos\phi \cos\theta & \cos\phi \sin\theta & -\sin\phi \\ -\sin\phi \sin\theta & \sin\phi \cos\theta & 0 \end{vmatrix}$$

$$= (\sin^2\phi \cos\theta)\mathbf{i} + (\sin^2\phi \sin\theta)\mathbf{j} + (\sin\phi \cos\phi)\mathbf{k}$$

又

$$\mathbf{F}(\mathbf{r}(\phi, \theta)) = (\sin\phi \cos\theta)\mathbf{i} + (\sin\phi \sin\theta)\mathbf{j} + (\cos\phi)\mathbf{k}$$

兩者的點積就為：

$$\mathbf{F}(\mathbf{r}(\phi, \theta)) \cdot (\mathbf{r}_\phi \times \mathbf{r}_\theta) = \sin^3 \phi \cos^2 \theta + \sin^3 \phi \sin^2 \theta + \cos^2 \phi \sin \phi$$
$$= \sin^3 \phi + \cos^2 \phi \sin \phi$$
$$= (\sin^2 \phi + \cos^2 \phi) \sin \phi$$
$$= \sin \phi$$

所以得到：

$$通量 = \int_0^{2\pi} \int_0^\pi \sin \phi \, d\phi \, d\theta$$
$$= \int_0^{2\pi} \left[-\cos \phi \right]_0^\pi d\theta = \int_0^{2\pi} 2 \, d\theta$$
$$= 4\pi$$

這表示每秒鐘有差不多 12 隻蜜蜂飛出鐵絲網。你們應該加把勁，趕緊逃離。

三維空間中的散度定理

適用於三維空間的散度定理是說：在空間中一立體區域 V 內的向量場，其總散度就等於它穿越過該區域的邊界曲面 S 的總流量。

（空間中的）散度定理

$$通量 = \iint_S \mathbf{F} \cdot \mathbf{n} \, dS = \iiint_V \text{div} \, \mathbf{F} \, dV$$

（$\mathbf{F}$ 跟 div $\mathbf{F}$ 在區域 V 內必須為連續的。）

範例4 在這一例題裡，我們要用比較簡單的方法，也就是利用散度定理，把範例3的蜜蜂通量再算一遍。散度定理告訴我們：

$$\iint\limits_{S} \mathbf{F} \cdot \mathbf{n} \, dS = \iiint\limits_{V} \operatorname{div} \mathbf{F} \, dV$$

所以，我們可以求速度向量場的散度在蜂窩籠子內部的積分，以此求得所要的通量。速度向量場 $f(x, y, z) = x\mathbf{i} + y\mathbf{j} + z\mathbf{k}$ 的散度就是

$$\operatorname{div} \mathbf{F} = \frac{\partial P}{\partial x} + \frac{\partial Q}{\partial y} + \frac{\partial R}{\partial z} = 1 + 1 + 1 = 3$$

所以

$$\begin{aligned} \text{通量} &= \iiint\limits_{V} \operatorname{div} \mathbf{F} \, dV \\ &= \iiint\limits_{V} 3 \, dV \\ &= 3 \text{ 體積} (V) \end{aligned}$$

由於半徑為1的球體積為 $(4/3)\pi$，所以最後的答案等於 $(3)(4/3)\pi = 4\pi$，跟我們上次得到的答案一樣。想想看，如果剛才有一窩蜜蜂正朝你撲過來，你會希望用哪一個方法來計算？

10.9 火上加油！

斯托克斯定理告訴我們，向量場的線積分跟面積分之間，有一個讓人意想不到的關聯。它讓我們看的是一個懸浮在空間中的曲面

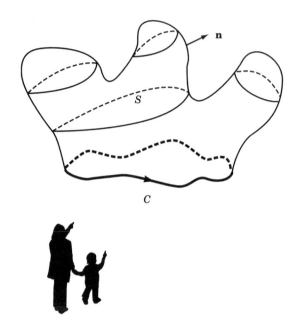

圖 10.9　曲面 S 的邊界曲線為 C，單位法向量為 **n**。

（叫做 S），它並不是個封閉的曲面，而是有一條邊，或邊界，而這條邊界是一條曲線（叫做 C），如圖 10.9 所示。

　　然後，我們把 S 的單位法向量稱為 **n**。斯托克斯定理的一般形式就是：

斯托克斯定理

$$\oint_C \mathbf{F} \cdot d\mathbf{r} = \iint_S (\text{curl } \mathbf{F} \cdot \mathbf{n}) \, dS$$

想不到吧！把向量場 **F** 沿著曲面 S 的所有的旋轉全加起來，就可以判斷出該向量場試圖扭扯 S 的邊界曲線的總量。換言之，向量場 **F** 在曲面 S 上的旋度的總和，就等於 **F** 沿著曲線 C 的線積分，後者就是該向量場沿著 C 上的分量的總和。(注意！**F** 跟 curl **F** 必須為連續的。)

當兩種量的其中一種比較容易計算時，斯托克斯定理就派上用場了，它讓我們選擇比較簡單的解題步驟。不過，這個定理要求你選對方向，怎麼選才對呢？假如你沿著曲線 C 走，而跟曲面 S 垂直的向量場 **n**，剛好跟你腦袋所指的方向一致的話，那麼 S 必須在你的左手邊才行，否則你的答案會多出一個負號。

斯托克斯定理有一個特殊的情況，那就是當曲面 S 只是 xy 平面上的區域時。我們先討論這個簡單的特殊情況。在此情況下，單位法向量 **n** 就是 **k**，而這個定理就變成了：

$$\oint_C \mathbf{F} \cdot \mathbf{d}r = \iint_D (\text{curl } \mathbf{F}) \cdot \mathbf{k} \, dA$$

範例1（從紐約市立芭蕾舞團開溜） 紐約市立芭蕾舞團首演之夜，有一群旋轉不停的芭蕾舞者不告而別，旋轉到了曼哈坦的城中區。紐約市警方看到這個情形之後，靈機一動，丟了一根繩子過去，把仍舊不停旋轉的舞者圍繞在繩子中間，希望暫時困住她們，等待舞團編舞者來把她們領回去。當旋轉的舞者碰到外面繩子的時候，她們會施給繩子一個旋轉的力，把繩子拉緊。警方知道，只要沿著繩子的作用力不超過 1000 牛頓，就可圍住舞者。假設這些舞者產生的力，可以表示為 $\mathbf{F}(x, y) = (-2y)\mathbf{i} + (2x)\mathbf{j}$（單位同上），而這個繩圈可描述成一個圓 $C：x^2 + y^2 = 100$，那麼這根繩子能否圍得住舞者？

解：警方知道，他們得計算作用力 **F** 沿著繩子的線積分，然後看看結果是否超過 1000，但是他們沒有時間一步步慢慢做，先把曲線 C 寫成參數式，然後再做線積分。幸好，他們知道可以利用斯托克斯定理，簡化計算過程：沿著繩子的拉力，其實等於繩子所圍區域裡面的旋轉力總和：

$$\oint_C \mathbf{F} \cdot d r = \iint_D (\text{curl } \mathbf{F}) \cdot \mathbf{k}\, dA$$

其中 C 是半徑為 10 的圓，而 D 是 C 中間的圓形區域。

等號右邊的 curl **F** 就等於 ∇×**F**：

$$\text{curl } \mathbf{F} = \nabla \times \mathbf{F} = \begin{vmatrix} \mathbf{i} & \mathbf{j} & \mathbf{k} \\ \dfrac{\partial}{\partial x} & \dfrac{\partial}{\partial y} & \dfrac{\partial}{\partial z} \\ -2y & 2x & 0 \end{vmatrix} = 4\mathbf{k}$$

於是，(curl **F**) · **k** = 4。所以，在 D 上做面積分的函數只是一個常數函數 4。由於 D 的面積為 $\pi(10)^2 = 100\pi$，所以繩子上所受的拉力是它的四倍，也就是 400π，大於 1000，這表示繩子會斷掉。因此如果警方仍要控制住局面，看樣子得出動警棍才可能奏效。

好啦，以上是斯托克斯定理的一個簡單情況，因為曲面 S 就只是平躺在 xy 平面上而已。也許你注意到，它看起來跟格林定理頗為類似。事實上，平面上的斯托克斯定理的確跟格林定理差不多。但是，格林定理只能用在平面上，而斯托克斯定理還可以用在空間曲面上。

範例2（後現代建築） 後現代主義建築師圖先生又設計了一座屋頂。這回的形狀是個往下覆蓋的拋物面：$z = 16 - x^2 - y^2$，且在平面 $z = 7$ 平面的上方。假設吹向這個屋頂的風力向量場爲

$$\mathbf{F}(x, y, z) = 2yz\mathbf{i} + 2xz\mathbf{j} + 2xy\mathbf{k}$$

而他這屋頂在其邊緣 C 是用螺絲釘鎖住的，但是這些螺絲釘在積分 $\oint_C \mathbf{F} \cdot d\mathbf{r}$ 超過6的時候會斷裂。試問這座後現代設計師的創作是否會被風吹走？

解：我們當然可以直接計算 $\oint_C \mathbf{F} \cdot d\mathbf{r}$ ，但是跟上一題一樣，我們有比較簡單的方法。斯托克斯定理告訴我們：

$$\oint_C \mathbf{F} \cdot d\mathbf{r} = \iint_D (\mathrm{curl}\ \mathbf{F} \cdot \mathbf{n})\, dS$$

我們先計算 curl $\mathbf{F}$：

$$\nabla \times \mathbf{F} = \begin{bmatrix} \mathbf{i} & \mathbf{j} & \mathbf{k} \\ \dfrac{\partial}{\partial x} & \dfrac{\partial}{\partial y} & \dfrac{\partial}{\partial z} \\ 2yz & 2xz & 2xy \end{bmatrix} = \mathbf{0}$$

你瞧！這回碰到了一個絕佳的例子，說明斯托克斯定理如何大幅簡化了許多麻煩。既然 $\mathbf{F}$ 的旋度爲0，表示(curl $\mathbf{F}$)・$\mathbf{n}$ 也是0，所以無論怎麼積分，結果仍然是0：

$$\oint_C \mathbf{F} \cdot d\mathbf{r} = \iint_S (\mathrm{curl}\ \mathbf{F} \cdot \mathbf{n})\, dS = 0$$

顯然，風的所有扭力都相互抵消掉了，變成0，所以這屋頂不會吹跑。當然，這不保證屋頂不會漏雨，不過，爲了追求藝術，漏雨乃小事一椿，不足掛齒。

好啦，微積分課程到此結束，我們都教完了，剩下的部分就是慶祝微積分課程結束的大型派對，滿屋子的氣球、五顏六色的派對帽，以及冒充香檳的汽水。對啦，別忘了還有期末考，所以，繼續看下一章……

第 *11* 章

期末考
會考些什麼？

　　在這一章，我們會想辦法幫助你期末考前大猜題。雖然每一位教授所上的課程多少都有些出入，但是要正確猜出考些什麼題目，有方法可循。最好的訊息來源是你的任課老師，所以上課時除了專心聽講，你還得特別留意老師說過哪些部分要考。假如你有辦法弄到以往幾年的考題，你占的優勢就大啦，因為一般說來，很少有老師每年大幅度更改題型。

　　所以，以下就是一些經常會在考卷上出現的題目類型，所列出的都是我們在這本書裡討論過的主題。

　　如果你要真正的考題，而且要附詳盡的題解，嘿！我們都是過來人，怎麼會不知道你的需求？我們把許多考古題與題解放在網站

上，我們的網址是：

www.howtoace.com

歡迎上來逛逛。

1. **多重積分問題**（最為普遍，期末考出現率達100％）。這類問題可能要你計算總質量、平均值、體積或是質心。一般而言，這些問題就是在叫你計算，某個函數在某個區域上的積分，而這個區域可能在平面上或是在空間中。解這類問題的最困難部分，通常是在判定該用哪個座標系，正確無誤的描述積分區域。在每一題的計算過程裡，你得一連做兩次或三次積分，正確的積分次序跟你描述這個區域的方式有關。

   訣竅　每次都不要忘記檢驗你的答案是否合理。通常你都能從其他的角度或旁證，大致估計你的答案是否正確。譬如題目要你計算某顆半徑為1的小圓球的體積，那麼，你的答案當然應該小於一個包住那顆球的正立方體的體積；假設這個正立方體邊長為2，體積就等於2 × 2 × 2 = 8，所以如果你的答案是214，這答案一定錯，你必須重新計算這題。又譬如你計算出來的體積是個負值，你也必須重算一次；如果你的體積算出來之後長得像「$3x^2 - 7\pi y$」，還有變數夾在裡面，那表示你要嘛是積分式子寫得不對，要嘛就是做積分時沒有遵循「由內而外」的原則。

2. **級數的收斂性**（最為普遍，期末考出現率達100％）。只要你選的微積分課程裡有序列跟級數，那麼考卷上一定會出現一題甚至很多題，問你：「下列級數是否收斂？」後面可能還會繼續問你：「收斂到哪裡？」

   你應該熟悉所有的收斂性檢驗法，以及條件收斂跟絕對收

斂的差別。

只要選對了檢驗法，這些題目都相當容易，不過你也得有點心理準備，可能會遇到一兩個比較棘手的題目，需要繞一點圈子。最典型的是需要應用一點代數上的技巧，把所給的級數改頭換面一番，使它能夠套用某個檢驗法。

3. 偏導數與鏈鎖律（最為普遍，期末考出現率達90%）。這類問題是要你算出函數 $f(x, y, z)$ 的偏導數。典型的例子是：

$$若 f(x, y) = e^{xy} + y^x，試求 \partial f/\partial y。$$

這類問題也有可能換一種形式，題目並不告訴你函數是啥，只告訴你某些偏導數，然後要你算出其他的偏導數。在這種情況下，你得熟悉鏈鎖律的用法。

4. 畫出平面上的區域或空間中的立體，並把它們寫成參數方程式（非常普遍，期末考出現率達80%）。這類題目是要你用式子描述某個東西，像是「夾在一個以 z 軸為軸、半徑為1的柱面，跟一個以原點為球心、半徑為2的球面之間的區域」。這些題目經常跟多重積分問題結合在一起，要你在這些區域上做多重積分。選對座標（柱面座標、笛卡兒座標或球面座標），是解此類問題的關鍵。

5. 涉及向量的計算（非常普遍，期末考出現率達80%）。這類題目可能要你計算點積（內積）、叉積（外積）、一個向量在另一個向量上的投影、三角形或平行四邊形的面積、直線或平面的方程式等等。如果你能掌握向量的基本幾何意義，並且熟悉一些諸如 $\mathbf{a} \cdot \mathbf{b} = |\mathbf{a}|\,|\mathbf{b}|\cos\theta$ 之類的公式，這類問題不會給你很多麻煩。

6. 畫出一個曲面（非常普遍，期末考出現率達80%）。這類問題可能是要你作圖畫出一個二次曲面，比方說拋物面、橢球面、雙曲面，或是雙曲拋物面。或者題目給了你一個方程式，裡面少了一個變數，而要你把該方程式生成的某個柱面畫出來。又或者題目隨意給你某個函數 $z = f(x, y)$，叫你作圖。

7. 陳述定理跟定義（非常普遍，期末考出現率達80%）。雖然幾乎沒有哪個老師，會出考題要學生證明定理，但是他們通常希望學生能叙述出定理及定義的內容。典型的考題也許是要你陳述格林定理、斯托克斯定理，或用來判定級數收斂性的積分檢驗，也許是要你寫出偏導數的定義，或問你一個級數收斂究竟是什麼意思、$f(x, y)$ 在 (x_0, y_0) 連續又是什麼意思。若要拿到滿分，你的陳述必須具相當程度的正確性，怎麼說呢？譬如說，你在叙述格林定理的時候，應該加上連續性的假設，除非教授沒有在課堂上提過這回事。

8. 線積分（非常普遍，期末考出現率達80%）。這類問題會告訴你一條曲線，以及一個函數或向量場，然後要你求線積分。有時你可以直接計算，有時你會發現此路不通，而需要用格林定理替你解決問題。

9. 找出臨界點（非常普遍，期末考出現率達80%）。題目會丟給你一個函數 $f(x, y)$ 或 $f(x, y, z)$，要你計算出它的所有臨界點，並且判定它們的性質：是極大值、極小值，抑或是鞍點。

10. 解最大或最小值的問題（非常普遍，期末考出現率達80%）。其用意是要你在某個約束條件下，求出某個函數的絕對極大或絕對極小值。你可以利用所給的約束條件，把函數裡的變數減少掉一個，也可以利用拉格朗日乘數。為了拿到滿分，最好能夠

寫下某種論證，來證明你找到的那個點的確是最大值或最小值。

11. 計算泰勒級數（滿普遍的，期末考出現率達70%）。題目會給你一個函數，然後要你計算它的泰勒級數展開式。有時候，題目還會要你算出該級數收斂到哪個數。

變化1：所要計算的泰勒級數不是x的冪級數，而是$(x-a)$的冪級數。

變化2：只要你計算幾項，然後找出誤差公式，即餘項。

12. 計算一個冪級數的收斂半徑（滿普遍的，期末考出現率達70%）。題目裡給你一個冪級數：

$$\sum_{n=0}^{\infty} a_n(x-a)^n = a_0 + a_1(x-a) + a_2(x-a)^2 + \cdots + a_n(x-a)^n + \cdots$$

然後要你算出它在a附近的收斂區間$(a-r, a+r)$，這個r就是收斂半徑。答案可能小到等於0，也可能大到∞。題目常常會指明要你檢驗區間端點的收斂性，不過，當題目要你找收斂區間，則已經暗示你必須檢驗端點啦。

13. 與向量場有關的計算（滿普遍的，期末考出現率達70%）。你需要知道散度（div）跟旋度（curl）的定義，也要能判定一個向量場是否為保守的。要解答這類問題，你必須懂得這些名詞是啥意思，以及如何計算。

14. 面積分與通量（滿普遍的，期末考出現率達70%）。題目會給你某一個曲面，通常是一塊平面、柱面或球面的一部分，然後要你求出，某個向量場通過這個曲面的通量。

千萬要選擇最適用的座標系。如果你能運用散度定理或斯

托克斯定理，解這類問題的困難度往往會大大的減輕。

15. 計算三維區域的體積（滿普遍的，期末考出現率達70%）。通常這類問題的困難部分，都是在寫出積分式的過程中。有的時候，這些區域的邊界是一些函數圖形，有的時候則是用文字來描述，比方說：「這塊立體是在一個以z軸為軸、半徑為2的柱面裡面，而且在平面$z = 0$之上、平面$x + z = 4$之下。」為了不容易弄錯，最好是把題目所給的區域簡單畫下來。

　　計算體積時，你可以用三重積分，也可以用二重積分。如果你選用的是三重積分，而且立體的外形比較容易用柱面座標或是球面座標來描述的話，最好就用這兩種座標。

16. 有關極限與連續性的題目（滿普遍的，期末考出現率達70%）。你已經見過單變數函數$f(x)$的極限跟連續性問題。現在，你會看到兩個變數的函數$f(x, y)$，甚至三個變數的函數$f(x, y, z)$。同時，題目還會問你，$f(x, y)$或$f(x, y, z)$在何處連續。

17. 方向導數與梯度（滿普遍的，期末考出現率達70%）。你可能必須計算某一個方向導數$D_\mathbf{u}f$，計算時要注意，所用的向量$\mathbf{u}$得是一個單位向量。這類題目也有可能要你找出最速上升或最速下降的方向。

18. 格林定理、散度定理、斯托克斯定理（還算普遍，期末考出現率達50%）。這類題目會明確指示你應用某一個定理，去計算一個積分。事實上，這比起只丟給你積分式子，要你自己看著辦，要容易得多。但是你也得把這些定理弄得滾瓜爛熟不可，你得實地做練習，每個定理都找幾個例題來做，而且還得搞清楚它們的來龍去脈。

　　有的時候，題目會要你用兩種方法，去計算同一個積分，

以證明格林定理成立，因而你必須知道，等號兩邊的積分式子該如何計算。

　　此外，每當題目要你計算通過一個曲面的通量時，記得問你自己，這些定理是否能夠幫上忙。

19. 參數曲線的速度向量跟加速度向量（還算普遍，期末考出現率達50%）。題目可能會告訴你位置向量、速度向量或加速度向量的任何一個，外加一些初始資訊，然後要你求出沒告訴你的另外兩個向量。這類題目大部分都跟拋體問題有關。

20. 質心與矩（還算普遍，期末考出現率達50%）。這類問題牽涉到多重積分的計算，由此求出質心、慣性矩（轉動慣量）、平均密度等等。首先，你得知道這幾個名詞是啥意思、計算公式是什麼，以及如何寫出多重積分式、如何做積分。譬如說，題目要你計算一個空間區域 V 繞著 z 軸旋轉的慣性矩，而且告訴你該區域的密度函數是 $\sigma(x, y, z)$，這時你就必須曉得慣性矩的計算公式是

$$\iiint\limits_{V} \sigma(x, y, z)\,(x^2 + y^2)\,dx\,dy\,dz$$

當然，你還需要知道怎麼寫出跟算出這個多重積分。

21. 瑕積分（還算普遍，期末考出現率達50%）。這類積分的積分極限，其中一個或兩個都是無窮大，或是被積函數在區間中出現無窮大的函數值。解這類問題時，得選用合適的積分極限。

22. 拉格朗日乘數（還算普遍，期末考出現率達50%）。並不是所有的微積分課程裡都有涵蓋這個部分，但是如果你在課堂上見過的話，它就很可能會出現在你的期末考考卷上。當其他領域應

用到微積分時，譬如在經濟學上，拉格朗日乘數是最常用的工
具之一，所以如果你修的是商用微積分，那麼這類問題的出現
機率會很高。

23. 羅必達法則（還算普遍，期末考出現率達50%）。每當你代入某
個值之後，函數的極限出現了不定式（像0/0或∞/∞）時，就是
需要使出羅必達法則的時機。在同一題裡面你經常得套用兩次
甚至三次。不過每次使用前一定要看清楚，若非不定式，則千
萬別用！

24. 切平面或切線（不太普遍，期末考出現率僅25%）。在這類問題
中，一個典型的例子是要你找出通過曲面上某一點的切平面方
程式。你必須計算出兩個不同方向上的偏導數，用它們去找出
這兩個方向上的切向量，然後取它們的叉積，以得到法向量，
最後取所有跟法向量垂直的向量，就可以找出所要的平面方程
式了。

25. 弧長（不太普遍，期末考出現率僅25%）。這類題目之所以不常
見，是因為能用手做的例子很罕見；積分式子通常會變得太難
看、難以收拾。但是，簡單的例子可能出現，諸如算出沿著直
線、圓或螺旋線的弧長。

26. 曲率（不普遍，期末考出現率僅10%）。跟上面所說的原因一
樣，這類問題很容易變得難以處理，因此不適合當做考題。

詞彙表：數學名詞速成

del：符號∇稱爲del，它代表：

$$\nabla = \frac{\partial}{\partial x}\mathbf{i} + \frac{\partial}{\partial y}\mathbf{j} + \frac{\partial}{\partial z}\mathbf{k}$$

∇是一個算子，本身不具任何意義，但是∇f代表一個函數$f(x, y, z)$的梯度，∇·$\mathbf{F}$是向量場$\mathbf{F}$的散度，而∇×$\mathbf{F}$則是向量場$\mathbf{F}$的旋度。就好像你得把一個「i」加在「del」的後面，才能買到美味的三明治（deli是專賣香腸、乳酪等熟食的商店），你也得在∇後面加上一個函數或向量場，才能得到有意義的結果。

〈二劃〉

二重積分（double integral）：此乃數學系派對上，最受歡迎的鷄尾酒之一（需加冰塊），受喜愛的程度跟「粉紅拉格朗日乘數」不相上下。當然囉，二重積分就是逐次積分，「二重」表示要做兩遍的意思。所以當你看到：

$$\int_a^b \int_c^d f(x, y)\, dx\, dy$$

你就該知道，它是要你連續做兩次普通積分，而且順序永遠是從裡面的 $\int_c^d f(x, y)\, dx$ 開始，然後把得到的答案當做第二次

積分的被積函數。裡面的積分極限有可能是函數，然而外邊的積分極限幾乎永遠是常數。

〈三劃〉

三重積分（triple integral）：就跟棒球比賽中有雙殺與三殺，既然有二重積分，當然也有三重積分，動作一樣，只是多做了一次。做三重積分時，你得逐次積分三次，順序是從內而外。

叉積（cross product，又稱外積）：一個性情非常乖戾的乘積，也許是因為它的計算公式比點積（內積）複雜得多。兩個向量的叉積，仍然是向量，不是數字，因此它還必須保有許多座標值。若 $\mathbf{v} = \langle v_1, v_2, v_3 \rangle$，而 $\mathbf{w} = \langle w_1, w_w, w_3 \rangle$，則 $\mathbf{v} \times \mathbf{w} = (v_2 w_3 - v_3 w_2)\mathbf{i} + (v_e w_1 - v_1 w_3)\mathbf{j} + (v_1 w_2 - v_2 w_1)\mathbf{k}$。為了比較容易記憶，上面這個式子也可以寫成行列式的形式：

$$\mathbf{v} \times \mathbf{w} = \det \begin{bmatrix} \mathbf{i} & \mathbf{j} & \mathbf{k} \\ v_1 & v_2 & v_3 \\ w_1 & w_2 & w_3 \end{bmatrix}$$

〈四劃〉

不定式（indeterminate form）：從英文上看，它是你用來填報所得稅的表格。此外，它也是指趨近 $0/0$ 或 ∞/∞ 的極限值。有不定式出現，你就可以使用羅必達法則。

方向角（direction angles）：此乃拍攝一部微積分電影時，拍特寫鏡頭的最佳角度。如果你對本書的電影版權有興趣，請與作者們連絡！如果我們在空間中任意選取了某個方向，那麼這個方向分別跟 x 軸、y 軸、z 軸的夾角 α、β、γ，就叫做方向角。

方向導數（directional derivative）：成天到晚都有人在問路、問方向，可是沒有人會問方向導數。函數 $f(x, y)$ 在某個單位向量 **u** 方向上的方向導數定義為：

$$D_{\mathbf{u}}f = \nabla f \cdot \mathbf{u}$$

心臟線（cardioid）：因為英文字裡有 card，所以這個英文字是專業卡片設計者的諢名。此外，它也是一種心臟形的圖形，在極座標上，它的方程式看起來像 $r = 1 + \cos\theta$ 或 $r = 1 + \sin\theta$。

心臟停止（cardiac arrest，但是作者故意寫成 cardioid arrest）：經常發生在那些沒有讀過這本書，而貿然去參加微積分期末考的學生身上。

（參數曲線上的）切線（tangent line to a parametrized curve）：從英文字面上來看，是指切線們排隊登記愛車、購買郵票，或是存放行李的地方。這種切線，是用來逼近曲線 $\mathbf{r}(t) = \langle x(t), y(t), z(t) \rangle$ 在點 $\mathbf{r}(t_0)$ 附近的曲線，其參數方程式為

$$\langle x, y, z \rangle = \langle x_0, y_0, z_0 \rangle + s\mathbf{r}'(t_0) \qquad -\infty < s < \infty$$

或是

$$\frac{x - x_0}{x'(0)} = \frac{y - y_0}{y'(0)} = \frac{z - z_0}{z'(0)}$$

切平面（tangent plane）：是空間中的平面，與曲面 $\mathbf{r}(u, v)$ 在其上一點 $\langle x_0, y_0, z_0 \rangle = \mathbf{r}(u_0, v_0)$ 平行，同時在該點附近最近似這個曲面。我們可用叉積，取得點 (x_0, y_0, z_0) 上的法向量 $\mathbf{n} = \mathbf{r}_u \times \mathbf{r}_v$，於是切平面的方程式就是

$$[(x - x_0)\mathbf{i} + (y - y_0)\mathbf{j} + (z - z_0)\mathbf{k}] \cdot \mathbf{n} = 0$$

切向分量（tangential component）：向量在曲線切線方向上的分量。通常用在加速度向量上，加速度向量的切向分量可以告訴我們，速度的變化究竟有多快。

〈五劃〉

加速度向量（acceleration vector）：它是速度向量的導數，或是位置向量的二階導數。它的長度（大小）告訴我們速度的變化有多快。你可以在十字路口跟大夥一塊兒等紅燈時，用這個數學名詞跟別的駕駛人串門子：「你剛才的加速度向量超猛。」

〈六劃〉

行列式（determinant）：一個跟數字方陣有關的數字，在計算兩向量的叉積（外積）時非常有用。

$$\det \begin{bmatrix} a & b \\ c & d \end{bmatrix} = \begin{vmatrix} a & b \\ c & d \end{vmatrix} = ad - bc$$

$$\det \begin{bmatrix} a & b & c \\ d & e & f \\ g & h & j \end{bmatrix} = a \begin{vmatrix} e & f \\ h & j \end{vmatrix} - b \begin{vmatrix} d & f \\ g & j \end{vmatrix} + c \begin{vmatrix} d & e \\ g & h \end{vmatrix}$$

收斂半徑（radius of convergence）：如果 |x – a| 小於此半徑，則
冪級數

$$a_0 + a_1(x - a) + a_2(x - a)^2 + a_3(x - a)^3 + \cdots$$

收斂，而如果 |x – a| 大於此半徑，則為發散。收斂半徑可以是從
0 到 ∞ 的任何數。不過，在 |x – a| 等於收斂半徑的點上，這個冪
級數不一定是收斂或發散，所以必須逐點檢驗。

（序列之）收斂性：序列裡的各項是否逐漸朝向一個數靠過去？換言
之，它們是否有個極限？如果答案是肯定的，我們說該序列收
斂到那個數。

（級數之）收斂性：一個級數若收斂，即使相加的數很多，多到跟天
上的行星恆星加起來一樣多，它的和仍然是有限的數。要決定
級數是否收斂，可以看部分和。令該級數前 n 項的和為 S_n，然後
看看序列 S_n 是否收斂。

（瑕積分之）收斂性：有的時候，我們可以馴服、教化那些教養不
好、態度惡劣、不遵守積分社會規範的積分類型。這種積分的
上下限可能是 ±∞，而不是比較文明的 a 到 b，或者被積函數是
一些在 x = 0 沒有定義的函數，像 $1/\sqrt{x}$。但是只要調教得當，它
們可以解釋成標準型積分的極限。所以，在 x = 0 有一個難纏奇
異點的 $\int_0^1 \dfrac{1}{\sqrt{x}}\, dx$，可以解釋成標準的 $\lim_{\epsilon \to 0} \int_\epsilon^1 \dfrac{1}{\sqrt{x}}\, dx$，而後者
可以很容易的算出來：

$$\lim_{\epsilon \to 0} \int_\epsilon^1 \frac{1}{\sqrt{x}}\, dx = \lim_{\epsilon \to 0} \int_\epsilon^1 x^{-1/2}\, dx = \lim_{\epsilon \to 0} [2\sqrt{x}]_\epsilon^1 = \lim_{\epsilon \to 0} [2 - 2\sqrt{\epsilon}] = 2$$

曲率（curvature）：原文是從"curvy chair"（彎曲的椅子）衍生而來，是一種十九世紀前現代學校裡的椅子設計風格，得過許多設計獎，但長久以來並未造成流行，原因是人坐在上面的時候，很容易翻倒。所謂曲率，是指一條參數曲線 $\mathbf{r}(t)$ 的彎曲程度 $\kappa(t)$，它告訴我們，這條曲線的單位切線向量 $\mathbf{T}(t)$ 的方向改變得有多快：

$$T(t) = \frac{\mathbf{r}'(t)}{|\mathbf{r}'(t)|}$$

對單位速率曲線 $\mathbf{r}(s)$ 來說，它的單位切線向量就是 $\mathbf{r}'(s)$，而 $\kappa(s)$ 就定義為

$$\boxed{\kappa(s) = |\mathbf{r}''(s)|}$$

而任意曲線 $\mathbf{r}(t)$ 的曲率就是

$$\boxed{\kappa(t) = \frac{|\mathbf{T}'(t)|}{|\mathbf{r}'(t)|}}$$

〈七劃〉

位置向量（position vector）：病媒*性愛指南中的重要章節。也是指用來描述一件物體的位置的向量。（*vector 也可解釋為「病媒」。）

位勢函數（potential function）：是指一個預定要在校園內舉辦，但尚未取得校方許可的派對。另外也可指一個函數 f，其梯度形成了一個向量場 $\mathbf{F}$。

形心（centroid）：其實就是質心的別名，花俏一些罷了。

拋物面（paraboloid）：一種曲面，看起來好像是把一條拋物線繞著一根軸轉了一圈。它的一般式是 $z = x^2 + y^2$。

芝諾（Zeno of Elea）：英文微積分辭典裡的最後一條。芝諾是古希臘哲學家，以芝諾悖論（Zeno's paradox）而名傳千古。他悖論講的是什麼呢？他指出，一個跑者若要跑一英里的路，他必須先跑完半英里，接下來必須跑剩下的一半，即四分之一英里，然後又得跑這段四分之一英里路的一半……如此就有無窮多段路要跑。顯然這名跑者不可能在有限的時間內，完成要跑的無窮多段路，所以他的結論是，運動是不可能辦到的，因而只是一種幻象。

　　我們在前一本《微積分之屠龍寶刀》寫過這樣的結語：整個世界無非是一場夢，何不翻個身，繼續睡你的大頭覺？然而在這本續集《微積分之倚天寶劍》裡，我們已經看到，無窮多個距離可以加總成一個有限的量，而且，$\frac{1}{2} + \frac{1}{4} + \frac{1}{8} + ... = 1$ 英里。芝諾悖論就到此為止，各位趕緊醒來，泡杯咖啡。

〈八劃〉

弧長（arc length）：據說諾亞造出的全長是300腕尺──唉呀，看錯了一個字母，此處是arc，不是ark（方舟）。若要算出參數（化）曲線的長度，我們要先算線積分。我們所積分的量ds，叫做弧長元。對一條參數曲線 C(*t*) = 〈*x*(*t*), *y*(*t*), *z*(*t*)〉，a ≤ t ≤ b，它的弧長元是 $ds = \sqrt{x'(t)^2 + y'(t)^2 + z'(t)^2}$，而此曲線的長度就等於 $\int_C ds = \int_a^b \sqrt{x'(t)^2 + y'(t)^2 + z'(t)^2}\, dt$。

法向量（normal vector）：只是個很普通、很謙虛的垂直向量
（normal 在此處的意思不解釋為「正常」，所以沒有 abnormal
vector）。對於平面上的曲線，法向量垂直於該曲線的切線；而
對於空間中的曲面，法向量則垂直於該曲面的切平面。有時也
稱為正交向量（orthogonal vector）。

拉格朗日乘數（Lagrange multipliers）：一種解題技巧，可解決受
制的最大、最小值問題。應用範圍很廣，尤其是在經濟學上，
投資往往受制於資金來源，除非你是比爾・蓋茲。當你求 f 的最
大值時，把 g 當做常數，然後找出滿足 ∇f 等於 ∇g 的常數倍數的
點，這樣就可以找出 f 受制於約束方程式 g 時的最大值或最小值。

〈九劃〉

面積分（surface integral）：有些積分具有複雜的個性，但是在面
對世人的大多數時候，它們都只顯現出一種表面性格，從不表
露出內心的掙扎煎熬。這些積分讓我們能夠計算一些跟空間曲
面有關的量。在計算某函數在曲面上的積分時，我們會利用一
個包含曲面面積元 dS 的二重積分。

柱面座標（cylindrical coordinates）：是個雜種；它就等於取平面
上的極座標 r 跟 θ，另外加上直角座標裡的 z。看起來頗像一部
頂著凱迪拉克引擎蓋的福斯汽車。

〈十劃〉

純量（scalar）：數的花俏說法，一些勢利的數喜歡用它來強調自
己「不是」向量。

純量三重積（scalar triple product）：一種在微積分休息室裡提供的冰淇淋點心，同時也是把三個向量 **u**、**v**、**w** 相乘而得到一個數的方法。這個數就是此三個向量張成的平行六面體的體積。計算方法是取 $(\mathbf{u} \times \mathbf{v}) \cdot \mathbf{w}$。

泰勒級數（Taylor series）：泰勒盃奧林匹克運動會轉換競賽項目的總決賽，同時也是跟函數 $f(x)$ 及某一點 $x = a$ 有關的無窮級數。

$$f(a) + f'(a)(x - a) + \frac{f''(a)}{2!}(x - a)^2 + \frac{f'''(a)}{3!}(x - a)^3 + \cdots$$
$$+ \frac{f^{(n)}(a)}{n!}(x - a)^n + \cdots$$

只需用有限的幾項，即可得到 $f(x)$ 的近似值，而它的誤差上限，可以用泰勒餘項公式算出。

馬克勞林級數（Maclaurin series）：看似下式的冪級數：

$$f(0) + f'(0)x + \frac{f''(0)}{2!}x^2 + \frac{f'''(0)}{3!}x^3 + \cdots$$

我們可以經由它得到一個多項式，用來逼近函數 $f(x)$ 在 $x = 0$ 附近的近似值。

格林定理（Green's theorem）：第一種解釋（綠色環保定理）：大多數的環保運動人士，都要開非常耗油的多功能跑車，住宅陽台全用稀有的紅木建造，而且大量使用拋棄式紙尿布，即使家裡沒有小孩。

第二種解釋：在平面上，格林定理告訴我們，如何以反時鐘方

向，沿著一條封閉曲線做線積分。如果 **F** = P**i** + Q**j** 是一個向量場，而 C 圍繞著區域 R，則

$$\oint_C P\,dx + Q\,dy = \iint_R \left(\frac{\partial Q}{\partial x} - \frac{\partial P}{\partial y}\right) dx\,dy$$

要注意，P、Q 及它們的導數都得是連續函數。

〈十一劃〉

條件收斂（conditional convergence）：「條件」二字給人的感覺有點像徵婚啟事上，求婚的一方說：「如果你想跟又老又有錢的我結婚，你必須簽一張婚前協議書。」一個收斂的級數，裡面有些項可能是負值，因而它的絕對值會變成發散。屬於此類的一個重要級數是 $1 - (1/2) + (1/3) - (1/4) + \cdots$，它是條件收斂，但非絕對收斂。

偏導數（partial derivative）：考試時你對其中一個導數問題，給了一個不完全的答案，壞處是你可能要被扣些分數，好處是可能獲得部分分數。它也是指一個多變數函數的導數，它一次只能對其中一個變數取導數而已。它的寫法是有如 $\partial f(x, y)/\partial x$ 或是 $\partial f(x, y, z)/\partial y$。

速度向量（velocity vector）：描述粒子（質點）沿著一條參數路徑 $\mathbf{r}(t) = \langle x(t), y(t), z(t) \rangle$ 運動的向量，它可以告訴我們該粒子運動的速率跟方向。公式很簡單：

$$\mathbf{v}(t) = \mathbf{r}'(t) = \langle x'(t), y'(t), z'(t) \rangle$$

連續性（適用於多變數函數）：跟單變數函數的連續性沒啥不同；如果

$$\lim_{(x,\,y)\to(x_0,\,y_0)} f(x,y) = f(x_0, y_0)$$

則函數 $f(x, y)$ 在 (x_0, y_0) 連續；若該函數在定義域的每一點 (x_0, y_0) 都連續，則為連續函數。

通量（flux）：從英文來看，是指你的微積分知識的現況──通常是在增進，偶爾也會倒退，總之是一直在變化。在這裡呢，是指一個向量場流過某個曲面的量。在曲面上每一點，通量就定義為 **V•n**，其中 **V** 是某個向量場，而 **n** 則是在該點上跟曲面垂直的單位向量（事實上，單位向量有兩個，為了求通量，我們必須選與曲面垂直的那個方向）。由散度定理，一個向量場通過一曲面的總通量，就等於該向量場的散度在該曲面內區域上的積分。

參數曲線（parametric curve）：英文字面就是指一對使用公制的曲線。在這裡呢，是指一個向量值函數，用來描述一個正在空間中運動的粒子、小蟲子、棒球，或一塊乳酪的位置。典型的參數曲線看起來就像：

$$\mathbf{C}(t) = \langle x(t), y(t), z(t) \rangle \qquad a \leq t \leq b$$

梯度（gradient 或 grad）：空間中一函數 $f(x, y, z)$ 的梯度是一個向量：

$$\nabla f(x, y, z) = \frac{\partial f}{\partial x}\mathbf{i} + \frac{\partial f}{\partial y}\mathbf{j} + \frac{\partial f}{\partial z}\mathbf{k}$$

旋度（curl）：當你發現期末考卷上，赫然有一個斯托克斯定理的問題，你的頭髮的自然反應。但是不用緊張，你只要記得，旋度就代表一個向量場繞著一根軸旋轉的傾向。對於三維空間中的一個向量場 **V**，curl **V** 也是個向量。在空間中的特定一點上，向量場 curl **V** 的方向就是旋轉最甚時的軸的方向，它的長度（大小）則代表旋轉的量。旋轉量愈大，旋度也愈大，而 curl **V** 所指的方向（軸的方向），來自右手定則。除了以上所說的之外，還有一個簡單的公式，可用來計算 curl **V**：

$$\text{curl } \mathbf{V} = \nabla \times \mathbf{V}$$

球面座標（spherical coordinates）：另一種三維空間的座標系，其中 ρ 是你跟原點之間的直線距離，而 ϕ 是該直線跟正 z 軸的夾角，還有一個 θ，則是同一條線段在 xy 平面上的投影跟正 x 軸的夾角。相信金字塔形水晶有神祕力量的人，比較喜歡使用球面座標，而且以 Ocnomon 這位轉世神靈為原點。

〈十二劃〉

幾何級數（geometric series）：一種形式為 $a + ar + ar^2 + ar^3 + \cdots$ 的級數。如果 $|r| < 1$，它收斂到 $\dfrac{a}{1-r}$，其他情形一概發散。彈跳的球所走過的總距離，就是一種幾何級數。

北極熊（polar bear）：一個非常非常難以應付的極座標問題。

極座標（polar coordinates）：極北地區的流行風格，特色是上衣褲子整套全是白色的。它也是一種描述平面上各點的方法，每一點都以 (r, θ) 來表示，其中 r 是該點跟原點的距離，而 θ 為該點跟

原點連線與正 x 軸的夾角，此 θ 角是從 x 軸以反時鐘方向量起。

無窮序（數）列（infinite sequence）：不要跟 infinite sequins（無窮亮片）搞混了，後者是拉斯維加斯秀場鋼琴樂師常穿的服飾。無窮序列是一長串沒完了的數，最著名的是 1, 2, 3, 4, ...，不過像 2, 4, 6, 8, ... 跟 1, 4, 9, 16, ... 也是很好的例子。

絕對收斂（absolute convergence）：如果級數 $\sum a_n$ 的絕對值 $\sum |a_n|$ 收斂，則該級數絕對收斂。跟原級數的收斂性相比，絕對收斂跟它一樣難，甚至更難達成，所以絕對收斂性蘊涵（imply）收斂性。一個級數若是收斂，而非絕對收斂，就叫做條件收斂。

等高線（contour curve，也稱做 level curve）：函數的「等高線或等位線」，是指函數值為同一常數所成的曲線。譬如函數 $z = f(x, y)$，函數值 $f(x, y) = 3$ 的所有點 (x, y) 連成的曲線，就是 $z = 3$ 這條等高線。

最速上升／下降的方向（direction of steepest assent/descent）：當你站在山腰上一點，應該能夠看出，從哪個方位往上或往下走的坡度最陡，這個方位就是最速上升（或下降）的方向。若換成數學術語，向量 ∇f 所指的就是最速上升的方向，而 $-\nabla f$ 則指向最速下降的方向。如果你站在懸崖邊，為了安全，千萬別往 $-\nabla f$ 所指的方向邁步。

散度（divergence 或 div）：我走在森林裡，走著走著，前面分岔（diverge）成兩條小徑，我選了比較少人走的那條，結果得到錯誤的答案。向量場 **F** 在某一點上的散度，是指該向量場在那一

點正在壓縮或擴張的量，它的計算公式是

$$\text{div } \mathbf{F} = \nabla \cdot \mathbf{F}$$

散度定理（divergence theorem）：平面上的散度定理是說，如果你把一個向量場在平面上某區域中的散度（利用積分）全加起來（就等於該區域中的總壓縮或擴張量），你就得到了該向量場通過區域邊界的總流量，稱為通量。如果你正把大量的楓糖漿，潑灑到排水裝置有限的舞台上，此定理會特別有用。

定理： $$\iint\limits_D \text{div } \mathbf{F} \, dx \, dy = \oint_C \mathbf{F} \cdot \mathbf{n} \, ds$$

此定理的三維空間版本是說，在一個空間區域中，向量場的全部散度，等於流過邊界曲面的流量。

定理： $$\iiint\limits_V \text{div } \mathbf{F} \, dx \, dy \, dz = \iint\limits_S \mathbf{F} \cdot \mathbf{n} \, dS$$

$\mathbf{F}$ 跟 div $\mathbf{F}$ 必須為連續函數。

斯托克斯定理（Stokes's Theorem）：每年十月間，隨著斯托克斯托伯節（Stokestoberfest）一起慶祝的一個定理，在節慶期間，許多巴伐利亞人會在一塊用繩子圈起來的區域內（叫做啤酒園 D），喝掉一加侖又一加侖的啤酒。他們喝著酒，又唱歌又跳舞，還一直在原地旋轉打圈子，這動作讓繩子 C 受到非常大的張力。

這個定理就是：

$$\oint_C \mathbf{F} \cdot d\mathbf{r} = \iint_D (\text{curl } \mathbf{F}) \cdot \mathbf{k} \, dA$$

對三維空間，該定理也有一套說辭。在三維空間中，我們有一個曲面 S，其邊緣（邊界）是一條封閉曲線，叫做 C。設 $\mathbf{F}$ 為 S 上的向量場，而單位法線向量為 $\mathbf{n}$。於是斯托克斯定理說，沿著曲線 C 的線積分，就等於曲面 S 上的面積分：

$$\oint_C \mathbf{F} \cdot d\mathbf{r} = \iint_S \text{curl } \mathbf{F} \cdot \mathbf{n} \, dS$$

也就是說，向量場 $\mathbf{F}$ 對曲面 S 的扭力的總效應，等於該向量場沿著曲線 C 上的切向分量總和。不管是二維還是三維的情形，$\mathbf{F}$ 跟 curl $\mathbf{F}$ 都必須是連續的。

〈十三劃〉

微分方程（differential equation）：其中含有導數的方程式，$3\dfrac{\partial^2 x}{\partial^2 t} - 5\dfrac{\partial x}{\partial t} - x = 7$ 就是一例。

〈十四劃〉

慣性矩（moment of inertia）：在剛說完「我們結婚吧！」之後，那極短暫的一刻。也是指一個正在繞著某一根軸轉動的物體，對要改變它的角動量的抗拒力的大小。對於平面上一個密度為 $\sigma(x, y)$ 的區域 R，它繞著 x 軸轉動的慣性矩就等於：

$$I_x = \iint_R y^2 \sigma(x, y) \, dA$$

而繞著 y 軸轉動的慣性矩則為：

$$I_y = \iint\limits_R x^2 \sigma(x, y)\, dA$$

而對密度為 $\sigma(x, y, z)$ 的立體 V，它繞著 z 軸轉動的慣性矩則為：

$$\iiint\limits_V (x^2 + y^2)\, \sigma(x, y, z)\, dx\, dy\, dz$$

〈十五劃〉

質心（center of mass）：在你吃完感恩節火雞大餐之後，它位於你的肚子中央。當你移動的時候，它也跟著移動，只是移動得較慢。對於一個兩維的扁平物體來說，它是該物體的平衡點；對於一個三維的實心物體來說，如果你順著通過此點的任何平面，把該物體一刀切開，所得到的兩半質量相等。

調和級數（harmonic series）：$1 + \frac{1}{2} + \frac{1}{3} + \cdots$。這是人類史上的偉大級數之一。雖然所加的項愈到後面愈小，但是這個級數「並不」收斂。

線積分（line integral）：一個定義在空間中或平面上的函數，沿著空間或平面上某條參數曲線所做的積分。

鞍面（saddle）：也叫做雙曲拋物面。不過我們很難想像，西部電影裡會有這樣的台詞：「夥伴，時間差不多啦！讓我們趕緊丟一張雙曲拋物面到馬身上，然後上路吧。」雙曲拋物面是一種向兩個不同方向彎曲的曲面，就像馬鞍一樣，不說你也知道。一個典型的例子是 $z = x^2 - y^2$。

〈十六劃〉

冪級數（power series）：是指雙方得分皆達兩位數的職棒冠軍總決賽。也是指一個外貌如下的「無窮次多項式」：

$$a_0 + a_1 x + a_2 x^2 + a_3 x^3 + \cdots$$

更一般的形式是：

$$a_0 + a_1(x - a) + a_2(x - a)^2 + a_3(x - a)^3 + \cdots$$

橢球面（ellipsoid）：這是指一種曲面，看起來像變了形的球面，而它的一般式是

$$\frac{x^2}{a^2} + \frac{y^2}{b^2} + \frac{z^2}{c^2} = 1$$

〈十七劃〉

點積（dot product，又稱內積）：點積是兩個向量的一種乘積，得到的是一個數，它代表這兩個向量在方向上是否一致；點積就等於兩向量的長度乘積再乘以夾角的餘弦。由於它的公式計算起來超級容易，所以非常有用：當 $\mathbf{v} = \langle v_1, v_2, v_3 \rangle$，而 $\mathbf{w} = \langle w_1, w_2, w_3 \rangle$，則

$$\mathbf{v} \cdot \mathbf{w} = v_1 w_1 + v_2 w_2 + v_3 w_3$$

對於其他具有較少或較多分量的向量，此計算公式同樣適用。

〈十八劃〉

鏈鎖律（適用於多變數函數）：用來微分$f(g(x, y), h(x, y))$這類合成函數的一個方法，而這些合成函數本身，也含有不只一個變數。

雙曲面（hyperboloid）：從英文字面上看，hyper是極度活躍的意思，所以這是非常活躍的一種boloid，無法叫它保持安靜。這其實是一種曲面，看起來好像是把一條雙曲線，繞著一根軸轉了一圈。它的典型方程式是：

$$x^2 + y^2 - z^2 = 1$$

〈二十劃〉

寶（valuable, treasure）：當形容詞用，就是珍貴的意思，譬如《微積分之屠龍寶刀》、《微積分之倚天寶劍》，就是兩把很珍貴的兵器，刀劍合璧，可幫助你在微積分考場上，一路過關斬將。當名詞用，就是寶藏的意思，譬如你買到《微積分之屠龍寶刀》與《微積分之倚天寶劍》，就等於挖到寶藏，前途一片光明。至於愛耍刀耍劍的寶貝蛋，可簡稱「耍寶」，本書的三位作者，就特別愛耍寶。據說他們的下一本書，已經取好書名，叫《微積分之×寶濃湯》，少了殺氣，非常營養⋯⋯有朝一日，「微積分」變成「營養學分」，不再砍殺莘莘學子的時候，肯定會出版。

英中對照索引

科學天地 163

微積分之倚天寶劍
HOW TO ACE THE REST OF CALCULUS:
The Streetwise Guide, Including MultiVariable Calculus

原著 — 亞當斯（Colin Adams）、哈斯（Joel Hass）、湯普森（Abigail Thompson）
譯者 — 師明睿
顧問群 — 林和、牟中原、李國偉、周成功
總編輯 — 吳佩穎
編輯顧問 — 林榮崧
責任編輯 — 畢馨云、林韋萱
封面設計暨美術編輯 — 江儀玲

出版者 — 遠見天下文化出版股份有限公司
創辦人 — 高希均、王力行
遠見・天下文化 事業群榮譽董事長 — 高希均
遠見・天下文化 事業群董事長 — 王力行
天下文化社長 — 林天來
國際事務開發部兼版權中心總監 — 潘欣
法律顧問 — 理律法律事務所陳長文律師　　　　著作權顧問 — 魏啟翔律師
社址 — 台北市 104 松江路 93 巷 1 號 2 樓
讀者服務專線 —（02）2662-0012　傳真 —（02）2662-0007；（02）2662-0009
電子信箱 — cwpc@cwgv.com.tw
直接郵撥帳號 — 1326703-6 號　遠見天下文化出版股份有限公司

電腦排版 — 東豪印刷事業有限公司
製版廠 — 東豪印刷事業有限公司
印刷廠 — 中原造像股份有限公司
裝訂廠 — 中原造像股份有限公司
登記證 — 局版台業字第 2517 號
總經銷 — 大和書報圖書股份有限公司　電話 —（02）8990-2588
出版日期 — 2003 年 3 月 22 日第一版第 1 次印行
　　　　　　2023 年 11 月 10 日第三版第 5 次印行

定價 — 460 元

4713510945971（本書初版 ISBN 986-417-108-9）
書號：BWS163
天下文化官網 — bookzone.cwgv.com.tw

羅必達法則：

如果 $\lim\limits_{x \to a} \dfrac{f(x)}{g(x)}$ 是一個不定式（$\dfrac{0}{0}$ 或 $\dfrac{\infty}{\infty}$），則

$$\lim_{x \to a} \frac{f(x)}{g(x)} = \lim_{x \to a} \frac{f'(x)}{g'(x)}$$

瑕積分：

✳ $\displaystyle\int_a^\infty f(x)\,dx = \lim_{b \to \infty} \int_a^b f(x)\,dx$ ，$\displaystyle\int_{-\infty}^b f(x)\,dx = \lim_{a \to -\infty} \int_a^b f(x)\,dx$

✳ 如果 $f(x)$ 在 a 沒有定義，我們得讓 $\displaystyle\int_a^c f(x)\,dx = \lim_{b \to a^+} \int_b^c f(x)\,dx$

極座標：

✳ $x = r\cos\theta$
$y = r\sin\theta$
$r = \sqrt{x^2 + y^2}$

又，$\tan\theta = y/x$，假設 $x \neq 0$。

✳ 半徑為 a、圓心在 (0, a) 的圓方程式為 $r = 2a\sin\theta$。

✳ 半徑為 a、圓心在 (a, 0) 的圓方程式為 $r = 2a\cos\theta$。

✳ 心臟線的方程式為 $r = a\,(1 \pm \sin\theta)$ 或 $r = a\,(1 \pm \cos\theta)$。

✳ 邊界為兩徑向線 $\theta = \alpha$、$\theta = \beta$ 跟曲線 $r = f(\theta)$, $\alpha \leq \theta \leq \beta$ 的面積 A 為

$$A = \int_\alpha^\beta \tfrac{1}{2}[f(\theta)]^2\,d\theta$$

✹ 邊界為兩徑向線 $\theta = \alpha$、$\theta = \beta$ 及兩曲線 $r = f(\theta)$、$r = g(\theta)$ 的面積 A

為 $\dfrac{1}{2}\displaystyle\int_{\alpha}^{\beta}[g(\theta)]^2 - [f(\theta)]^2\,d\theta$，其中，對 $\alpha \le \theta \le \beta$，$0 \le f(\theta) \le g(\theta)$。

無窮級數：

如果 $\displaystyle\lim_{n \to \infty} S_n = S$，則級數 $\displaystyle\sum_{n=1}^{\infty} a_n = a_1 + a_2 + a_3 + \cdots$ 收斂到 S，其

中 $S_n = a_1 + a_2 + \cdots + a_n$ 是第 n 項部分和。在此情形下，我們把

它寫成 $\displaystyle\sum_{n=1}^{\infty} a_n = S$。

幾何級數：

如果 $|r| < 1$，幾何級數 $a + ar + ar^2 + ar^3 + \cdots$ 收斂到 $\dfrac{a}{1-r}$，如果 $|r| < 1$，該級數發散。

p 級數：

對 $p > 1$，p 級數 $\displaystyle\sum_{n=1}^{\infty} \dfrac{1}{n^p}$ 收斂，而對 $p \le 1$ 則發散。

絕對收斂：

✹ 若級數 $\displaystyle\sum_{n=1}^{\infty} |a_n|$ 收斂，則級數 $\displaystyle\sum_{n=1}^{\infty} a_n$ 絕對收斂。

✹ 如果一個級數絕對收斂，它也收斂。

✹ 如果一個級數收斂，但不為絕對收斂，我們就說它為條件收斂。

收斂性的檢驗法：

✳ 第n項檢驗：若 $\lim\limits_{n \to \infty} a_n \neq 0$ ，則無窮級數 $\sum\limits_{n=1}^{\infty} a_n$ 發散。

✳ 積分檢驗：若 $a_n = f(n)$ ，其中 f 為正值連續函數，且對 $x \geq 1$ 為遞減，則 $\int_1^{\infty} f(x)\,dx$ 跟 $\sum\limits_{n=1}^{\infty} a_n$ 是共犯；兩者同時收斂或同時發散。

✳ 基本比較檢驗：若 $\sum a_n$ 與 $\sum b_n$ 都是正項級數，且對所有的 n， $b_n \geq a_n$ ，則

1. 若 $\sum b_n$ 收斂， $\sum a_n$ 也收斂。

2. 若 $\sum a_n$ 發散， $\sum b_n$ 也發散。

✳ 極限比較檢驗：若 $\sum a_n$ 跟 $\sum b_n$ 為正項級數，且對某個正數 k，

$$\lim_{n \to \infty} \frac{a_n}{b_n} = k$$ 則兩級數同時收斂，或同時發散。

✳ 交錯級數檢驗：若 $a_1 - a_2 + a_3 - a_4 + \cdots + (-1)^{n+1}a_n + \cdots$ 或 $-a_1 + a_2 - a_3 + a_4 + \cdots + (-1)^n a_n + \cdots$ 為交錯級數，其中每一項 $a_n > 0$ ，且對所有的 n， $a_{n+1} \leq a_n$ ，而且 $\lim\limits_{n \to \infty} a_n = 0$ ，則這個交錯級數收斂。

✳ 比率檢驗：若 $\sum\limits_{n=1}^{\infty} u_n$ 為一級數，則

1. 若 $\lim\limits_{n \to \infty} \left| \dfrac{u_{n+1}}{u_n} \right| < 1$ ，則該級數絕對收斂。

2. 若 $\lim\limits_{n \to \infty} \left| \dfrac{u_{n+1}}{u_n} \right| > 1$ ，則該級數發散。

3. 若 $\lim\limits_{n \to \infty} \left| \dfrac{u_{n+1}}{u_n} \right| = 1$ ，則我們什麼結果都不知道。

✹ 根式檢驗：若 $\displaystyle\sum_{n=1}^{\infty} u_n$ 為一級數，則

1. 若 $\displaystyle\lim_{n\to\infty}(|u_n|)^{1/n} < 1$，則該級數絕對收斂。

2. 若 $\displaystyle\lim_{n\to\infty}(|u_n|)^{1/n} > 1$，則該級數發散。

3. 若 $\displaystyle\lim_{n\to\infty}(|u_n|)^{1/n} = 1$，則我們什麼結果都不知道。

冪級數：

具有如下形式的級數就是冪級數：

$$\sum_{n=0}^{\infty} a_n x^n = a_0 + a_1 x + a_2 x^2 + \cdots + a_n x^n + \cdots$$

利用比率檢驗，可以決定收斂半徑，並檢查端點，以決定收斂區間；所謂收斂區間，就是讓該級數收斂的所有 x 值所成的集合。

泰勒級數：

✹ 泰勒逼近：

$$f(x) \approx f(a) + f'(a)(x-a) + \frac{f''(a)}{2!}(x-a)^2 + \frac{f'''(a)}{3!}(x-a)^3$$
$$+ \cdots + \frac{f^{(n)}(a)}{n!}(x-a)^n$$

❋ 馬克勞林逼近：

$$f(x) \approx f(0) + f'(0)x + \frac{f''(0)}{2!}x^2 + \frac{f'''(0)}{3!}x^3 + \cdots + \frac{f^{(n)}(0)}{n!}x^n$$

❋ 帶餘項的泰勒公式：

$$f(x) = \underbrace{f(a) + f'(a)(x-a) + \frac{f''(a)}{2!}(x-a)^2 + \cdots + \frac{f^{(n)}(a)}{n!}(x-a)^n}_{\text{泰勒多項式}}$$

$$+ \underbrace{\frac{f^{(n+1)}(c)}{(n+1)!}(x-a)^{n+1}}_{\text{餘項}}$$

❋ 幾個著名的泰勒級數：

$$e^x = 1 + x + \frac{x^2}{2!} + \frac{x^3}{3!} + \cdots$$

$$\sin x = x - \frac{x^3}{3!} + \frac{x^5}{5!} - \cdots$$

$$\cos x = 1 - \frac{x^2}{2!} + \frac{x^4}{4!} - \cdots$$

$$\frac{1}{1-x} = 1 + x + x^2 + \cdots \qquad \text{對任何 } |x| < 1$$

平面上的向量：

✳一個開始於(x_1, y_1)、結束於(x_2, y_2)的向量，可以寫成

$$\mathbf{v} = \langle x_2 - x_1, y_2 - y_2 \rangle 。$$

✳若$\mathbf{v} = \langle x, y \rangle$，它的長度就等於$|\mathbf{v}| = \sqrt{x^2 + y^2}$。

✳若$\mathbf{v} = \langle x_1, y_1 \rangle$，$\mathbf{w} = \langle x_2, y_2 \rangle$，則

$$\mathbf{v} + \mathbf{w} = \langle x_2 + x_1, y_2 + y_2 \rangle$$
$$\mathbf{v} - \mathbf{w} = \langle x_2 - x_1, y_2 - y_2 \rangle$$

✳$\mathbf{ca} = \langle ca_1, ca_2 \rangle$稱為純量乘法。

✳向量的運算法則：

$$\mathbf{a} + \mathbf{b} = \mathbf{b} + \mathbf{a}$$
$$\mathbf{a} + (\mathbf{b} + \mathbf{c}) = (\mathbf{a} + \mathbf{b}) + \mathbf{c}$$
$$c(\mathbf{a} + \mathbf{b}) = c\mathbf{a} + c\mathbf{b}$$
$$(c + e)\mathbf{a} = c\mathbf{a} + e\mathbf{a}$$
$$(ce)\mathbf{a} = c(e\mathbf{a}) = e(c\mathbf{a})$$

空間中的向量：

✳若$\mathbf{v} = \langle x, y, z \rangle$，則其長度為$|\mathbf{v}| = \sqrt{x^2 + y^2 + z^2}$。

✳若$\mathbf{v}$為任一向量，則$\mathbf{u} = \dfrac{\mathbf{v}}{|\mathbf{v}|}$為一單位向量，方向與$\mathbf{v}$相同。

✳以下為三個非常有用的單位向量：

$$\mathbf{i} = \langle 1, 0, 0 \rangle$$
$$\mathbf{j} = \langle 0, 1, 0 \rangle$$
$$\mathbf{k} = \langle 0, 0, 1 \rangle$$

$$\mathbf{a} = \langle a_1, a_2, a_3 \rangle = a_1\mathbf{i} + a_2\mathbf{j} + a_3\mathbf{k}.$$

✹ $\mathbf{a} = \langle a_1, a_2, a_3 \rangle$ 跟 $\mathbf{b} = \langle b_1, b_2, b_3 \rangle$ 的點積（內積）為一純量

$$\mathbf{a} \cdot \mathbf{a} = |\mathbf{a}|^2$$
$$\mathbf{a} \cdot \mathbf{b} = \mathbf{b} \cdot \mathbf{a}$$
$$c\mathbf{a} \cdot \mathbf{b} = \mathbf{a} \cdot c\mathbf{b} = c(\mathbf{a} \cdot \mathbf{b})$$
$$\mathbf{a} \cdot \mathbf{b} = |\mathbf{a}||\mathbf{b}| \cos \theta$$

✹ 向量 $\mathbf{a}$ 跟 $\mathbf{b}$ 互相垂直，若且唯若 $\mathbf{a} \cdot \mathbf{b} = 0$。

✹ 向量 $\mathbf{a}$ 在 $\mathbf{b}$ 方向上的分量（為一長度）定義為

$$\text{comp}_\mathbf{b}\, \mathbf{a} = |\mathbf{a}| \cos \theta$$
$$= |\mathbf{a}| \left(\frac{\mathbf{a} \cdot \mathbf{b}}{|\mathbf{a}||\mathbf{b}|} \right) = \frac{\mathbf{a} \cdot \mathbf{b}}{|\mathbf{b}|}$$

✹ 向量 $\mathbf{a}$ 在 $\mathbf{b}$ 方向上的投影（為一向量）定義為

$$\text{proj}_\mathbf{b}\, \mathbf{a} = (\text{comp}_\mathbf{b}\, \mathbf{a}) \frac{\mathbf{b}}{|\mathbf{b}|}$$
$$= \frac{\mathbf{a} \cdot \mathbf{b}}{|\mathbf{b}|^2} \mathbf{b}$$

行列式：

$$\det \begin{pmatrix} a & b \\ c & d \end{pmatrix} = \begin{vmatrix} a & b \\ c & d \end{vmatrix} = ad - bc$$

$$\det \begin{pmatrix} a & b & c \\ d & e & f \\ g & h & j \end{pmatrix} = \begin{vmatrix} a & b & c \\ d & e & f \\ g & h & j \end{vmatrix} = a \begin{vmatrix} e & f \\ h & j \end{vmatrix} - b \begin{vmatrix} d & f \\ g & j \end{vmatrix} + c \begin{vmatrix} d & e \\ g & h \end{vmatrix}$$

叉積（外積）：

✴ 向量 **a** 跟 **b** 的叉積定義為

$$\mathbf{a} \times \mathbf{b} = \langle a_2 b_3 - a_3 b_2, a_3 b_1 - a_1 b_3, a_1 b_2 - a_2 b_1 \rangle = \begin{vmatrix} \mathbf{i} & \mathbf{j} & \mathbf{k} \\ a_1 & a_2 & a_3 \\ b_1 & b_2 & b_3 \end{vmatrix}$$

✴ **a** × **b** 垂直於 **a** 跟 **b**。

✴ $\mathbf{a} \times \mathbf{b} = -\mathbf{b} \times \mathbf{a}$

✴ $\left| \mathbf{a} \times \mathbf{b} \right| = |\mathbf{a}||\mathbf{b}| \sin \theta$

✴ 面積（平行四邊形）$= |\mathbf{a}||\mathbf{b}| \sin \theta = \left| \mathbf{a} \times \mathbf{b} \right|$

　面積（三角形）$= \frac{1}{2} \left| \mathbf{a} \times \mathbf{b} \right|$

✴ $\mathbf{a} \cdot (\mathbf{b} \times \mathbf{c}) = \begin{vmatrix} a_1 & a_2 & a_3 \\ b_1 & b_2 & b_3 \\ c_1 & c_2 & c_3 \end{vmatrix}$

空間中的直線：

✴ 給定直線上一點 $P(x_0, y_0, z_0)$，以及與該直線同方向的向量 $\mathbf{v} = \langle a, b, c \rangle$，則這條直線的參數方程式為：

$$x = x_0 + ta$$
$$y = y_0 + tb$$
$$z = z_0 + tc$$

✴ 這條直線的對稱方程式為：$\dfrac{x - x_0}{a} = \dfrac{y - y_0}{b} = \dfrac{z - z_0}{c}$

空間中的平面：

給定法向量 $\mathbf{n} = \langle a, b, c \rangle$ 及平面上一點 $P_0 = (x_0, y_0, z_0)$，則該平面的方程式爲

$$a(x - x_0) + b(y - y_0) + c(z - z_0) = 0$$

參數曲線：

✳ 當參數 t 變動時，$\mathbf{r}(t) = \langle x(t), y(t), z(t) \rangle$ 代表空間中的一條參數曲線。$\mathbf{r}(t)$ 稱爲位置向量。

✳ 速度向量 $\mathbf{v} = \mathbf{r}'(t) = \langle x'(t), y'(t), z'(t) \rangle$ 爲這條曲線的切線。$|\mathbf{v}|$ 爲速率。

✳ 加速度向量 $\mathbf{a} = \mathbf{v}'(t) = \mathbf{r}''(t)$。

✳ 向量值函數的微分法則：

1. $\dfrac{d}{dt}[\mathbf{r}(t) + \mathbf{s}(t)] = \dfrac{d}{dt}\mathbf{r}(t) + \dfrac{d}{dt}\mathbf{s}(t)$

2. $\dfrac{d}{dt}[c\mathbf{r}(t)] = c\dfrac{d}{dt}\mathbf{r}(t)$

3. $\dfrac{d}{dt}[f(t)\mathbf{r}(t)] = f(t)\mathbf{r}'(t) + f'(t)\mathbf{r}(t)$

4. $\dfrac{d}{dt}[\mathbf{r}(t) \cdot \mathbf{s}(t)] = \mathbf{r}(t) \cdot \mathbf{s}'(t) + \mathbf{r}'(t) \cdot \mathbf{s}(t)$

5. $\dfrac{d}{dt}[\mathbf{r}(t) \times \mathbf{s}(t)] = \mathbf{r}(t) \times \mathbf{s}'(t) + \mathbf{r}'(t) \times \mathbf{s}(t)$

6. $\dfrac{d}{dt}[\mathbf{r}(f(t))] = \mathbf{r}'(f(t))f'(t)$

❋ 求向量值函數的積分：

$$\int_a^b \mathbf{r}(t)\, dt = \left\langle \int_a^b x(t)\, dt,\ \int_a^b y(t)\, dt,\ \int_a^b z(t)\, dt \right\rangle$$

❋ 求曲線弧長的計算公式：

$$S = \int_a^b |\mathbf{v}|\, dt = \int_a^b \sqrt{[x'(t)]^2 + [y'(t)]^2 + [z'(t)]^2}\, dt$$

曲率：

❋ 單位速率曲線 $\mathbf{r}(s)$ 的曲率 $\kappa(s)$ 定義為 $\kappa(s) = |\mathbf{r}''(s)|$。

❋ 任意曲線 $\mathbf{r}(t)$ 的曲率為 $\kappa(t) = \dfrac{|\mathbf{T}'(t)|}{|\mathbf{r}'(t)|}$，其中 $\mathbf{T}(t) = \dfrac{|\mathbf{r}'(t)|}{|\mathbf{r}'(t)|}$。

曲面：

❋ $ax + by + cz = d$ 是一個平面。

❋ 如果 a 跟 b 同號，則 $z = ax^2 + by^2$ 為一個拋物面。

❋ $\dfrac{x^2}{a^2} + \dfrac{y^2}{b^2} + \dfrac{z^2}{c^2}$ 是一個橢球面，而軸長分別為 a、b 跟 c。

❋ $z^2 = ax^2 + by^2 - c\ (a, b, c > 0)$ 是一個以 z 軸為軸的單葉雙曲面。

❋ $z^2 = ax^2 + by^2 + c\ (a, b, c > 0)$ 是一個以 z 軸為軸的雙葉雙曲面。

❋ $z^2 = ax^2 + by^2\ (a, b > 0)$ 是一對以 z 軸為軸、共頂點的橢圓錐面。

❋ $z = ax^2 - by^2\ (a, b > 0)$ 是一個鞍面（也叫做雙曲拋物面）。

❋ 對於以上幾個以 z 軸為曲面方程式，我們也可以把 x、y 跟 z 的位置互調，而得到以 x 或 y 軸為軸的曲面。

極限與連續性：

✻ $\lim\limits_{(x,\,y)\to(a,\,b)} f(x,\,y) = L$ 的意思是，對 xy 平面上每一條趨近 $(a,\,b)$ 的

路徑，$f(x,y)$ 都會趨近於 L。

✻ 如果 $\lim\limits_{(x,\,y)\to(a,\,b)} f(x,\,y) = f(a,\,b)$ ，

我們說函數 $f(x,y)$ 在 $(x,y)=(a,b)$ 連續。

偏導數：

✻ 函數 f 對 x 的偏導數為 $\dfrac{\partial f}{\partial x} = \lim\limits_{h\to 0}\dfrac{f(x+h,\,y)-f(x,\,y)}{h}$ 。

✻ 函數 f 對 y 的偏導數為 $\dfrac{\partial f}{\partial y} = \lim\limits_{h\to 0}\dfrac{f(x,\,y+h)-f(x,\,y)}{h}$ 。

✻ $\dfrac{\partial f}{\partial x}(a,\,b)$ 為通過曲面上一點 $(a,\,b,\,f(a,\,b))$ 的其中一條切線的斜率，

這條切線位於一個與 xz 平面平行、且通過該點的平面上。

✻ $\dfrac{\partial f}{\partial y}(a,\,b)$ 為通過曲面上一點 $(a,\,b,\,f(a,\,b))$ 的其中一條切線的斜率，

這條切線位於一個與 yz 平面平行、且通過該點的平面上。

✻ 求 $\dfrac{\partial f}{\partial x}$ 時，把 y 當做常數，然後對 x 微分。

求 $\dfrac{\partial f}{\partial y}$ 時，把 x 當做常數，然後對 y 微分。

✻ 當這些偏導數為連續函數時，$\dfrac{\partial^2 f}{\partial y\,\partial x} = \dfrac{\partial^2 f}{\partial x\,\partial y}$ 。

✳ 在局部極大或局部極小值，$\dfrac{\partial f}{\partial x} = 0$ 且 $\dfrac{\partial f}{\partial y} = 0$，如果這兩個偏導數存在的話。

受制的最大、最小值問題：

當 $g(x, y, z) = 0$，求 $f(x, y, z)$ 的最大或最小值的方法如下：

第1步：寫出待求最大（小）值的函數 $f(x, y, z)$ 及所謂的約束方程式 $g(x, y, z) = 0$。

第2步：利用約束方程式，把 f 當中的變數減少成兩個。

第3步：取 f 的偏導數，並且令它們等於 0。

第4步：解這些方程式，找出臨界點。

第5步：判定哪一個臨界點是最大（小）值。

鏈鎖律：

若 w 直接隨著 u 跟 v 改變，u 跟 v 又隨著 x 跟 y 改變，則

$$\frac{\partial w}{\partial x} = \frac{\partial w}{\partial u}\frac{\partial u}{\partial x} + \frac{\partial w}{\partial v}\frac{\partial v}{\partial x}$$

$$\frac{\partial w}{\partial y} = \frac{\partial w}{\partial u}\frac{\partial u}{\partial y} + \frac{\partial w}{\partial v}\frac{\partial v}{\partial y}$$

方向導數：

✳ 函數 $f(x, y)$ 的梯度定義為 $\nabla f = \left\langle \dfrac{\partial f}{\partial x},\ \dfrac{\partial f}{\partial y} \right\rangle$。

✳ 其方向導數則為 $D_u f = \nabla f \bullet \mathbf{u}$。

✳ 最速上升的方向即為 ∇f 的方向，而在此方向上，$D_u f = |\nabla f|$；最速下降的方向則為 $-\nabla f$ 的方向，而在此方向上，$D_u f = -|\nabla f|$。

拉格朗日乘數：

當 $g(x, y, z) = 0$，求 $f(x, y, z)$ 的最大或最小值的方法如下：

第1步：確認約束方程式的形式為 $g(x, y, z) = 0$。

第2步：令 $\nabla f = \lambda \nabla g$

第3步：解第2步得到的方程組，找出 x、y、z。

第4步：判定哪一組解是最大或最小值。

二階導數檢驗：

f 的判別式定義為 $\Delta = f_{xx} f_{yy} - (f_{xy})^2$。

如果 (a, b) 為 $f(x, y)$ 的一個臨界點，那麼：

1. 若 $\Delta > 0$ 且 $f_{xx} > 0$，則 f 在 (a, b) 有局部極小值。

2. 若 $\Delta > 0$ 且 $f_{xx} < 0$，則 f 在 (a, b) 有局部極大值。

3. 若 $\Delta < 0$，則點 (a, b) 既不是 f 的局部極大值，也不是局部極小值，而是一個鞍點。

4. 若 $\Delta = 0$，則這個檢驗什麼結果也沒告訴我們。

二階導數檢驗可以畫在下列四張臉孔上：

　　　蜜妮　　　　　麥斯威爾　　　　糊塗豬　　　　瘋狂小丑

多重積分：

✳ 區域 R 上的二重積分定義成黎曼和的極限：

$$\iint\limits_{R} f(x, y)\, dA = \lim_{n \to \infty} \sum_{i=1}^{n} f(x_i, y_i)\, \Delta A_i$$

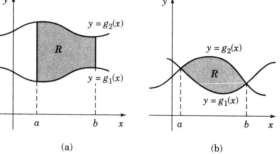

(a)　　　　　　　(b)

當區域 R 位於 $y = g_2(x)$ 下方、$y = g_1(x)$ 上方，且夾在 $x = a$ 跟 $x = b$ 之間時，函數 $f(x, y)$ 在 R 上的二重積分就變成了：

$$\int_a^b \left[\int_{g_1(x)}^{g_2(x)} f(x, y)\, dy \right] dx$$

先把 x 當做常數，做裡面的積分 $\displaystyle\int_{g_1(x)}^{g_2(x)} f(x, y)\, dy$，然後把這次的積分結果當做被積函數，讓 x 恢復其變數身分，做外面的積分。

當區域 R 位於 $x = h_1(x)$ 右方、$x = h_2(x)$ 左方，且夾在 $y = c$ 跟 $y = d$ 之間時，函數 $f(x, y)$ 在 R 上的二重積分就變成了：

$$\int_c^d \left[\int_{h_1(y)}^{h_2(y)} f(x, y)\, dx \right] dy$$

✳ 極座標：平面上的點表示成(r, θ)，此時，在區域 R 上的二重積分就變成了 $\iint\limits_R f(r, \theta) r\, dr\, d\theta$ 的模樣。

✳ 在三維空間中一立體區域 V 上的三重積分，也同樣定義成黎曼和的極限：

$$\iiint\limits_V f(x, y, z)\, dV = \lim_{n \to \infty} \sum_{i=1}^{n} f(x_i, y_i, z_i)\, \Delta V_i$$

典型的區域 V 描述成：$h_1(x, y) \leq z \leq h_2(x, y)$，$g_1(x) \leq y \leq g_2(x)$，$a \leq x \leq b$。於是，這個三重積分就成了下列的形式：

$$\int_a^b \left[\int_{g_1(x)}^{g_2(x)} \left[\int_{h_1(x, y)}^{h_2(x, y)} f(x, y, z)\, dz \right] dy \right] dx$$

積分的順序是由內而外，連續做三次。

✳ 柱面座標：空間中的點描述成(r, θ, z)，其中 $x = r \cos\theta$、$y = r \sin\theta$、$z = z$。在這個座標系中，立體區域 V 上的三重積分形式如下：

$$\iiint\limits_V f(r, \theta, z) r\, dr\, d\theta\, dz$$

✳ 球面座標：空間中的點描述成 (ρ, ϕ, θ)，其中 $x = \rho \sin\phi \cos\theta$、$y = \rho \sin\phi \sin\theta$、$z = \rho \cos\phi$。在這個座標系中，立體區域 V 上的三重積分形式如下：

$$\iiint\limits_V f(\rho, \phi, \theta)\, \rho^2 \sin\phi\, d\rho\, d\phi\, d\theta$$

✳ 質量、質心、矩：我們可以做密度函數 σ 在區域 V 上的積分，來求出 V 的質量。

$$質量 = \iiint_V \sigma(x, y, z) \, dx \, dy \, dz$$

V 的質心（又稱形心）即為該立體「達到平衡」的點 (x, y, z)，該點的座標分別為：

$$\bar{x} = \frac{\iiint_V \sigma(x, y, z) \, x \, dx \, dy \, dz}{\iiint_V \sigma(x, y, z) \, dx \, dy \, dz}$$

$$\bar{y} = \frac{\iiint_V \sigma(x, y, z) \, y \, dx \, dy \, dz}{\iiint_V \sigma(x, y, z) \, dx \, dy \, dz}$$

$$\bar{z} = \frac{\iiint_V \sigma(x, y, z) \, z \, dx \, dy \, dz}{\iiint_V \sigma(x, y, z) \, dx \, dy \, dz}$$

分子部分的三個積分，叫做 V 的第一矩。

✳ 立體 V 的慣性矩，代表讓它旋轉時它所給的阻力。若要讓它繞著 z 軸轉動，它的慣性矩就等於：

$$\iiint_V \sigma(x, y, z)(x^2 + y^2) \, dx \, dy \, dz$$

✳ 座標變換：當我們使用某種座標 (u, v, w)，而非直角座標 (x, y, z) 來做多重積分時，我們必須把積分公式做一些調整。如果我們把 x、y、z 全都表示成一個 (u, v, w) 的函數，即 $x = x(u, v, w)$、$y = y(u, v, w)$、$z = z(u, v, w)$，那麼，令

$$\left| \frac{\partial(x,y,z)}{\partial(u,v,w)} \right| = \det \begin{bmatrix} \dfrac{\partial x}{\partial u} & \dfrac{\partial y}{\partial u} & \dfrac{\partial z}{\partial u} \\[2mm] \dfrac{\partial x}{\partial v} & \dfrac{\partial y}{\partial v} & \dfrac{\partial z}{\partial v} \\[2mm] \dfrac{\partial x}{\partial w} & \dfrac{\partial y}{\partial w} & \dfrac{\partial z}{\partial w} \end{bmatrix}$$

則在區域 V 上的三重積分就改成了：

$$\iiint\limits_V f(u,v,w) \left| \frac{\partial(x,y,z)}{\partial(u,v,w)} \right| du\,dv\,dw$$

向量場、散度、旋度：

✳ 平面上的一個向量場，會給平面上每一點一個向量，此向量場看起來就像 $\mathbf{W}(x,y) = P(x,y)\mathbf{i} + Q(x,y)\mathbf{j}$。空間中的向量場，看起來就像 $\mathbf{F}(x,y,z) = P(x,y,z)\mathbf{i} + Q(x,y,z)\mathbf{j} + R(x,y,z)\mathbf{k}$。

✳ 向量場 $\mathbf{F}$ 若為某個函數 f 的梯度，我們說它是保守的，而 f 則稱為位勢函數。

✳ 向量場 $\mathbf{F}$ 的散度是一個函數，定義為 $\operatorname{div}\mathbf{F} = \dfrac{\partial P}{\partial x} + \dfrac{\partial Q}{\partial y} + \dfrac{\partial R}{\partial z}$。

在 $\mathbf{F}$ 擴張的各點，散度為正，而在 $\mathbf{F}$ 壓縮的各點，散度為負。上述方程式可以簡寫成 $\operatorname{div}\mathbf{F} = \nabla\bullet\mathbf{F}$，其中 ∇ 代表下面這個算子：

$$\nabla = \frac{\partial}{\partial x}\mathbf{i} + \frac{\partial}{\partial y}\mathbf{j} + \frac{\partial}{\partial z}\mathbf{k}$$

✷ 向量場的旋度，代表該向量場使某物體繞著一軸旋轉的傾向。對一個向量場 $\mathbf{F}(x, y, z) = P(x, y, z)\mathbf{i} + Q(x, y, z)\mathbf{j} + R(x, y, z)\mathbf{k}$，$\nabla$ 跟 $\mathbf{F}$ 的叉積就等於 $\text{curl}\ \mathbf{F}$：

$$\text{curl}\ \mathbf{F} = \nabla \times \mathbf{F} = \det \begin{bmatrix} \dfrac{\partial}{\partial x} & \dfrac{\partial}{\partial y} & \dfrac{\partial}{\partial z} \\ P & Q & R \end{bmatrix}$$

✷ （曲）線積分：若想沿著一條曲線做積分，線積分就派上用場了。當曲線 C 描述成參數形式 $\mathbf{r}(t) = \langle x(t), y(t), z(t) \rangle$，$a \le t \le b$ 時，該曲線的弧長就等於：

$$\int_C ds = \int_C |\mathbf{v}|\ dt = \int_a^b \sqrt{[x'(t)]^2 + [y'(t)]^2 + [z'(t)]^2}\ dt$$

若想算出一作用力所作的功，我們得利用力場 $\mathbf{F}$，求線積分：

$$功 = \int_C \mathbf{F} \cdot d\mathbf{r} = \int_a^b \mathbf{F}(\mathbf{r}(t)) \cdot \mathbf{r}'(t)\ dt$$

✷ 保守向量場的性質：

1. 保守向量場沿著某一曲線上的線積分，可以由曲線兩端點上的位勢函數差而求得。

2. 若一個向量場在某區域上是保守的，那麼這個保守向量場在該區域上的線積分，只跟曲線的起點與終點有關，而與路徑無關。

3. 若一個向量場在某區域上是保守的，那麼它在該區域內某條封閉曲線上的線積分會等於0。

4. 任何保守向量場皆永遠滿足 $\dfrac{\partial P}{\partial y} = \dfrac{\partial Q}{\partial x}$ 。

✻ 如果在某一單連通區域 R 上，$\dfrac{\partial P}{\partial y} = \dfrac{\partial Q}{\partial x}$ ，則對 R 上某個函數 $f(x, y)$，$\mathbf{F} = \nabla f$，因此 $\mathbf{F}$ 在 R 上為保守的。

✻ 格林定理：若 $\mathbf{F} = P\mathbf{i} + Q\mathbf{j}$ 為一向量場，且 C 為區域 D 的邊界曲線，則

$$\oint_C P\,dx + Q\,dy = \iint_D \left(\frac{\partial Q}{\partial x} - \frac{\partial P}{\partial y}\right) dx\,dy$$

一向量場通過某條曲線的通量，代表該向量場流過該曲線的量為多少。先算出某一條曲線的單位法線向量 $\mathbf{n}$：對任一曲線 $\mathbf{r}(t) = \langle x(t), y(t)\rangle$，

$$\mathbf{n} = \frac{y'(t)}{|\mathbf{r}'(t)|}\mathbf{i} + \frac{-x'(t)}{|\mathbf{r}'(t)|}\mathbf{j}$$

於是向量場 F 的通量就等於 $\displaystyle\oint_C \mathbf{F}\cdot\mathbf{n}\,ds$ 。

✻ 散度定理：一向量場在某一邊界曲線為 C 的區域 R 上的散度，就等於該向量場通過邊界的總流量，亦即通量。

$$\iint_R \operatorname{div}\mathbf{F}\,dx\,dy = \oint_C \mathbf{F}\cdot\mathbf{n}\,ds$$

✳ （曲）面積分：空間曲面 S 的表面積就等於（其中 S 描述成參數形式 $r(u, v)$）：

$$\text{面積 } (S) = \iint\limits_{S} dS = \iint\limits_{S} |\mathbf{r}_u \times \mathbf{r}_v| \, du \, dv$$

做函數 σ 在空間曲面 S 上的積分時，我們取：

$$\iint\limits_{S} \sigma(x(u, v), y(u, v), z(u, v)) \, |\mathbf{r}_u \times \mathbf{r}_v| \, du \, dv$$

空間中的散度定理：任一向量場在某一立體區域 V 上的散度總和，等於它通過邊界曲面 S 的流量。

$$\iiint\limits_{V} \text{div } \mathbf{F} \, dx \, dy \, dz = \iint\limits_{S} \mathbf{F} \cdot \mathbf{n} \, dS$$

斯托克斯定理：給定空間中一曲面 S，其單位法線向量為 $\mathbf{n}$，邊界曲線為 C，又假設 $\mathbf{F}$ 為 S 上一向量場，則此定理會讓一個沿著 C 做的線積分，等於一個在 S 上做的面積分。

$$\oint_{C} \mathbf{F} \cdot d\mathbf{r} = \iint\limits_{S} \text{curl } \mathbf{F} \cdot \mathbf{n} \, dS$$